ÉBÈNE

Du même auteur

Le Négus, Flammarion, 1994, et 10/18, 1994.
Le Shah ou la démesure du pouvoir, Flammarion, 1986, et 10/18, 1994.
D'une guerre à l'autre, Flammarion, 1988.
Imperium, Plon/Feux Croisés, 1994, 10/18, 2000.

RYSZARD KAPUŚCIŃSKI

ÉBÈNE
Aventures africaines

*Traduit du polonais
par Véronique Patte*

FEUX CROISÉS

PLON

Titre original
Heban

Collection Feux Croisés
dirigée par Ivan Nabokov

© Ryszard Kapuściński, 1998.
© Librairie Plon, 2000, pour la traduction française.
ISBN édition originale : Czytelnik, Varsovie, 83-07-02721-7
ISBN Plon : 2-259-19163-0

J'ai vécu en Afrique pendant des années. J'y suis allé pour la première fois en 1957. Puis, au cours des quarante années suivantes, j'y suis retourné dès que l'occasion s'est présentée. J'ai sillonné le continent, évitant les itinéraires officiels, les palais, les hommes importants et la grande politique. J'ai préféré me déplacer en camion de fortune, courir le désert avec des nomades, être l'hôte de paysans de la savane tropicale. Leur vie est une peine, un tourment qu'ils supportent avec une endurance et une sérénité stupéfiantes.

Ce n'est donc pas un livre sur l'Afrique, mais sur quelques hommes de là-bas, sur mes rencontres avec eux, sur le temps que nous avons passé ensemble. Ce continent est trop vaste pour être décrit. C'est un véritable océan, une planète à part, un cosmos hétérogène et immensément riche. Nous disons « Afrique », mais c'est une simplification sommaire et commode. En réalité, à part la notion géographique, l'Afrique n'existe pas.

R.K.

Le début, le choc, Ghana 1958

Premier choc : la lumière. De la lumière partout. Intense, vive. Du soleil partout. Hier encore, Londres dégoulinant sous une pluie d'automne, un avion ruisselant d'eau, un vent froid et les ténèbres. Ici, dès le matin, l'aéroport baigne dans le soleil, nous baignons tous dans le soleil.

Autrefois, lorsque les gens traversaient le monde à pied, à cheval ou en bateau, ils avaient le temps de s'accoutumer aux changements. Les images de la terre défilaient sous leurs yeux lentement, le film du monde tournait tout doucement. Comme leur voyage durait des semaines, des mois, ils se familiarisaient progressivement à l'environnement, aux paysages nouveaux. Le climat lui aussi changeait par étapes. Avant d'atteindre la fournaise équatoriale, le voyageur venu de la froide Europe avait déjà traversé la douceur de Las Palmas, la canicule d'El-Mahary et l'enfer du Cap-Vert.

Que reste-t-il aujourd'hui de cette gradation ? Rien ! L'avion nous arrache violemment de la neige et du gel pour nous plonger le jour même dans le gouffre des flammes tropicales. Nous avons à peine le temps de nous retourner que nous nous retrouvons au cœur d'un brasier humide. Dès notre arrivée, nous sommes en nage. Si nous quittons l'Europe en hiver, nous jetons manteaux et pulls : voilà le geste initiatique que nous, les gens du Nord, exécutons en débarquant en Afrique.

Les gens du Nord. Vous rendez-vous compte que les gens du Nord sont en train de devenir nettement minoritaires sur notre planète ? Canadiens, Polonais, Lituaniens, Scandinaves, Américains pour partie, Allemands, Russes,

9

Écossais, Lapons, Esquimaux, Evenks, Yakoutes. La liste n'est pas si longue. Je me demande même si elle englobe plus de cinq cents millions d'hommes — moins de dix pour cent de la population mondiale. En revanche, la majorité écrasante de l'humanité vit dans la chaleur, passe sa vie au soleil. D'ailleurs, l'homme n'est-il pas né au soleil, ses traces les plus anciennes n'ont-elles pas été retrouvées dans les pays chauds ? Quel était le climat du paradis biblique ? Toujours chaud, pour ne pas dire caniculaire, au point qu'Adam et Eve vivaient nus, ignorant le froid même à l'ombre d'un arbre.

Sur la passerelle de l'avion nous sommes accueillis par un parfum nouveau : celui des tropiques. Nouveau ? Cette odeur embaumait la boutique de monsieur Kanzman, « Articles coloniaux et autres », rue Perec à Pinsk : amandes, clous de girofle, dattes, cacao, vanille, feuilles de laurier, oranges, bananes à l'unité, cardamone, safran au poids. Et Drohobycz ? Et les boutiques de cannelle de Schulz ? « Faiblement éclairées, sombres et solennelles, elles étaient imprégnées de l'odeur lourde des teintures, de la laque, de l'encens, de l'arôme des pays lointains et des étoffes rares ! » Le parfum des tropiques est pourtant différent. Nous ressentons d'emblée son poids, sa viscosité. Il nous signale immédiatement que nous nous trouvons dans un endroit du globe où la vie biologique, luxuriante et inlassable, travaille sans relâche, engendre, croît et fleurit tout en se désagrégeant, en se vermoulant, en pourrissant et en dégénérant.

C'est l'odeur d'un corps chauffé, du poisson qui sèche, de la viande qui se décompose et du manioc frit, des fleurs fraîches et des algues fermentées, bref de tout ce qui plaît et irrite en même temps, attire et repousse, allèche et dégoûte. Cette odeur nous poursuit, s'exhalant des palmeraies environnantes, de la terre brûlante, s'élevant au-dessus des caniveaux putrides de la ville. Elle ne nous lâche plus, elle colle aux tropiques.

Et enfin, la découverte la plus importante : les hommes, les gens du pays, les indigènes. Étonnant, la façon dont ils s'accordent à ce paysage, à cette lumière, à cette odeur ! Stupéfiant, la manière dont l'homme et son environnement vivent en symbiose, forment un ensemble indissociable et harmonieux, s'identifient l'un à l'autre ! Incroyable, le degré d'intégration de chaque race à son paysage, à son climat ! C'est nous qui façonnons notre décor et c'est lui qui sculpte les traits de notre visage. Parmi ces palmiers, ces lianes, cette forêt vierge et cette jungle, l'homme blanc est comme une pièce rapportée, bizarre et discordante. Pâle, faible, la chemise trempée de sueur, les cheveux collés, sans cesse tourmenté par la soif, par un sentiment d'impuissance, par le spleen. Il a constamment peur : des moustiques, des amibes, des scorpions, des serpents. Tout ce qui bouge l'effraie, le terrorise, le panique.

Avec leur force, leur charme et leur endurance les gens du pays se déplacent naturellement, librement, à une cadence fixée par le climat et la tradition, à un rythme régulier, un peu ralenti, nonchalant — puisque de toute façon on n'a pas tout ce qu'on veut dans la vie et qu'il faut en laisser pour tout le monde !

Je suis ici depuis une semaine. J'essaie de connaître Accra. Cette petite ville donne l'impression de s'être développée, agrandie en coulant de la brousse, de la jungle jusqu'aux rives du golfe de Guinée. Accra est plate, sans relief, misérable. Mais il y a aussi des maisons à un ou plusieurs étages. Aucune recherche architecturale, aucun excès, aucun luxe. Les crépis sont ordinaires, couleur pastel, jaune clair ou vert clair, maculés de coulures. Toutes fraîches au lendemain de la saison des pluies, elles forment d'interminables constellations et collages de taches, de mosaïques, de cartes fantastiques et d'arabesques. Les constructions au centre de la ville sont denses. Il y a de l'animation, ça grouille de monde, c'est bruyant. La vie se passe dehors. Ici la rue est une chaussée bordée d'une rigole. Il n'y a pas de trottoirs. Les voitures se mêlent à la foule. Tout bouge en même temps : piétons, autos, vélos, charrettes à bras, vaches, chèvres. Au-delà du caniveau, tout le long de la rue, se déroule la vie domestique et économique de la ville. Les femmes battent le manioc, font cuire des bulbes de taro sur des braises, préparent des plats, vendent des chewing-gums, des biscottes et de l'aspirine, font leur lessive et étendent leur linge. Comme si une loi contraignait tout le monde à sortir dans la rue dès huit heures du matin. En fait les gens vivent dehors parce que les logements sont petits, exigus, pauvres. On y étouffe : il n'y a pas de ventilation, l'air est lourd, les odeurs écœurantes. Quand on passe la journée dans la rue, on peut en outre participer à la vie sociale. Les femmes discutent entre elles, crient, gesticulent, rient. Debout au-dessus de leur marmite ou de leur bassine, elles occupent un poste d'observation formidable. Elles peuvent voir leurs voisins, les passants, la rue tout entière, prêter l'oreille aux querelles et aux potins, suivre ce qui se passe. Toute la journée, l'individu est parmi les siens, en mouvement, à l'air libre.

Une Ford rouge surmontée d'un haut-parleur sillonne les rues de la ville. Une voix enrouée et sonore convie la population à un meeting animé par Kwame Nkrumah, l'*Osagyefo*[1], le Premier ministre du Ghana, le leader de l'Afrique et de tous les peuples opprimés. Les photos de Nkrumah sont partout, dans les journaux — tous les jours —, sur les affiches, les drapeaux, les boubous en calicot qui descendent jusqu'aux chevilles : homme d'âge moyen au visage énergique, souriant ou sérieux, expression résolument tournée vers l'avenir.

— Nkrumah est notre sauveur ! me dit d'une voix enthousiaste Joe Yambo, un jeune enseignant. Tu l'as entendu prononcer un discours ? Un vrai prophète !

Aussitôt dit aussitôt fait ! Je me rends au meeting qui se tient au stade. Les ministres de Nkrumah, jeunes, actifs, ont l'air gais, heureux. Au début de la manifestation, les prêtres vident des bouteilles de gin sur le podium : une offrande aux esprits, une manière de prendre contact avec eux, de solliciter leur bienveillance et leur bonté. Au meeting, il y a évidemment des adultes, mais les enfants sont

---

1. Le « Rédempteur ». *(N.d.T.)*

aussi très nombreux, du nourrisson que la mère porte dans son dos à l'écolier et au collégien, en passant par le bambin à quatre pattes. Les benjamins sont surveillés par les cadets, les cadets par les aînés. La hiérarchie de l'âge est strictement observée, l'obéissance absolue. L'enfant de quatre ans a tous les pouvoirs sur celui de deux ans, celui de six sur celui de quatre. Et comme les enfants s'occupent des enfants, que les grands sont responsables des petits, les adultes peuvent s'occuper de leurs affaires, notamment écouter attentivement Nkrumah.

L'*Osagyefo* prononce un bref discours. Il dit que le plus important est de conquérir l'indépendance, que tout dépend d'elle, que le reste viendra ensuite tout seul.

Imposant, le geste sûr, il a des traits bien dessinés, expressifs, de grands yeux vifs qui glissent sur l'océan de têtes noires avec une telle concentration qu'on dirait qu'il veut toutes les compter.

Après le meeting, les hommes du podium se mêlent à la foule. C'est la cohue. Il n'y a pas de protection, pas de gardes du corps ni de police. Joe se faufile jusqu'à un jeune homme. Tout en jouant des coudes, il me dit que c'est un ministre. Il lui demande si je peux passer chez lui le lendemain matin. N'entendant pas très bien sa question dans le brouhaha général, celui-ci répond, comme pour s'en débarrasser : « D'accord ! D'accord ! »

Le lendemain, je découvre parmi les palmiers royaux l'immeuble neuf du ministère de l'Éducation et de l'Information. C'est un vendredi. Le samedi, dans mon petit hôtel, je raconte cette journée :

La voie est libre, ni policier, ni secrétaire, ni portes.

J'écarte un rideau bigarré et entre. Le cabinet du ministre baigne dans une pénombre tiède. Debout devant son bureau, l'homme classe des papiers. Certains sont expédiés en boule au panier, d'autres rangés bien à plat dans une serviette. Silhouette mince, fine, maillot de sportif, short, sandales, *kente*[1] à fleurs porté sur l'épaule gauche, mouvements nerveux.

---

1. Le *kente* est une étoffe traditionnelle tissée au Ghana, dans laquelle les hommes se drapent. *(N.d.T.)*

C'est Kofi Baako, le ministre de l'Éducation et de l'Information, le plus jeune ministre du Ghana et du Commonwealth. Il a trente-deux ans et détient son portefeuille depuis trois ans. Son cabinet se trouve au deuxième étage du bâtiment ministériel. Ici, la hauteur des étages est fonction de la hiérarchie. Plus la personnalité est importante, plus l'étage est élevé. Car plus on est haut, plus il y a d'air, alors qu'en bas l'atmosphère est lourde et pétrifiée. Ainsi, au rez-de-chaussée les petits fonctionnaires étouffent, au-dessus de leurs têtes les directeurs de département respirent un petit peu mieux et tout en haut des courants d'air que tous convoitent rafraîchissent les ministres.

Ici on peut, si on le veut et quand on le veut, rencontrer un ministre. Si on a un problème, on va à Accra, on se renseigne sur l'adresse du ministre de l'Agriculture par exemple, on s'y rend, on écarte le rideau, on s'assied en face du représentant officiel et on expose ses problèmes. Si on ne trouve pas la personne concernée dans son cabinet, on la trouve chez elle. C'est même mieux, car on y gagne un déjeuner et une boisson. Avant, les gens se sentaient éloignés de l'administration blanche. Maintenant ils sont entre eux, il n'y a plus lieu d'être gêné. C'est leur gouvernement, il doit les aider. Pour qu'il puisse les aider, il faut qu'il sache de quelle manière. Pour qu'il le sache, il faut venir et l'expliquer. Le mieux, c'est un contact direct, en tête à tête. C'est ainsi que les quémandeurs défilent sans fin.

— Bonjour ! dit Kofi Baako. D'où es-tu ?

— De Varsovie.

— Tiens ! J'ai failli y passer. J'ai traversé toute l'Europe : la France, la Belgique, l'Angleterre, la Yougoslavie. De Tchécoslovaquie, je devais aller en Pologne, quand j'ai reçu un télégramme de Kwame. Il me demandait de rentrer pour assister au congrès de notre parti, le *Convention People's Party*, actuellement au pouvoir.

Nous sommes assis à sa table, dans son cabinet sans portes ni fenêtres. Les persiennes laissent filtrer un léger courant d'air. La petite pièce est encombrée de papiers, de dossiers et de brochures. Dans un coin se dresse un coffre-fort. Sur les murs sont accrochés des portraits de Nkrumah. Sur une étagère un haut-parleur, qu'on appelle en Pologne « kolkhozien », résonne du bruit des tam-tams. Baako coupe le son.

Je veux qu'il me parle de lui, de sa vie. Baako jouit d'un énorme prestige parmi la jeunesse. Il est aimé, car c'est un bon sportif. Il joue au foot, au cricket, est champion de ping-pong du Ghana.

— Un instant, m'interrompt-il, je vais commander une liaison avec Koumassi, je dois y aller demain pour assister à un match.

Il appelle la poste pour qu'on lui passe la communication. On le met en attente.

— Hier j'ai vu deux films, me dit-il en gardant le combiné à l'oreille, je voulais voir ce qui se donne au cinéma. Les films qui passent ne sont pas pour les lycéens, il faudra que je publie un arrêté interdisant aux jeunes de voir des choses pareilles. Et ce matin, j'ai visité en ville des librairies. Le gouvernement a fixé des prix bas pour les manuels scolaires. Mais il paraît que les vendeurs ne respectent pas ces tarifs. Je suis allé vérifier. C'est vrai, ils vendent plus cher qu'ils ne le devraient.

Il rappelle la poste.

— Alors, qu'est-ce que vous fabriquez ? Combien de temps dois-je attendre ? Vous ignorez peut-être à qui vous parlez.

Au bout du fil, une voix féminine répond : « En effet. »

— Et toi, qui es-tu ? demande Baako.

— La standardiste de service.

— Moi, je suis Kofi Baako, le ministre de l'Éducation et de l'Information.

— Bonjour, Kofi ! Tu vas avoir ta communication tout de suite.

Et le voilà en ligne avec Koumassi.

Je regarde ses livres rangés dans une petite bibliothèque : Hemingway, Lincoln, Koestler, Orwell, *Histoire populaire de la musique*, *Dictionnaire américain* en édition de poche, romans policiers.

— La lecture, c'est ma passion. En Angleterre, je me suis acheté l'*Encyclopædia Britannica* que je lis maintenant par fragments. Je ne peux pas manger sans lire, il faut toujours que j'aie un livre sous les yeux.

Un peu après :

— J'ai un autre hobby qui me tient encore plus à cœur : la photographie. Je fais des photos, toujours, partout. J'ai plus de dix appareils. Quand je vais dans un magasin et que je vois un nouveau modèle, je dois me l'acheter aussitôt. J'ai offert aux enfants un projecteur et, le soir, je leur passe des films.

Il a quatre enfants, de neuf à trois ans. Tous vont à l'école, du plus grand au plus petit. Ici il est normal qu'un gosse de trois ans soit scolarisé. Pour avoir la paix, sa mère le confie au maître quand il commence à être polisson.

Kofi Baako a lui-même été à l'école à l'âge de trois ans. Son père était instituteur et préférait avoir son gamin à l'œil. Après l'école, il est envoyé au lycée à Cape Coast. Il devient à son tour instituteur, puis fonctionnaire. Fin 1947, après des études en Amérique et en Angleterre, Nkrumah rentre au Ghana. Baako écoute ce que dit cet homme. Il parle d'indépendance. Baako écrit alors un article : « Ma haine pour l'impérialisme ». Licencié, il est sur une liste noire, personne ne veut l'embaucher, il erre dans la ville. Il rencontre alors Nkrumah qui lui confie le poste de directeur du *Cape Coast Daily Mail*.

Kofi a vingt ans. Il écrit un article : « Nous implorons la liberté » et va en prison. Nkrumah et quelques militants sont également arrêtés. À l'issue de treize mois de détention, ils sont libérés. Aujourd'hui, ce groupe forme le gouvernement du Ghana.

Il aborde maintenant des problèmes généraux :

— Seulement trente pour cent des habitants du Ghana savent lire et écrire. Nous voulons en quinze ans liquider l'analphabétisme. Nous avons du pain sur la planche, car nous manquons de maîtres, de livres, d'écoles. Il y a deux types d'établissements scolaires : missionnaires et publics. En fait ils dépendent tous de l'État et sont soumis à la même politique éducative. Par ailleurs, cinq mille étudiants font leurs études à l'étranger. Quand ils reviennent au pays, ils ont souvent perdu le lien avec leur peuple. Il suffit de regarder l'opposition : ses dirigeants sont des anciens d'Oxford et de Cambridge.

— Que veut l'opposition ?

— Est-ce que je sais ? Nous considérons que l'opposition est utile. Le dirigeant de l'opposition au Parlement reçoit une indemnité du gouvernement. Nous avons autorisé tous les petits partis, groupes et groupuscules de l'opposition à s'unir au sein d'un même parti afin d'être plus forts. Nous sommes d'avis que celui qui le désire a le droit, au Ghana, de créer un parti politique, à condition toutefois que ce dernier ne s'appuie pas sur des critères raciaux, religieux ou tribaux. Chez nous, chaque parti peut mettre en œuvre tous les moyens constitutionnels pour accéder au pouvoir. Ceci dit, on se demande bien ce que veut l'opposition. Elle organise des meetings et crie : « Nous sommes passés par Oxford, tandis que ce Kofi Baako n'a même pas terminé le lycée. Il est aujourd'hui ministre, alors que moi je ne suis rien. Vous verrez, quand moi je serai ministre, Baako sera tout juste mon garçon de courses. »

Personne n'écoute ces balivernes, car les gens comme Kofi Baako sont plus nombreux que toute l'opposition réunie.

Je lui dis que je vais partir, c'est l'heure du déjeuner. Il me demande ce que je fais ce soir. Je lui réponds que je dois me rendre au Togo.

— Qu'est-ce que tu vas faire là-bas ? demande-t-il en faisant un geste de la main. Aujourd'hui la Radio organise une fête.

Je n'ai pas d'invitation. Il prend un morceau de papier sur lequel il note : « Recevoir Ryszard Kapuściński, journaliste de Pologne. Kofi Baako, ministre de l'Instruction publique et de l'Information. »

— Tiens ! J'y serai, nous ferons quelques photos.

Après un garde-à-vous énergique rendu par la garde du bâtiment de la Radio, je suis placé à une table spéciale. La fête bat son plein quand une Peugeot grise s'avance devant la piste de danse (la réception a lieu dans un jardin). Kofi Baako en sort. Il porte les mêmes vêtements qu'au ministère, mais il tient sous le bras un survêtement rouge, car la nuit même il doit se rendre à Koumassi où il risque de faire froid. Ici tout le monde le connaît bien. Baako est le ministre des écoles, des établissements supérieurs, de la presse, de la radio, des maisons d'édition, des musées, de tout ce qui concerne la science, la culture, l'art et la propagande dans le pays.

Nous nous retrouvons dans la foule. Il s'assoit pour boire un Coca-Cola, se relève aussitôt.

— Viens, je vais te montrer mes appareils.

Il ouvre le coffre de sa voiture d'où il retire une petite valise. Il la pose par terre, s'agenouille et l'ouvre. Nous sortons les appareils et les disposons sur le gazon. Il y en a quinze.

À ce moment-là, deux garçons un peu éméchés s'approchent de nous.

— Kofi ! s'exclame l'un d'eux avec hargne, nous avons acheté un billet, mais on nous interdit de rester parce que nous n'avons pas de veste. Pourquoi alors nous avoir vendu un billet ?

Baako se redresse :

— Écoutez, je suis un homme trop important pour régler ce genre de babioles. Il y a assez de sous-fifres ici pour les résoudre. Moi, j'ai des problèmes d'État sur les épaules.

Les deux jeunes s'égaillent dans la nature et nous partons prendre des photos. Tout harnaché de ses appareils, il va de table en table :

— Kofi, prends-nous !

— Et nous !

— Et nous aussi !

Il tourne, choisissant les coins où se trouvent les filles les plus jolies, les fait poser, leur demande de rire et envoie son flash. Il connaît leur prénom : Abena, Ekwa, Esi. Elles le saluent en lui donnant la main, sans se lever, en remuant les bras — expression suprême de la coquetterie. Baako poursuit sa route. Nous faisons beaucoup de photos. Il regarde sa montre.

— Il faut que j'y aille.

Il ne veut pas être en retard au match.

— Viens demain, nous développerons les photos.

Tous feux allumés la Peugeot disparaît dans les ténèbres. Et la fête tournoie, tangue, tourbillonne jusqu'à l'aube.

La route de Koumassi

À quoi ressemble la gare routière d'Accra ? À un grand cirque faisant une brève halte. Festival de couleurs et de musique. Les autocars font davantage penser à des roulottes de forains qu'aux luxueux pullmans glissant sur les autoroutes d'Europe et d'Amérique.

Ce sont des espèces de camions avec des ridelles en bois surmontées d'un toit reposant sur des piliers, de sorte qu'une brise agréable nous rafraîchit pendant le trajet. Ici, le courant d'air est une valeur prisée. Si on veut louer un appartement, la première question que l'on pose au propriétaire est : « Y a-t-il des courants d'air ? » Il ouvre alors en grand les fenêtres et on est aussitôt caressé par un agréable souffle d'air frais : on respire profondément, on est soulagé, on revit.

Au Sahara, les palais des seigneurs sont étudiés avec ingéniosité : quantité d'ouvertures, de fentes, de coudes et de couloirs sont conçus, disposés et structurés de façon à provoquer une circulation d'air optimale. Dans la chaleur de midi, le maître est couché sur une natte à l'endroit où débouche le courant d'air et respire avec délectation ce vent un peu plus frais. Le courant d'air est une chose mesurable financièrement : les maisons les plus chères sont construites là où se trouvent les meilleurs courants d'air. Immobile, l'air ne vaut rien, mais il lui suffit de bouger pour prendre de la valeur.

Les autocars sont bariolés de dessins aux couleurs vives. La cabine du chauffeur et les ridelles sont peinturlurées de crocodiles découvrant des dents acérées, de serpents dressés prêts à l'attaque, de volées de paons caracolant dans les arbres, d'antilopes poursuivies dans la savane par des lions féroces. Partout des oiseaux à profusion, des guirlandes, des bouquets de fleurs. Le kitsch à l'état pur, mais un kitsch débordant d'imagination et de vie.

Mais ce qui frappe surtout, ce sont les inscriptions. Elles défilent, ornées de festons, immenses, visibles de loin, car elles ont pour but de solliciter ou d'avertir. Elles concernent Dieu, les hommes, les devoirs et les interdictions.

L'univers spirituel de l'Africain (je suis conscient du caractère réducteur de cette expression) est riche et complexe, sa vie intérieure est imprégnée d'une profonde religiosité. Il croit qu'il existe trois mondes différents mais liés entre eux.

Le premier est celui qui l'entoure : c'est la réalité palpable et visible dont font partie les hommes vivants, la faune et la flore, ainsi que les objets sans vie tels que les pierres, l'eau, le vent. Le deuxième est l'univers des ancêtres défunts qui, selon ses croyances, ne sont pas tout à fait morts, pas morts jusqu'au bout, pas morts définitivement. En effet, au sens métaphysique, ils continuent d'exister et réussissent même à prendre part à notre vie réelle, à influer sur elle, à la modeler. Aussi le maintien de bonnes relations avec les ancêtres est-il une condition de réussite, voire de survie. Enfin, le troisième monde est le fourmillant royaume des esprits. Tout en menant une existence indépendante, ils vivent dans chaque être, dans chaque objet, dans tout, partout.

À la tête de ces trois univers se tient l'Être Suprême, l'Existence Suprême, c'est-à-dire Dieu. C'est pourquoi de nombreuses inscriptions sont imprégnées de transcendance : « Dieu est partout », « Dieu sait ce qu'il fait », « Dieu est un mystère ». D'autres sont plus terre à terre, plus humaines : « Souris ! », « Dis-moi que je suis belle », « Qui aime bien se chamaille bien », etc.

Il suffit d'arriver sur la place où sont regroupés des dizaines d'autocars pour être assailli par une troupe d'enfants criards :

— Où allez-vous ? À Koumassi, à Takoradi, à Tamale ?

— À Koumassi.

Ceux qui sont à la recherche de voyageurs pour Koumassi nous prennent par la main et, sautant de joie, nous accompagnent vers le car correspondant. Ils sont tout contents parce que le chauffeur va les récompenser d'une banane ou d'une orange pour lui avoir trouvé des clients.

Nous entrons dans l'autocar et nous nous installons. Deux cultures vont alors se confronter, se heurter, voire entrer en conflit. C'est le cas lorsque le voyageur est un touriste ne connaissant pas l'Afrique. Il regarde de tous les côtés, s'impatiente, demande : « Quand part l'autocar ? — Comment ça, quand ? lui répondra le chauffeur étonné. Quand il y aura assez de gens pour le remplir. »

L'Européen et l'Africain ont une conception du temps différente, ils le perçoivent autrement, ont un rapport particulier avec lui.

Pour les Européens, le temps vit en dehors de l'homme, il existe objectivement, comme s'il était extérieur à lui, il a des propriétés mesurables et linéaires. Selon Newton, le temps est absolu : « Le temps mathématique, absolu, véritable s'écoule de par lui-même, par sa propre nature, uniformément, et non en fonction d'un objet extérieur. » L'Européen se sent au service du temps, il dépend de lui, il en est le sujet. Pour exister et fonctionner, il doit observer ses lois immuables et inaltérables, ses principes et ses règles rigides. Il doit observer des délais, des dates, des jours et des heures. Il se déplace dans les lois du temps en dehors desquelles il ne peut exister. Elles lui imposent ses rigueurs, ses exigences et ses normes. Entre l'homme et le temps existe un conflit insoluble qui se termine toujours par **la défaite** de l'homme : le temps détruit l'homme.

Les Africains perçoivent le temps autrement. Pour eux le temps est une catégorie beaucoup plus lâche, ouverte, élastique, subjective. C'est l'homme qui influe sur la formation du temps, sur son cours et son rythme (il s'agit bien entendu de l'homme agissant avec le consentement des ancêtres et des dieux). Le temps est même une chose que l'homme peut créer, car l'existence du temps s'exprime entre autres à travers un événement. Or c'est l'homme qui décide si l'événement aura lieu ou non. Si deux armées ne s'affrontent pas, la bataille n'aura pas lieu (et donc le temps ne manifestera pas sa présence, n'existera pas).

Le temps est le résultat de notre action, et il disparaît quand nous n'entreprenons pas ou abandonnons une action. C'est une matière qui, sous notre influence, peut toujours s'animer, mais qui entre en hibernation et sombre même dans le néant si nous ne lui transmettons pas notre énergie. Le temps est un être passif, et surtout dépendant de l'homme.

C'est tout à fait l'inverse de la pensée européenne.

Pour le traduire en termes pratiques, cela veut dire que si nous allons à la campagne où doit se tenir l'après-midi une réunion, et qu'il n'y a personne sur les lieux de cette réunion, la question « Quand aura lieu la réunion ? » est insensée. Car la réponse est connue d'avance : « Quand les gens se seront réunis. »

C'est pourquoi l'Africain qui prend place dans l'autocar ne pose aucune question sur l'heure du départ. Il entre, s'installe à une place libre et sombre aussitôt dans l'état où il passe la majeure partie de son existence : la torpeur.

« Ces gens ont une capacité d'attendre absolument fantastique ! » m'a dit un jour un Anglais qui vivait ici depuis des années. Capacité, endurance, ou bien s'agit-il d'autre chose ?

Quelque part dans le monde tourne, coule une énergie mystérieuse qui, si elle s'approche de nous et nous emplit, nous donne la force de mettre le temps en mouvement : il se passera alors quelque chose. Mais tant que cela n'arrive pas, il faut attendre. Tout autre comportement est illusoire et utopique.

En quoi consiste cette torpeur ? Les gens qui sombrent dans cet état sont conscients de ce qui va advenir : ils essaient donc de s'installer le plus confortablement possible, dans le meilleur endroit possible. Parfois ils se couchent, parfois ils s'assoient directement par terre, sur une pierre ou à croupetons. Ils arrêtent de parler. Celui qui est tombé dans cet état est silencieux. Il n'émet aucun son, il est muet comme une tombe. Les muscles se relâchent, la silhouette s'amollit, s'affaisse, se recroqueville, le cou s'immobilise, la tête se fige. L'homme ne regarde pas autour de lui, ne cherche rien du regard. Parfois ses yeux sont mi-clos, mais pas toujours. Ils sont généralement ouverts, mais le regard est absent, sans étincelle. Pour avoir observé des heures durant des foules entières en proie à cet état, je peux affirmer que ces gens sombrent dans un profond sommeil physiologique : ils ne mangent pas, ne boivent pas, n'urinent pas. Ils ne réagissent pas au soleil qui darde impitoyablement ses rayons de feu, aux mouches importunes et voraces qui assiègent leurs paupières et leurs lèvres.

Que se passe-t-il dans leur tête ?

Je n'en ai aucune idée. Pensent-ils ? Rêvent-ils ? Évoquent-ils des souvenirs ? Font-ils des plans ? Méditent-ils ? Séjournent-ils dans un autre monde ? Difficile à dire.

Au bout de deux heures d'attente, l'autocar bondé quitte la gare. Secoués par les cahots, les passagers reviennent à la vie. L'un tend la main vers un biscuit, l'autre pèle une banane. Les gens regardent autour d'eux, essuient leur visage en sueur, plient soigneusement leur mouchoir trempé. Le chauffeur ne cesse de parler, tenant d'une main le volant, gesticulant de l'autre. Tous se pâment de rire, l'un après l'autre, lui très fort, eux un peu moins. Est-ce par gentillesse, par politesse ?

Nous voilà en route. Mes compagnons de voyage font partie de la deuxième, parfois même de la première génération d'Africains jouissant du privilège de se déplacer autrement qu'à pied. Pendant des milliers d'années, l'Afrique a marché à pied. Les gens ignoraient ici le concept de la roue et ils n'ont pas su se l'approprier. Ils marchaient, voyageaient à pied, et ce qu'il fallait porter, ils le hissaient sur leurs épaules, leurs bras, ou plus généralement sur leur tête.

Mais comment les navires qui voguent sur les lacs au cœur du continent africain sont-ils arrivés là ? Ils ont été démontés dans les ports de l'océan, les pièces chargées, transportées sur les têtes puis rassemblées sur les rives des lacs. C'est en pièces détachées que des villes entières, des usines, des équipements de mines, de centrales électriques, d'hôpitaux sont parvenus au fin fond de l'Afrique. Toute la civilisation technique du XIXᵉ siècle a été transportée à l'intérieur de l'Afrique sur la tête de ses habitants.

Les habitants d'Afrique du Nord ou même du Sahara ont été plus chanceux : ils ont pu utiliser les bêtes de somme, les chameaux. Dans l'Afrique subsaharienne, le chameau ou le cheval n'ont jamais pu s'adapter, car ils étaient décimés par les mouches tsé-tsé ou par d'autres maladies des humides tropiques.

Le problème de l'Afrique, c'est la contradiction entre l'homme et son environnement, entre l'immensité de l'espace (plus de 30 millions de kilomètres carrés !) et son habitant, un homme sans pouvoir, nu-pieds, misérable. Dans quelle direction se tourner ? Partout les distances sont immenses, partout c'est le désert, la solitude, l'infini. Il fallait parcourir des centaines, des milliers de kilomètres avant de rencontrer d'autres hommes (on ne peut pas dire « un autre homme », car un individu isolé ne pourrait survivre dans de pareilles conditions). Aucune information, aucune connaissance, aucune invention technique, aucun bien, aucune marchandise, aucune expérience ne pénétraient le pays, ne trouvaient son chemin. Il n'existait pas d'échanges permettant de participer à la culture mondiale. Lorsqu'il y en avait un, c'était un pur hasard, un événement, une fête. Or sans échange, point de progrès.

Généralement des groupes, des clans, des peuples peu nombreux vivaient isolés, perdus, dispersés sur des espaces immenses et hostiles, menacés par le paludisme, la sécheresse, la chaleur et la faim.

Mais le fait de vivre et de se déplacer en petits groupes permettait de fuir les lieux en péril, les régions où sévissaient la sécheresse ou les épidémies, et ainsi de survivre. Ces peuples appliquaient la tactique de la cavalerie légère sur les champs de bataille d'autrefois. Leur stratégie reposait sur la mobilité, l'esquive, la dérobade et la ruse.

L'Africain était traditionnellement un homme itinérant. Tout en menant une vie sédentaire, tout en vivant à la campagne, il se retrouvait régulièrement sur les routes. Son village migrait : tantôt le puits était tari, tantôt la terre avait perdu sa fertilité, tantôt une épidémie se déclarait. Alors, tout le monde en route, à la recherche du salut, dans l'espoir d'un avenir meilleur ! Seule la vie urbaine a introduit dans cette existence une relative stabilité.

La population de l'Afrique ressemblait à un filet gigantesque, embrouillé, entremêlé et tendu sur tout le continent, qui bougeait sans arrêt, ondulait en permanence, accourait dans un lieu et se propageait dans un autre, une toile riche, une tapisserie colorée.

Cette mobilité forcée explique l'absence dans l'Afrique profonde de villes anciennes comme il en existe par exemple en Europe ou au Proche-Orient. Contrairement aux populations européennes ou asiatiques, la majeure partie des Africains (si ce n'est la totalité) vit actuellement sur des territoires où ils ne vivaient pas jadis.

Tous sont venus d'ailleurs, tous sont des immigrants. Leur univers commun est l'Afrique, mais dans son sein ils ont voyagé et se sont mélangés pendant des siècles (dans de nombreux endroits du continent ce processus perdure). D'où un trait frappant de cette civilisation : son caractère éphémère, provisoire, son manque de continuité matérielle. La case a été à peine rafistolée que déjà elle n'existe plus. Les champs cultivés il y a tout juste trois mois sont déjà en friche.

La seule continuité qui ici existe et soude la communauté, c'est la pérennité des traditions ancestrales et des rites, un culte profond des aïeux. Le lien unissant l'Africain à ses proches est donc plus spirituel que matériel ou territorial.

L'autocar s'enfonce dans une forêt tropicale dense et haute. Dans les zones tempérées, la vie biologique instaure l'ordre et la discipline : ici poussent des pins, là des chênes, ailleurs des bouleaux. Même dans les forêts mélangées règnent la limpidité et la stabilité. Sous les tropiques en revanche, la vie biologique s'épanouit dans un état de démence, dans l'exaltation de la reproduction et de la prolifération. On est frappé par l'abondance luxuriante et débordante de la masse verdoyante, par son éruption incessante, exubérante et haletante, où le moindre élément — arbre, buisson ou liane — croît dans une surenchère de stimulation et d'excitation, tellement serré, cramponné, attaché et refermé sur son voisin que seule une lame acérée et maniée avec une énergie redoutable pourrait y forer un passage, un sentier, un tunnel.

Puisqu'il n'y avait pas de véhicules à roues sur cet énorme continent, les routes y étaient également inexistantes. Lorsque les premières automobiles ont été introduites au début du XXe siècle, elles ne pouvaient rouler quasiment nulle part. La chaussée en terre battue ou en asphalte est en Afrique une nouveauté, elle n'existe que depuis quelques dizaines d'années. Et elle continue d'être rare. À la place des routes carrossables, il y avait des sentiers, empruntés à la fois par les hommes et le bétail. On comprend alors pourquoi les Africains ont l'habitude de marcher à la queue leu leu même quand ils circulent sur une route large. On comprend aussi pourquoi un groupe qui marche est silencieux : en file indienne, il est difficile de tenir une conversation.

Il faut être un grand expert pour connaître la géographie de ces sentiers. Le profane, lui, se perd, et s'il erre longtemps sans eau ni nourriture, il finit par périr. De plus, les sentiers de clans, de tribus et de villages différents peuvent se croiser, et le non-initié peut emprunter ces voies en pensant qu'elles le mèneront à son but, alors qu'elles le conduisent vers l'inconnu et vers la mort. Les sentiers les plus mystérieux et les plus dangereux sont ceux de la jungle. L'homme s'accroche sans cesse à des épines et à des branches, il est tout écorché et gonflé avant même d'avoir atteint son but. Il est indispensable de s'armer d'un bâton, car si on tombe sur un serpent, ce qui arrive souvent, c'est le meilleur moyen de le débusquer. Autre obstacle : les talismans. Les hommes de la forêt tropicale, qui vivent dans des trous inaccessibles, sont par nature méfiants et superstitieux. Aussi suspendent-ils le long des sentiers toutes sortes de fétiches afin d'effaroucher les mauvais esprits. Aussi est-on désemparé quand on aperçoit, suspendus en travers du sentier, une peau de lézard, une tête d'oiseau, une botte d'herbes ou une dent de crocodile : faut-il se risquer plus loin ? faire demi-tour ? Ces signaux peuvent cacher une surprise réellement désagréable.

De temps en temps notre autocar s'arrête sur le bas-côté : un passager veut descendre. Si c'est une jeune femme qui sort avec un ou deux enfants (il est rare de voir une femme sans enfant), le tableau sera alors plein de finesse et de grâce : tout d'abord la femme va attacher son enfant sur son dos à l'aide d'un foulard en percale (le bébé continue de dormir, il ne réagit pas). Puis elle va s'accroupir et poser son inséparable bassine ou cuvette pleine de nourriture ou de marchandises sur sa tête. Elle va ensuite se redresser et exécuter le mouvement de l'équilibriste faisant le premier pas sur la corde au-dessus du précipice : en se balançant, elle reprend son équilibre. Puis de la main gauche elle va s'emparer de sa natte de paille, de la droite elle attrape la menotte de son deuxième enfant. Et d'un pas régulier et harmonieux, tous trois vont s'engouffrer dans un univers que je ne connais pas et que peut-être je ne comprendrai jamais.

Mon voisin dans l'autocar est un homme jeune. Il est comptable dans une société de Koumassi dont je n'ai pas réussi à entendre le nom. « Le Ghana est indépendant ! » dit-il ému, enthousiaste. « Demain toute l'Afrique sera indépendante ! ajoute-t-il sûr de lui. Nous sommes libres ! »

Et il me tend la main dans un geste qui veut dire : maintenant un Noir peut donner la main à un Blanc sans complexe. « As-tu vu Nkrumah ? demande-t-il avec curiosité. Oui ? Alors tu es un homme heureux ! Si tu savais ce que nous allons faire des ennemis de l'Afrique ! »

Il s'esclaffe sans préciser ce qui les attend.

— Le plus important maintenant, c'est l'instruction.

L'instruction, la formation, l'acquisition du savoir. Nous sommes tellement sous-développés, attardés ! Je crois que le monde entier va nous venir en aide. Nous devons être sur un pied d'égalité avec les pays développés ! Non seulement libres, mais égaux ! Pour le moment nous respirons la liberté. Et c'est déjà un paradis, c'est merveilleux !

L'enthousiasme qu'il manifeste est général. Enthousiasme et fierté d'être à la tête d'un mouvement, de donner l'exemple, de mener l'Afrique entière.

Mon voisin de gauche — dans l'autocar il y a des rangées de trois places — est différent : renfermé, peu loquace, isolé. Il m'a d'emblée intrigué, car les gens ici sont généralement ouverts, bavards, prompts à raconter des histoires et à exprimer leur point de vue. Pour le moment, il m'a seulement dit qu'il ne travaillait pas et qu'il avait des problèmes. Lesquels ? Il ne l'a pas dit.

Finalement, quand la forêt se recroqueville et devient moins dense — ce qui signifie que nous approchons de Koumassi —, il se lance dans les confidences. Il a des soucis. Il est malade. Non pas qu'il le soit toujours, en permanence, mais de temps en temps, par périodes. Il a consulté divers spécialistes, mais aucun n'a pu l'aider. Le problème, c'est que dans sa tête, sous son crâne, il y a des bêtes. Ce n'est pas qu'il les voie, ces bêtes, qu'il y pense ou qu'il les craigne, pas du tout ! Mais elles sont dans sa tête, elles y vivent, galopent, paissent, chassent ou tout simplement dorment. Si elles sont inoffensives comme l'antilope, le zèbre ou la girafe, il les supporte bien, elles lui sont même agréables. Mais parfois c'est un lion affamé et furieux qui surgit. Alors le rugissement du fauve lui fait éclater le crâne.

La structure du clan

Je suis allé à Koumassi sans but précis. En général, on considère qu'avoir un objectif, c'est positif car cela motive. D'un autre côté, quand on a un but, on a des œillères : on a en vue son objectif et rien d'autre. Or ce qu'il y a autour, dans un horizon plus large, un champ plus profond est souvent bien plus intéressant et important. Aborder un univers, c'est pénétrer un mystère pouvant receler une infinité de labyrinthes, de recoins, d'énigmes et d'inconnues !

Baignant dans la verdure et les fleurs, Koumassi s'étend sur de douces collines. Cette ville ressemble à un immense jardin botanique où les hommes auraient le droit de s'établir. Tout y paraît favorable : le climat, la végétation, les êtres humains. Les levers du jour sont d'une beauté éblouissante même s'ils ne durent que quelques minutes. Il fait nuit, et soudain des ténèbres émerge le soleil. Émerge ? Ce verbe évoque une certaine lenteur, un processus. En fait le soleil est éjecté en l'air comme un ballon ! Tout d'un coup on aperçoit une boule de feu si proche qu'on prend peur. En outre, cette boule glisse dans notre direction, de plus en plus près.

La vue du soleil agit comme un coup de feu donnant le signal de départ : aussitôt la ville se met en mouvement ! Comme si pendant toute la nuit les gens étaient restés à l'affût et que maintenant, à l'appel du soleil, ils démarraient en trombe, sans le moindre stade intermédiaire, la moindre préparation. D'emblée les rues sont bondées, les magasins ouverts, les feux allumés, les cuisines fumantes.

L'animation à Koumassi ne ressemble toutefois pas à celle d'Accra. À Koumassi, la vie est provinciale, régionale, comme refermée sur elle-même. Cette ville est la capitale du royaume ashanti, devenu partie intégrante du Ghana, elle préserve avec vigilance sa différence, ses traditions vivantes et colorées. Ici on peut rencontrer dans la rue des chefs de tribu ou assister à un rite provenant de la nuit des temps. C'est aussi le royaume exubérant de la magie, des sortilèges et des exorcismes.

La route qui va d'Accra à Koumassi n'est pas seulement un parcours de deux cents kilomètres séparant la côte Atlantique du cœur de l'Afrique. C'est aussi un voyage vers les espaces du continent où les traces et les marques du colonialisme sont plus rares que sur la bande côtière. En effet, si l'étendue de l'Afrique, l'insuffisance de fleuves navigables et de routes carrossables ainsi que le climat lourd et meurtrier ont constitué un réel obstacle à son développement, en même temps ces éléments ont joué le rôle de barrières naturelles contre l'invasion, empêchant les colons de pénétrer trop profondément les terres. Ces derniers se sont maintenus sur la côte, dans leurs navires et leurs bastions, près de leurs réserves de nourriture et de quinine. Si au XIXe siècle un homme comme Stanley s'aventurait sur le continent africain d'est en ouest, l'exploit faisait la une de la presse et de la littérature mondiales pendant de nombreuses années. Grâce à ces obstacles, de nombreuses cultures et coutumes africaines ont pu perdurer jusqu'à nos jours sous une forme inchangée.

Théoriquement, mais théoriquement seulement, le colonialisme règne en Afrique depuis la Conférence de Berlin (1883-1885) au cours de laquelle quelques États européens, essentiellement l'Angleterre et la France, mais aussi la Belgique, l'Allemagne et le Portugal, se sont partagé le continent tout entier, jusqu'à la libération de l'Afrique dans la seconde moitié du XXe siècle. En fait, la pénétration coloniale a commencé bien plus tôt, dès le XVe siècle, et elle n'a cessé de progresser au cours des cinq siècles suivants. La phase la plus honteuse et la plus brutale de cette conquête fut le commerce des esclaves africains, qui dura plus de trois cents ans. Trois cents ans de traques, de rafles, de poursuites et d'embuscades organisées par des Blancs, souvent avec la complicité d'Africains et d'Arabes. Entassés dans des cales de navires, des millions de jeunes Africains ont été déportés dans des conditions cauchemardesques au-delà de l'océan Atlantique afin d'y édifier, à la sueur de leur front, la richesse et le pouvoir du Nouveau Monde.

Persécutée et impuissante, l'Afrique a été dépeuplée, détruite, ruinée. Des territoires entiers du continent ont été dévastés, la brousse stérile a envahi des terres florissantes et ensoleillées. Mais c'est dans la mémoire et la conscience des Africains que cette époque a laissé les stigmates les plus douloureux et les plus durables : ces siècles de mépris, d'humiliation et de souffrances ont fait naître en eux un complexe d'infériorité et ont ancré quelque part au fond de leur cœur un profond sentiment d'injustice.

Au moment où éclate la Seconde Guerre mondiale, le colonialisme est à son apogée. Pourtant le déroulement de cette guerre, son impact symbolique sur la réalité amorcent la déroute et la fin du système colonial.

Comment et pourquoi cela s'est-il passé ainsi ? Une brève incursion dans les méandres obscurs d'une pensée raisonnant en catégories raciales explique bien de choses. En effet, le thème central, l'essence, la racine des relations entre les Européens et les Africains, la forme principale que ces rapports prennent à l'époque coloniale, c'est la différence de race, de couleur de peau. Toute relation, tout échange, tout conflit peut être traduit en termes « Blanc-Noir », le Blanc étant, bien sûr, supérieur au Noir, meilleur, plus fort que lui. Le Blanc est un monsieur, un maître, un *sahib*, un *bwana kubwa*, un seigneur incontesté et un souverain, envoyé par Dieu pour diriger les Noirs. On a persuadé le Noir que le Blanc est intouchable, invincible, que les Blancs forment une puissance homogène et solidaire. Telle est l'idéologie fondamentale du système de domination coloniale qui a permis entre autres de justifier l'idée que toute remise en question, toute contestation sont dénuées de sens.

Or voilà que soudain les Africains, qui ont été enrôlés dans les armées britannique et française, voient que dans cette guerre à laquelle ils participent en Europe, le Blanc frappe le Blanc, que les Blancs se tirent dessus et se détruisent leurs villes mutuellement. C'est la révélation, la stupéfaction, le choc. Les soldats africains dans l'armée française voient que leur puissance coloniale, la France, est vaincue et battue. Les soldats africains dans l'armée britannique voient que la capitale de l'empire, Londres, est bombardée, ils voient que les Blancs sont pris de panique, que les Blancs fuient, supplient, pleurent. Ils voient des Blancs déguenillés, affamés, mendiant du pain. Et au fur et à mesure qu'ils progressent vers l'est de l'Europe et qu'ils combattent, aux côtés de Blancs anglais, des Blancs allemands, ils tombent çà et là sur des colonnes de Blancs vêtus d'uniformes rayés, des hommes-squelettes, des hommes-lambeaux.

Le choc que subit l'Africain lorsque les images de la guerre des Blancs lui défilent sous les yeux est d'autant plus fort que les habitants de l'Afrique — à de rares exceptions près, et dans le cas du Congo belge sans exception aucune — n'étaient pas autorisés à aller en Europe ni même à sortir du continent. L'Africain ne pouvait juger de la vie des Blancs que d'après les conditions luxueuses dont ces derniers jouissaient dans les colonies.

Dernier point : au milieu du XXᵉ siècle, l'habitant de l'Afrique n'est informé que par ce que lui raconte son voisin, le chef de son village ou l'administrateur colonial. Par conséquent, il ne connaît du monde que ce qu'il voit dans son environnement proche ou entend lors de conversations le soir au coin du feu.

Nous allons bientôt retrouver tous ces combattants africains de la Seconde Guerre mondiale, de retour au pays, dans les rangs de divers mouvements et partis luttant pour l'indépendance. Ces organisations poussent comme des champignons après la pluie. Elles ont diverses orientations, poursuivent des objectifs différents.

Ceux qui viennent des colonies françaises avancent dans un premier temps des revendications modérées. Ils ne parlent pas encore de liberté. Ils veulent seulement que tous les habitants des colonies deviennent citoyens français. Paris rejette ce postulat. Certes, celui qui aura été formé dans le système culturel français, qui se sera élevé à son niveau *évolué*[1], pourra obtenir la citoyenneté française. Mais cela restera exceptionnel.

Ceux qui viennent des colonies britanniques sont plus radicaux. Les audacieuses visions d'avenir dépeintes par les descendants d'esclaves, les intellectuels afro-américains de la seconde moitié du XIXe siècle et de la première moitié du XXe siècle nourrissent leur inspiration, leur engagement et leur programme. Ils formulent une doctrine qu'ils baptisent « panafricanisme », dont les principaux auteurs sont le militant Alexandre Crummwell, l'écrivain W. E. B. Du Bois et le journaliste Marcus Garvey, originaire de la Jamaïque. Ils ont des vues différentes, mais s'accordent sur deux points : 1) tous les Noirs du monde, en Amérique et en Afrique, forment une seule race, une seule culture et doivent être fiers de la couleur de leur peau ; 2) toute l'Afrique doit être indépendante et unie. Leur slogan est : « L'Afrique aux Africains ! » Dans un troisième point du programme, tout aussi important, W. E. B. Du Bois estime que les Noirs doivent rester dans les pays où ils habitent. En revanche Garvey considère que tous les Noirs, où qu'ils résident, doivent rentrer en Afrique. Il vend même une photographie de Hailé Sélassié en prétendant qu'il s'agit d'un visa de retour. Il meurt en 1940 sans avoir jamais vu l'Afrique.

Le jeune militant et théoricien ghanéen Kwame Nkrumah devient un adepte fervent du panafricanisme. En 1947, après des études en Amérique, il revient au pays. Il fonde un parti dans lequel il attire les anciens combattants de la Seconde Guerre mondiale, ainsi que la jeunesse. Lors d'un meeting à Accra, il lance un slogan combatif : « L'indépendance tout de suite ! » Dans l'Afrique coloniale de l'époque, c'est une véritable bombe. Dix ans plus tard, le Ghana est le premier pays au sud du Sahara à acquérir l'indépendance, et Accra devient aussitôt le centre provisoire et informel de tous les mouvements, idées et activités du continent.

1. En français dans le texte. *(N.d.T.)*

Il y règne une fièvre émancipatrice. On peut y rencontrer des hommes de toute l'Afrique. Attirés par un sentiment de curiosité, d'incertitude et même de crainte, des foules de journalistes du monde entier s'y retrouvent. C'est la hantise des capitales européennes de voir l'Afrique exploser, le sang des Blancs versé, les armées équipées par les Soviétiques se soulever et se lancer à l'assaut de l'Europe dans un mouvement de vengeance et de haine.

Le matin, j'ai acheté le journal local, *Ashanti Pioneer*, et je suis parti à la recherche de la rédaction. Par expérience, je sais que je peux en une heure y apprendre davantage que si je faisais le tour pendant une semaine des différents notables et institutions. Une fois de plus, cette démarche a fait ses preuves.

Dans un petit local obscur où le parfum de la mangue mûre se mêle étrangement à l'odeur de l'encre d'imprimerie, je suis chaleureusement salué, comme s'il m'attendait depuis longtemps, par un homme serein et corpulent : Kwesi Amu. « Moi aussi je suis reporter », me dit-il d'emblée.

Les salutations jouent un rôle capital dans l'évolution des relations, c'est pourquoi on y attache une importance toute particulière. L'essentiel, c'est de manifester dès le début, dès la première seconde, une joie et une cordialité immenses et spontanées. Tout d'abord, on tend la main. Non pas de manière formelle, avec réserve et mollesse, mais au contraire en prenant énergiquement son élan comme s'il s'agissait moins de serrer tranquillement la main de son interlocuteur que de la lui arracher. Si toutefois le partenaire retient de son côté sa main, c'est que, connaissant bien le rite et les règles des salutations, il s'apprête à son tour à prendre un élan énergique. Il envoie alors sa main dans la direction de la nôtre. Chargées d'une énorme énergie, les deux mains se rencontrent à mi-chemin et, se heurtant avec fougue et impétuosité, elles réduisent ou même annulent les forces contraires. Au moment où les mains lancées vont se rencontrer, on produit une première cascade de rires, sonore et continue. Cela veut dire qu'on est heureux de se rencontrer et qu'on est bien disposé l'un à l'égard de l'autre.

Suit alors une longue liste de questions et réponses de circonstances, du genre : « Comment vas-tu ? », « Comment te portes-tu ? », « Comment va ta famille ? », « Est-ce que la santé est bonne pour tout le monde ? », « Et le grand-père ? », « Et la grand-mère ? », « Et la tata ? », « Et le tonton ? », etc., car ici les familles sont nombreuses et ramifiées. La coutume veut que chaque réponse heureuse soit confirmée par un éclat de rire qui doit à son tour provoquer chez celui qui pose les questions un rire similaire, voire plus homérique encore.

On peut souvent voir dans la rue deux personnes, ou plus, se pâmant de rire. Cela ne signifie pas qu'elles sont en train de se raconter des blagues. Elles se saluent tout simplement. En revanche si les rires se calment, cela veut dire soit que le rituel des salutations est terminé et que l'on peut passer au cœur du sujet, soit que les interlocuteurs se sont calmés pour laisser reposer leurs entrailles épuisées.

Après cette joyeuse et tumultueuse entrée en matière, Kwesi et moi parlons du royaume ashanti. Ashanti a résisté aux Anglais jusqu'à la fin du XIXe siècle, et à vrai dire ne leur a jamais totalement cédé. Même maintenant, dans le contexte de l'indépendance, le royaume garde ses distances par rapport à Nkrumah et aux gens de la côte qui le soutiennent, n'appréciant pas beaucoup leur culture. L'Ashanti est très attaché à sa riche histoire, à ses traditions, ses croyances et ses lois.

Dans toute l'Afrique, chaque communauté de quelque importance a sa propre culture, un système original de croyances et de coutumes, sa langue et ses tabous : tout cela est infiniment compliqué, alambiqué et mystérieux. C'est la raison pour laquelle les grands anthropologues n'ont jamais employé l'expression de « culture africaine » ou de « religion africaine », sachant que ces concepts n'existent pas, que l'essence de l'Afrique est son infinie diversité. Ils considèrent la culture de chaque peuple comme un monde à part, singulier, unique. C'est dans cet esprit qu'ont été écrites les monographies de E. E. Evans-Pritchard sur les Nuers, de M. Gluckman sur les Zoulous, de G. T. Basden sur les Ibos, etc. La pensée européenne est encline à la réduction rationnelle, à la classification systématique et aux simplifications, elle fourre volontiers tout ce qui est africain dans un même sac et se satisfait de stéréotypes faciles.

— Nous croyons que l'homme est composé de deux éléments, me dit Kwesi. De sang, dont il hérite de sa mère, et d'esprit, dont le donneur est le père. L'élément le plus fort est la composante sanguine, c'est pourquoi l'enfant appartient à la mère et à son clan, non pas au père. Si le clan ordonne à l'épouse d'abandonner son mari et de revenir dans son village natal, elle embarque sa progéniture (car il est vrai que l'épouse habite dans le village et la maison du mari, mais elle n'y vit qu'en qualité d'invitée). Ayant la possibilité de revenir dans son clan, la femme n'est jamais à la rue si son mari l'abandonne. Elle peut aussi partir d'elle-même si son époux la tyrannise. Mais ces situations sont exceptionnelles, car généralement la famille est une cellule forte et vivante où chacun joue un rôle fixé par l'usage et connaît ses obligations.

La famille est toujours nombreuse, quelques dizaines de personnes. Le mari, l'épouse (ou les épouses), les enfants, les cousins. Si c'est possible, la famille se réunit souvent et passe du temps ensemble. Passer du temps ensemble est l'une des valeurs fondamentales que tous s'efforcent de respecter. L'essentiel est d'habiter au même endroit ou près les uns des autres : nombreuses sont les tâches qui ne peuvent être assumées qu'en collectivité. C'est même une condition de survie.

L'enfant est élevé au sein de la famille, mais au fur et à mesure qu'il grandit, il voit que les frontières de son univers social s'élargissent, qu'autour de lui vivent d'autres familles et que beaucoup de ces familles forment un clan. Le clan est constitué par tous ceux qui estiment avoir un ancêtre commun. Si je crois que, jadis, toi et moi avons eu le même aïeul, cela veut dire que nous appartenons au même clan. Cette croyance a des conséquences extrêmement importantes. Par exemple, un homme et une femme appartenant à un même clan ne peuvent avoir de relations sexuelles. C'est un tabou catégorique. Dans le passé, le couple qui transgressait cet impératif était condamné à mort. Aujourd'hui encore cela reste un infraction gravissime, susceptible d'attirer sur le clan l'ire de l'esprit des ancêtres, ainsi que de nombreux malheurs.

À la tête du clan se trouve le chef. Il est élu par l'ensemble du clan qui est lui-même dirigé par le conseil des anciens. Les anciens, ce sont les chefs de village, les chefs des sous-clans, les responsables de tout genre. Il peut y avoir plusieurs candidats et plusieurs scrutins, car cette élection est importante, la position du chef est capitale. Dès lors qu'il est élu, le chef devient une personne sacrée. Il n'a plus le droit de marcher pieds nus, ni de s'asseoir directement par terre. Il est interdit de le toucher ou de dire du mal de lui. On le reconnaît de loin grâce au parasol déployé au-dessus de sa tête. Un grand chef a un énorme parasol tout décoré tenu par un serviteur spécial, un chef plus modeste se déplace avec un parasol acheté chez un Arabe au marché.

La fonction de chef de clan a une importance primordiale. La croyance des hommes d'Ashanti repose essentiellement sur le culte des ancêtres. Le clan regroupe un nombre important de personnes, mais nous ne pouvons en voir et rencontrer qu'une partie, celle qui vit sur terre. Les autres, la majorité, ce sont les ancêtres qui nous ont en partie quittés, mais qui en réalité continuent de participer à notre vie. Ils nous regardent, observent notre comportement. Ils sont partout, ils voient tout. Ils peuvent nous aider, mais ils peuvent aussi nous châtier, ils peuvent nous combler de bonheur mais aussi nous anéantir. Ils décident de tout. C'est la raison pour laquelle le maintien de bonnes relations avec les ancêtres est une condition de succès pour le clan tout entier et pour chacun individuellement. Le chef de clan est le garant de la bonne entente entre les deux parties intégrantes du clan : le monde des ancêtres et le monde des vivants. C'est un intermédiaire et un médiateur. C'est lui qui communique aux vivants la volonté et la décision des ancêtres dans une situation donnée, c'est lui qui implore leur pardon si les vivants ont transgressé une coutume ou une loi.

Il est possible d'obtenir leur pardon en faisant des offrandes aux ancêtres : en aspergeant la terre d'eau ou de vin de palme, en leur offrant de la nourriture, en sacrifiant une brebis. Mais tout cela peut ne pas suffire. Alors les ancêtres ne décolèrent pas. Cela se traduit pour les vivants par d'autres échecs et maladies. Les crimes qui attisent la plus grande colère sont l'inceste, le meurtre, le suicide, l'attaque d'un village, l'offense d'un chef, la sorcellerie.

— Le suicide ? demandé-je étonné. Comment peut-on punir quelqu'un qui s'est suicidé ?

— D'après nos lois, on lui coupait la tête. Le suicide était une violation du tabou, or le code du clan veut que tout délit soit châtié. S'il arrive qu'un délit ne soit pas suivi de châtiment, le clan est voué à la catastrophe, à l'extermination.

Installés sous la véranda d'un des nombreux bars de la ville, nous buvons du Fanta — visiblement la société Fanta détient le monopole des ventes. Derrière le comptoir, la tête appuyée sur les mains, une jeune serveuse somnole. Il fait une chaleur étouffante, abrutissante.

— Le chef a bien d'autres obligations, poursuit Kwesi. Il tranche les disputes, règle les conflits. C'est donc aussi un juge. Autre point important, surtout dans les campagnes : le chef attribue la terre aux familles. Il ne peut ni la donner ni la vendre, car la terre est la propriété des ancêtres. Ils l'occupent, l'habitent. Le chef ne peut que l'affecter aux familles pour qu'elles la cultivent. Si la terre s'épuise, il affecte à la famille un autre morceau de terre, le temps que le champ se repose, reprenne des forces pour l'avenir. La terre est sacrée. La terre donne la vie, et le seul fait de donner la vie est sacré.

Le chef jouit du respect suprême. Il est entouré d'un conseil d'anciens et ne peut prendre aucune décision sans l'avoir consulté et sans avoir reçu son accord. C'est notre conception de la démocratie. Le matin, chaque membre du conseil rend visite au chef afin de le saluer. De cette manière le maître sait qu'il gouverne bien et qu'il est soutenu. S'il ne reçoit pas de visites matinales, cela signifie qu'il a perdu la confiance de son conseil et qu'il doit partir. C'est notamment le cas s'il commet l'un des cinq délits suivants : ivrognerie, goinfrerie, connivence avec les sorciers, mauvaise relation avec les hommes et gouvernement sans consultation du conseil des anciens. Il doit aussi quitter ses fonctions s'il devient aveugle, contracte la lèpre ou perd l'esprit.

Plusieurs clans forment une union que les Européens appellent tribu. Ashanti réunit huit clans. À sa tête siège le roi : l'*Ashantehene*, entouré d'un conseil des anciens. L'union non seulement est reliée par des ancêtres communs, mais c'est aussi une communauté territoriale, culturelle et politique. Celle-ci peut être puissante, regrouper plusieurs millions de personnes, être plus importante qu'un peuple européen.

Après bien des hésitations, j'ai fini par demander à Kwesi de me parler de la sorcellerie.

Je n'osais pas vraiment en parler parce que c'est un thème qu'on n'aborde pas volontiers, un sujet presque tabou.

— Même s'ils sont moins nombreux, les gens continuent souvent à y croire, me dit-il. Généralement parce qu'ils ont peur de ne pas croire. Ma grand-mère pense que les sorcières existent et que la nuit elles se rencontrent à la cime des arbres isolés dans les champs. Quand je lui ai demandé si elle avait déjà vu une sorcière, elle m'a répondu avec conviction que c'était impossible. La nuit, les sorcières embobinent la terre entière d'une toile d'araignée. Elles tiennent l'extrémité d'un fil dans une main et fixent l'autre à toutes les portes du monde. Si quelqu'un essaie d'ouvrir la porte et de sortir, la toile tremble. Les sorcières le sentent et de panique disparaissent dans les ténèbres. Le matin, il ne reste plus que des lambeaux de toile d'araignée qui pendent aux branches et aux poignées des portes.

Moi, le Blanc

À Dar es-Salaam, j'ai acheté une vieille Land Rover à un Anglais qui rentrait en Europe. On est en 1962. Le Tanganyika a acquis son indépendance il y a quelques mois et beaucoup d'Anglais de l'administration coloniale ont perdu leur poste et même leur maison. Dans leurs clubs désertés, on raconte de plus en plus souvent qu'en arrivant le matin au ministère, ils trouvent leur bureau occupé par un autochtone qui déclare avec un large sourire : « Désolé. Vraiment désolé ! »

Cette relève de la garde porte le nom d'« africanisation ». Certains l'accueillent avec des applaudissements, comme un symbole de libération, d'autres sont choqués par cette évolution. On sait qui est pour et qui est contre. Afin d'encourager ses fonctionnaires à travailler dans les colonies, Londres et Paris offraient aux candidats au départ des conditions de vie mirobolantes. Un modeste employé de poste de Manchester, dès son arrivée au Tanganyika, recevait une villa avec jardin et piscine, des voitures, des boys, des congés en Europe, etc. Les colons vivaient comme des coqs en pâte. Or voilà que, du jour au lendemain, les indigènes acquièrent l'indépendance. Ils héritent d'un État colonial intact. Ils se gardent bien de le modifier, car il offre aux fonctionnaires des privilèges fantastiques auxquels les nouveaux maîtres ne veulent nullement renoncer. Hier pauvres et humiliés, ce sont aujourd'hui des élus, ils occupent un poste important et disposent d'une bourse bien garnie. L'adoption du système insensé des salaires des Européens engendre dans les nouveaux États africains une lutte pour le pouvoir d'une violence et d'une cruauté inouïes. Instantanément

41

une nouvelle classe gouvernante apparaît, une bourgeoisie bureaucratique qui ne crée rien, ne produit rien, se contentant de gérer une société et de profiter de ses privilèges. Le mécanisme du XXe siècle selon lequel tout se fait dans la précipitation et la frénésie fonctionne également ici. Jadis l'émergence d'une classe sociale nécessitait des décennies, voire des siècles de gestation. Ici, il a suffi de quelques jours. Les Français, qui suivent d'un œil condescendant cette lutte pour une promotion sociale, appellent ce phénomène *la politique du ventre*[1].

Seulement voilà. On est en Afrique, et l'heureux nouveau riche ne peut oublier les vieilles traditions du clan. Or l'un des canons fondamentaux de sa culture ancestrale veut que tout ce que l'on a, on le partage avec ses frères de race, avec les membres du clan. Bref, comme on le dit ici, avec son cousin. En Europe la relation entre cousins est plutôt faible et éloignée, en Afrique le cousin maternel est plus important que le mari. Aussi, a-t-on deux chemises, il faut en donner une ; un plat de riz, la moitié ! Celui qui ne respecte pas ce principe est condamné à l'ostracisme, à l'exclusion, à la solitude qui, ici, suscite l'horreur. Autant en Europe, et a fortiori en Amérique, l'individualisme est une valeur appréciée, autant en Afrique il est synonyme de malheur, de malédiction. La tradition africaine est collectiviste, car seul un groupe solidaire peut faire face aux multiples et constantes adversités de la nature. Or le groupe ne peut justement survivre que s'il partage en toutes petites parties tout ce qu'il possède. Un jour, j'ai été entouré par une bande de gosses. J'avais un bonbon que je tenais dans la paume de la main. Immobiles, les enfants le fixaient. En fin de compte, la fillette la plus âgée a pris la sucrerie, l'a croquée avec précaution, puis l'a équitablement partagée entre tous les membres du groupe.

Si quelqu'un occupe le poste de ministre d'un Blanc et hérite de sa villa, de son jardin, de son salaire et de ses voitures, la nouvelle ne tarde pas à parvenir à l'endroit

---

1. En français dans le texte. *(N.d.T.)*

d'où l'heureux élu est originaire. Comme une traînée de poudre, elle se répand dans les villages environnants. La joie et l'espoir emplissent le cœur de ses cousins. Commence alors leur pèlerinage vers la capitale. Arrivés en ville, ils retrouvent sans problème le parent parvenu. Ils se présentent au portail de sa maison, le saluent, aspergent rituellement la terre de gin afin de remercier les ancêtres de cet heureux tournant du destin. Puis ils s'installent dans la villa, la cour, le jardin. Bientôt la tranquille résidence où vivait un Anglais d'âge mur avec son épouse taciturne devient grouillante et bruyante. Devant la maison, dès le matin, un feu brûle, les femmes écrasent le manioc dans des mortiers en bois, une foule de gamins folâtrent dans les parterres et les plates-bandes. Le soir, toute la grande famille s'assoit sur la pelouse pour le dîner car, bien qu'une nouvelle vie ait commencé, les habitudes ancestrales demeurent, la tradition de misère immémoriale perdure : on ne mange qu'une fois par jour, le soir.

Celui qui occupe un emploi plus mobile et manifeste moins de respect pour la tradition essaie de brouiller les pistes. Un jour, j'ai rencontré à Dodoma un marchand ambulant d'oranges (ce n'est pas un commerce très lucratif) qui, à Dar es-Salaam, me livrait les fruits à domicile. Tout content, je lui ai demandé ce qu'il faisait là, à cinq cents kilomètres de la capitale. Il m'a expliqué qu'il avait fui ses cousins. Longtemps, il avait partagé avec eux son gagne-pain, mais, découragé, il avait fini pas prendre la poudre d'escampette. « Pendant quelque temps, je vais avoir un peu de sous, m'a-t-il déclaré tout heureux. Jusqu'au jour où ils me retrouveront ! »

En fait, les cas de promotion liés à l'indépendance ne sont pas tellement nombreux à cette époque. Dans le quartier des Blancs, les Blancs dominent toujours. Car Dar es-Salaam, comme les autres villes de cette partie du continent, est composée de trois quartiers bien distincts (le plus souvent séparés d'eau ou d'une bande de terre déserte).

Ainsi le quartier privilégié, le plus proche de la mer, appartient évidemment aux Blancs. C'est Oyster Bay : des villas splendides noyées dans des jardins fleuris, au milieu de pelouses moelleuses et harmonieuses, d'allées de gravier. On y mène une vie luxueuse, d'autant qu'on n'a rien à faire : tout est pris en charge par des domestiques silencieux, vigilants et discrets. Ici l'homme se promène comme il doit vraisemblablement le faire au paradis : d'un pas lent, décontracté, content d'être là, ravi de la beauté du monde.

Au-delà du pont, de la lagune, beaucoup plus loin de la mer, sont entassées les maisons de pierre du quartier animé des commerçants. Ses habitants sont des Hindous, des Pakistanais, des immigrés de Goa, du Bengladesh et du Sri-Lanka que l'on appelle ici les Asiatiques. Bien qu'il y ait parmi eux quelques gros riches, la majorité mène une existence moyenne, sans superflu. Ils font du commerce. Ils achètent, vendent, servent d'intermédiaire, spéculent. Ils comptent, passent leur temps à calculer, recalculer, secouent la tête, se chamaillent. Des dizaines, des centaines de boutiques, battants ouverts, la marchandise étalée sur le trottoir et jusque dans la rue : étoffes, meubles, lampes, casseroles, miroirs, toutes sortes d'objets clinquants, des jouets, du riz, des sirops, des épices, de tout. Devant une boutique, un Hindou assis sur une chaise, un pied sur le siège, se cure les orteils avec persévérance.

Chaque samedi après-midi, les habitants de ce quartier étouffant et exigu vont à la mer. Ils se mettent sur leur trente et un : les femmes revêtent des saris dorés, les hommes des chemises toutes propres. Ils s'y rendent en voitures, dans lesquelles toute la famille s'entasse à dix, quinze, vingt. Ils garent les voitures au-dessus de la rive escarpée. À cette heure de la journée, les vagues de la marée montante sont puissantes et assourdissantes. Ils ouvrent les fenêtres, respirent le parfum de la mer, s'aèrent. Au-delà de la masse océanique s'étend leur pays que parfois ils ne connaissent même pas, l'Inde. Ils restent là un quart d'heure, une demi-heure peut-être. Puis la colonne de voitures bondées s'éloigne et la côte redevient déserte.

Plus on s'éloigne de la mer, plus la chaleur, la sécheresse et la poussière deviennent intenses. C'est justement là-bas, sur le sable, sur la terre nue et stérile, que se dressent les cases du quartier africain. Les différentes parties de ce quartier portent le nom des anciens villages d'esclaves du sultan de Zanzibar : Kariakoo, Hal, Magomeni, Kinondoni. Noms aussi variés que les maisons en argile sont uniformes et pauvres, que la vie de ses habitants est misérable et désespérée.

Pour les gens de ces faubourgs, la liberté consiste désormais à se promener librement dans les rues principales de cette ville de cent mille habitants, et même à s'aventurer dans le quartier des Blancs. En fait, cela n'a jamais été interdit, car l'Africain avait toujours le droit de s'y trouver, mais il devait avoir un but clair et précis : se rendre à son travail ou en revenir. L'œil du policier était exercé à distinguer la démarche d'un homme pressé, vaquant à ses occupations, de celle d'un vagabond suspect errant dans les rues. Chacun, en fonction de la couleur de sa peau, avait un rôle déterminé et une place appropriée.

Ceux qui ont écrit sur l'apartheid ont souligné que ce système avait été inventé et imposé en Afrique du Sud, dans un État gouverné par des racistes blancs. Aujourd'hui, je suis convaincu que l'apartheid est un phénomène beaucoup plus général et universel. Ses détracteurs prétendaient que le système avait été instauré par des Boers bornés dans le but de régner sans partage et de maintenir les Noirs dans les ghettos appelés là-bas bantoustans. Ses partisans défendaient leur point de vue en disant : « Nous sommes pour que tous les hommes vivent de mieux en mieux et puissent se développer, mais qu'ils se développent séparément, en fonction de la couleur de leur peau et de leur appartenance ethnique. » C'était une idée malhonnête, car pour qui connaissait la réalité, il était clair que, derrière le désir de voir tout le monde se développer dans l'égalité, se cachait une situation fondamentalement injuste : d'un côté les Blancs possédant les meilleures terres, les meilleures usines et les quartiers riches des villes, de l'autre les Noirs végétant, entassés sur des lopins misérables et à moitié déserts.

L'idée de l'apartheid était perverse au point que ses principales victimes se sont mises avec le temps à y voir des avantages, comme un espoir d'indépendance, le

confort de vivre chez soi. En effet l'Africain pouvait dire :
« Je ne suis pas le seul, moi le Noir, à être interdit d'entrée.
Toi le Blanc, si tu veux rester sain et sauf, ne t'aventure
pas dans mon quartier ! »

Je suis arrivé dans cette ville pour quelques années, en
qualité de correspondant de l'Agence de presse polonaise.
En faisant le tour des quartiers, je me suis vite rendu
compte que je me trouvais pris dans les filets de l'apartheid. C'est surtout le problème de la couleur de peau qui
s'est posé à moi de façon nouvelle. Je suis un Blanc. En
Pologne, en Europe, je n'y avais jamais pensé. Cette observation ne m'était jamais venue à l'esprit. Ici, en Afrique,
elle devenait déterminante, capitale, et pour les gens
simples, elle est unique. Un Blanc. Le Blanc, c'est le colon,
le pillard, l'occupant. J'ai envahi l'Afrique, j'ai envahi le
Tanganyika, j'ai exterminé la tribu de celui qui se trouve
en ce moment en face de moi, j'ai exterminé ses ancêtres.
J'ai fait de lui un orphelin. Un orphelin humilié et impuissant de surcroît. Éternellement affamé et malade. Oui, en
me regardant, il doit justement être en train de penser :
« C'est un Blanc, il m'a tout pris, il a battu mon grand-
père, violé ma mère. Il est là devant toi, regarde-le bien ! »
Je ne parvenais pas à me sentir coupable. Pourtant à
leurs yeux, en tant que Blanc, je l'étais. L'esclavage, le
colonialisme, cinq cents ans de discriminations, tel est en
effet le triste bilan des Blancs. Des Blancs ? Donc le mien.
Le mien ? Décidément, je ne réussissais pas à éveiller en
moi cette mauvaise conscience, ce sentiment purificateur,
libérateur. Manifester du repentir. Demander pardon. Au
contraire ! Dès le début j'ai essayé de contre-attaquer :
« Vous avez été colonisés ? Mais pour nous, les Polonais,
c'est pareil ! Pendant cent trente ans, nous avons été la
colonie de trois États étrangers, des Blancs par-dessus le
marché. » Ils riaient, se frappaient le front du poing, par-
taient. Je les exaspérais car ils me soupçonnaient de vouloir les tromper. Je savais que, malgré ma profonde
conviction d'être innocent, pour eux je restais coupable.
Ces va-nu-pieds, ces paysans affamés et illettrés avaient
sur moi un avantage éthique, celui qu'offre l'histoire mau-

dite à ses victimes. Les Noirs, eux, n'ont jamais battu, jamais occupé, jamais emprisonné. Ils pouvaient me regarder avec un sentiment de supériorité. Ils étaient de race noire, mais pure. Parmi eux, j'étais en position de faiblesse, je n'avais rien à dire.

Partout je me sentais mal. La couleur de ma peau, en dépit des privilèges qu'elle m'offrait, me maintenait derrière les barreaux de l'apartheid. Des barreaux dorés certes, mais bien réels, ceux d'Oyster Bay. Beau quartier. Splendide, fleuri et... ennuyeux. Il est vrai qu'on pouvait s'y promener parmi les cocotiers, admirer les bougainvilliers grimpants ainsi que les thunbergies délicats et élégants, les rochers recouverts d'algues épaisses. Mais après ? Ses habitants étaient des fonctionnaires coloniaux qui ne pensaient qu'à terminer leur contrat, s'acheter une peau de crocodile ou une corne de rhinocéros et s'en aller. Leurs épouses parlaient soit de la santé de leurs enfants, soit de la *party* passée ou à venir. Et moi, je devais envoyer tous les jours des informations à ma rédaction ! Sur quel sujet ? Où puiser la matière ? Il n'y avait qu'un seul petit journal dans la ville, le *Tanganyika Standard*. Je me suis donc rendu à la rédaction, mais les gens que j'y ai trouvés étaient des Anglais d'Oyster Bay. Eux aussi faisaient leurs valises.

Je suis alors allé dans le quartier hindou. Mais que pouvais-je y faire ? Où aller ? Avec qui parler ? Il y règne une chaleur torride et il est impossible de s'y promener longtemps : il n'y a pas d'air, on ne tient pas sur ses jambes, on a la chemise trempée de sueur. Après avoir traîné pendant une heure dans ce quartier, on n'en peut plus. On n'aspire qu'à une chose : s'asseoir, à l'ombre évidemment, au mieux sous un ventilateur. À ces moments-là, on ne peut s'empêcher de penser aux gens du Nord : sont-ils conscients du trésor que recèle leur ciel gris, argenté, éternellement nuageux qui a au moins un avantage extraordinaire : celui d'être privé de soleil ?

Mon objectif principal, ce sont bien sûr les banlieues africaines. J'ai quelques noms dans mon carnet. J'ai aussi l'adresse du local du parti au pouvoir, le TANU (*Tanganyika African National Union*). Je n'ai pas réussi à le trouver. Toutes les ruelles sont semblables, j'ai du sable jusqu'aux chevilles, les enfants m'empêchent de passer, — amusés et en même temps intrigués me suivent partout : un Blanc se promenant dans ces petites rues inaccessibles aux étrangers, ça vaut vraiment le coup d'œil ! Chaque pas me fait perdre davantage contenance. Pendant longtemps, je sens sur moi le regard attentif et insistant des hommes oisifs, assis devant leurs maisons. Les femmes ne me regardent pas, elles tournent la tête : ce sont des musulmanes, vêtues de leur ample boubou noir qui leur recouvre soigneusement le corps et une partie du visage. Le paradoxe, c'est que même si je rencontrais un Africain autochtone et que je voulais parler avec lui, nous ne saurions pas où aller. Le bon restaurant est pour l'Européen, le mauvais pour l'Africain. Les uns ne vont pas chez les autres, ce n'est pas dans les mœurs. Chacun se sent mal à l'aise s'il se trouve dans un lieu qui ne lui est pas assigné par les règles de l'apartheid.

Équipé d'une solide voiture tout-terrain, je peux désormais me déplacer. J'ai un bon prétexte : au début du mois d'octobre, l'Ouganda, pays frontalier avec le Tanganyika, devient indépendant. Le continent tout entier est submergé par une vague d'indépendance : rien qu'en 1960, dix-sept pays d'Afrique cessent d'être des colonies. Cette évolution, à une moindre échelle certes, se poursuivra par la suite.

Pour aller de Dar es-Salaam à Kampala, la capitale de l'Ouganda où doivent se dérouler les célébrations, il faut compter trois jours de voyage en roulant à toute allure de l'aube à la tombée de la nuit. La moitié du trajet est asphaltée, l'autre est en terre battue, en latérite : la fameuse lime africaine. Sa surface est striée d'entailles sur lesquelles on ne peut passer qu'à vive allure, en effleurant l'arête de ces stries, comme on peut le voir dans le film « Le salaire de la peur ».

Un Grec, Léo, mi-spéculateur, mi-correspondant de différents journaux athéniens, m'accompagne. Nous prenons quatre roues de secours, deux jerricans d'essence, un bidon d'eau, de la nourriture. Nous partons à l'aube, en direction du nord. Sur notre droite, l'océan Indien que l'on ne voit pas de la route, sur notre gauche les monts Nguru d'abord, puis les immenses steppes masaï. De part et d'autre de la route, du vert, rien que du vert. Des herbes hautes et drues, des buissons feutrés, des arbres dont les branches ont la forme d'un parasol déployé. Il en sera ainsi jusqu'au Kilimandjaro et aux deux petites villes au pied de la montagne, Moshi et Arusha. À Arusha, nous prenons la direction de l'ouest, vers le lac Victoria. Au bout de deux cents kilomètres, les problèmes commencent. Nous nous engageons dans l'immense plaine de Serengeti, la plus grande réserve d'animaux sauvages du monde. À perte de vue, d'énormes troupeaux de zèbres, d'antilopes, de buffles, de girafes. Tout cet univers paît, bondit, folâtre, galope. Là, tout près de la route, des lions immobiles. Un peu plus loin un troupeau d'éléphants. Plus loin encore, sur la ligne d'horizon, un léopard passe en faisant des bonds gigantesques. Tout cela est invraisemblable, incroyable. Comme si on assistait à la genèse du monde, le moment où la terre et le ciel existent déjà, l'eau, les plantes et les bêtes sauvages sont déjà créées, mais Adam et Ève ne sont pas encore là. Et ce monde qui vient de naître, ce monde sans hommes et donc sans péché, défile sous nos yeux. C'est vraiment une grande émotion.

Le cœur du cobra

Les réalités et les mystères de la route nous font vite oublier notre enthousiasme et notre extase. Première question de fond : par où aller ? Car sur la grande plaine, notre piste, jusqu'à présent si large, se met soudain à se ramifier, à bifurquer dans des directions complètement différentes. Pas un panneau d'indication, pas une inscription, pas une flèche. Une plaine lisse comme une table, recouverte de hautes herbes, sans montagnes ni fleuves, sans points de repère naturels. Seul un réseau de chemins sans fin, de plus en plus illisibles, emmêlés, embrouillés.

Pas même pas un croisement. Par contre, tous les dix, parfois tous les cent kilomètres, des pattes-d'oie, des enchevêtrements et des entrelacements d'où s'échappe un chaos d'embranchements.

Je demande au Grec ce qu'il faut faire. Regardant autour de lui d'un air perplexe, il me répond par la même question. Longtemps nous roulons au petit bonheur la chance, prenant les routes qui semblent nous conduire vers l'ouest, vers le lac Victoria. Mais à peine avons-nous parcouru quelques kilomètres que tout d'un coup, sans raison apparente, l'embranchement choisi bifurque dans une autre direction. Complètement perdu, j'arrête la voiture. Nous n'avons ni carte précise, ni boussole.

Puis apparaît un nouvel obstacle : midi, l'heure de la grande chaleur, le moment où le monde sombre dans la torpeur et le silence. À ce moment de la journée, les bêtes se réfugient à l'ombre des arbres. Les troupeaux de buffles, eux, ne peuvent s'abriter nulle part, ils sont trop énormes, trop nombreux. Chacun d'eux peut compter un millier de têtes. À cette heure caniculaire, ils s'immobilisent tout simplement, se figent. Et, comme par hasard, un troupeau se pétrifie justement sur la piste que nous voulons emprunter. Nous avançons : devant nous se dressent un millier de statues de granit sombre, solidement implantées dans le sol, inertes.

Une puissance inouïe sommeille dans ce troupeau, pire encore que la force de l'avalanche car elle est brûlante, impétueuse, bouillonnante de sang. Et si cette bombe explosait tout près de nous ! Ce serait la mort, à tous les coups. Bernhard Grzimek a observé des mois durant le comportement de buffles en survolant dans un petit avion la réserve de Serengeti. Il raconte que, isolé, le buffle ne réagit pas au vrombissement de l'appareil qui descend en piqué : il continue de paître paisiblement. Mais quand Grzimek survole le troupeau tout entier, c'est différent. Pour peu que parmi les buffles se trouve une bête au tempérament hypersensible ou hystérique, le troupeau tout entier est alors pris de panique et se met à foncer droit devant lui.

Or j'ai justement en face de moi un troupeau de buffles. Que faire ? S'arrêter et ne plus bouger ? Mais combien de temps ? Faire demi-tour ? C'est trop tard : il peut se lancer à notre poursuite. Ce sont des bêtes sacrément rapides, enragées, résistantes. Après un signe de croix, lentement, très lentement, je passe en première, je joue de l'embrayage, je pénètre dans le troupeau. Immense, il s'étend à perte de vue. J'observe les taureaux qui sont en tête. Ceux qui se trouvent sur notre trajectoire, paresseusement, après mûre réflexion, se rangent sur le côté afin de laisser passer la voiture. Ils libèrent le chemin, mais pas un centimètre de plus qu'il ne faut. La Land Rover frotte leurs flancs. Je suis en nage. J'ai l'impression d'avancer sur un chemin miné. Du coin de l'œil, j'observe Léo. Il a les yeux fermés. Nous avançons doucement, mètre après mètre. Le troupeau est silencieux. Immobile. Des centaines de paires d'yeux sombres, écarquillés dans des têtes massives. Des yeux voilés, stupides, sans expression. Le passage est long, la traversée interminable, mais nous finissons par nous retrouver à l'autre bout, en lieu sûr. Le troupeau est derrière nous, la tache imposante et sombre qu'il forme à la surface verte de la plaine de Serengeti s'amenuise.

Mon inquiétude augmente au fur et à mesure que nous tournons en rond. Depuis ce matin, nous n'avons rencontré personne. Nous ne sommes tombés sur aucune route ni sur la moindre indication routière. La chaleur est torride, elle s'intensifie de minute en minute, comme si la piste, toutes les pistes possibles et imaginables menaient directement au soleil, comme si nous nous approchions inéluctablement du moment où nous allons être sacrifiés sur un bûcher. L'air brûlant se met à trembler et à onduler. Tout devient liquide, chaque image est mobile et délavée comme dans un film flou. L'horizon s'est éloigné et effacé comme s'il était soumis à la loi du flux et du reflux. Les parasols gris et poussiéreux des acacias se balancent en rythme et changent de place : ils semblent déplacés par des fous qui vont et viennent sans savoir où se fixer.

Mais le pire, c'est que les rets embrouillés qui depuis des heures nous emprisonnent dans leurs poches perfides et étouffantes se mettent à vibrer et à bouger. Sous mes yeux, toute cette géométrie entortillée, indéchiffrable, qui constituait jusqu'à présent un élément stable et immobile à la surface de la savane, se met à se débattre et à dériver. Mais où donc ? Où entraîne-t-elle ses prisonniers empêtrés dans ses filets ? Tous en chœur, Léo, moi, la voiture, les routes, la savane, les buffles et le soleil, nous glissons vers un espace inconnu, brillant, illuminé.

Soudain le moteur s'arrête et la voiture stoppe. Voyant qu'il m'arrive quelque chose, Léo coupe le contact. « Passe-moi le volant, dit-il, je vais conduire. » Nous poursuivons notre route jusqu'à ce que la chaleur s'adoucisse. Nous apercevons alors deux cases africaines. Nous nous approchons. Elles sont vides, sans portes ni fenêtres. Deux grabats de bois se dressent à l'intérieur. Visiblement ces cases n'appartiennent à personne, elles doivent servir de refuge aux voyageurs.

J'ignore comment je me suis retrouvé sur l'un des grabats. Je suis à peine vivant. Le soleil bruit dans ma tête. Pour maîtriser ma somnolence, j'allume une cigarette, mais je ne l'apprécie pas. Je m'apprête à l'écraser sur le sol et, suivant inconsciemment des yeux le mouvement de ma main, je me rends compte que je suis sur le point de l'écraser sur la tête d'un serpent enroulé sous mon grabat.

Je suis tétanisé. Au point qu'au lieu de retirer prestement la main avec la cigarette allumée, je la maintiens au-dessus de sa tête. Je finis toutefois par prendre conscience de la situation : je suis à la merci d'un serpent mortel. Tout ce que je sais, c'est qu'il est hors de question de bouger. Au moindre geste, le serpent se lance sur sa victime et la mord. C'est un cobra égyptien, gris-jaune, lové sur le sol d'argile. Son venin entraîne une mort rapide. Dans la situation où nous nous trouvons — nous n'avons aucun médicament, nous sommes à une journée de route de l'hôpital —, cette mort est certaine. Peut-être le cobra est-il en ce moment en état de catalepsie, un état d'insensibilité et de léthargie caractéristique de ces reptiles, car il ne remue pas, il gît immobile. « Mon Dieu ! que faire ? », pensé-je avec fièvre, à peine conscient.

— Léo, chuchoté-je, Léo, un serpent !

Léo est dans la voiture. Il est en train de sortir les bagages. Nous nous taisons, désemparés. Mais il faut faire vite, car si le cobra sort de sa léthargie, il attaquera aussitôt. Comme nous n'avons pas d'arme, pas de machette, rien, nous convenons que Léo sortira de la voiture un jerrican avec lequel nous tenterons d'étouffer le cobra. C'est risqué mais, pris de court, nous sommes incapables de trouver une autre solution. De plus nous devons agir vite, car notre inaction donne l'avantage au cobra.

Nous sommes équipés de jerricans achetés dans un surplus anglais, énormes, avec des arêtes saillantes. Léo, qui est costaud, en a saisi un et s'est glissé dans la case. Le cobra ne réagit toujours pas, il est toujours immobile. Tenant l'ustensile par les poignées, Léo le brandit et attend. Figé dans cette position, il calcule, mesure, vise. Moi, je suis toujours paralysé sur le grabat, tendu, prêt. Soudain, en l'espace d'une seconde, le jerrican tendu devant lui, Léo se jette de toute sa force sur le serpent. À mon tour, je m'écrase de tout mon poids sur mon camarade. Notre vie est en train de se jouer pendant ces quelques secondes. En fait, nous n'avons pensé au danger que plus tard, car au moment où le jerrican, Léo et moi-même nous abattons sur le reptile, l'intérieur de la case se transforme en enfer.

Jamais je n'aurais imaginé qu'une créature pouvait receler une telle puissance. Une force terrible, monstrueuse, cosmique. Moi qui pensais que l'arête du jerrican pénétrerait le serpent facilement ! Tu parles ! Je réalise bien vite que sous nos corps, nous avons non pas un serpent mais un ressort en acier, palpitant, vibrant, impossible à briser ou à écraser. Le cobra s'agite, frappe le sol avec une telle rage, une telle furie que l'intérieur de la case devient noir de poussière. Il donne des coups de queue si virulents que le sol s'effrite et se désagrège, nous aveuglant dans des nuages de poussière. Je pense avec horreur que nous n'allons pas en venir à bout, que le reptile va nous échapper et que tout abattu, blessé, enragé qu'il est, il va nous mordre. J'étreins mon camarade encore plus fort. Il pousse des gémissements, la poitrine écrasée sur le métal, il ne peut plus respirer.

Au bout d'un certain temps, d'une éternité, les contractions du cobra deviennent moins impétueuses, moins vigoureuses, moins fréquentes. « Regarde, dit Léo, du sang ! » Effectivement, dans une fente du sol qui rappelle maintenant un vase en argile brisé, un mince filet coule goutte à goutte. Le cobra s'affaiblit, les soubresauts du jerrican que nous sentons toujours sous nos corps et par lesquels le serpent nous signale sa douleur et sa haine s'atténuent. Ces tressaillements nous ont maintenus dans un état de frayeur et de panique sans fin. Mais maintenant que tout est fini, que la poussière de la case commence à se dissiper, à retomber, que Léo et moi sommes à nouveau sur nos pieds, en regardant de nouveau ce filet de sang qui s'écoule, au lieu d'être satisfait et content, je ressens un vide, pire encore, un sentiment de tristesse. Ce cœur qui battait au fond de l'enfer où le hasard nous a tous les trois réunis, ce cœur a cessé de battre.

Le lendemain, nous nous retrouvons sur une large piste en latérite couleur de rouille qui, formant un arc profond, entoure le lac Victoria. Au bout de quelques centaines de kilomètres à travers une Afrique verte, luxuriante, splendide, nous arrivons à la frontière de l'Ouganda. En fait il n'y a pas de démarcation. Sur le bord de la route se tient une guérite toute simple, avec au-dessus de la porte une inscription pyrogravée sur une planche en bois : « Ouganda ». Elle est vide et fermée. Les fameuses frontières au-delà desquelles coule le sang ne surgiront que plus tard.

Nous poursuivons notre route. Il fait déjà nuit. Ce qui en Europe s'appelle soir ou crépuscule dure ici à peine quelques minutes, ou plutôt n'existe pas. Il y a le jour, et aussitôt après la nuit, comme si quelqu'un en un tour de clé coupait le courant du soleil. La nuit devient tout de suite noire. En un instant, nous nous retrouvons au cœur des ténèbres les plus sombres. Si la nuit nous surprend en pleine brousse, nous devons aussitôt nous arrêter : on ne voit plus rien, comme si quelqu'un nous avait enfilé à l'improviste un sac sur la tête. Nous perdons le sens de l'orientation, nous ne savons pas où nous sommes. Dans ce noir profond, les gens discutent entre eux, sans se voir. Ils s'interpellent sans savoir qu'ils se trouvent les uns à côté des autres. L'obscurité isole et de ce fait renforce le besoin d'être ensemble, en groupe, en communauté.

Les premières heures de la nuit sont la période la plus conviviale en Afrique. Personne ne veut être seul à ce moment-là. La solitude ? Mais c'est un vrai malheur, une damnation ! Ici les enfants ne se couchent pas avant les adultes. On se rend au pays des rêves ensemble, tout le monde en chœur, la famille, le clan, le village.

Nous avons traversé l'Ouganda endormi, invisible derrière le rideau de la nuit. Tout près devait se trouver le lac Victoria, tout près les royaumes d'Ankole et de Toro, les pâturages de Mubende et les chutes de Murchison. Tout cela, sur un fond de nuit plus noire que la cendre. Une nuit pleine de silence. Les phares de la voiture transpercent l'obscurité. Dans leur lumière tourbillonne un essaim fou de mouches, de taons et de moustiques surgis du néant. En une fraction de seconde, ils nous jouent le rôle de leur vie, la danse endiablée de l'insecte, puis ils périssent, impitoyablement écrasés par la calandre de la voiture qui fend la nuit.

De temps en temps, les ténèbres sont illuminées par une oasis, une cabane aussi colorée qu'une baraque de foire qui scintille au loin : c'est la boutique d'un Hindou, une *duka*. Au-dessus de tas de biscuits, de paquets de thé, de cigarettes, d'allumettes, de boîtes de sardines et de savonnettes émerge la tête du propriétaire, éclairée par la lueur des néons ou des ampoules : un Hindou qui, assis sans bouger, attend le client tardif avec patience et espoir. La lueur de ces boutiques, qui semblent apparaître et disparaître à notre demande, nous éclaire la route jusqu'à Kampala comme les réverbères d'une rue déserte.

Kampala se prépare aux festivités. Dans quelques jours, le 9 octobre, l'Ouganda doit acquérir l'indépendance. Des négociations et des enchères compliquées se sont prolongées jusqu'au dernier moment. La politique intérieure de l'Afrique et de ses États séparés est complexe et embrouillée. Cela s'explique par le fait que les puissances coloniales, sous la houlette de Bismarck à la Conférence de Berlin, se sont partagé l'Afrique en fourrant les quelque dix mille royaumes, fédérations et unions tribales indépendantes et souveraines qui existaient sur le continent au milieu du XIXᵉ siècle, à l'intérieur des frontières d'à peine quatorze colonies. Ces royaumes et ces unions tribales avaient pourtant un long passé de conflits et de guerres mutuels. Et soudain, sans avoir été consultés, ils se sont brusquement retrouvés dans la sphère d'une seule et même colonie, soumis au même pouvoir, étranger de surcroît, à une loi commune.

Or voilà que survient l'époque de la décolonisation. Les anciennes relations interethniques, que le pouvoir étranger n'a fait que geler ou qu'il a généralement ignorées, se sont soudainemant ravivées, réactualisées. Une chance de libération est apparue certes, mais une libération soumise à une condition : que les adversaires et ennemis d'hier forment un seul État dont ils seront les maîtres, les patriotes et les défenseurs solidaires. Les anciennes métropoles coloniales et les leaders des mouvements de libération de l'Afrique se sont donné comme principe que, si dans une colonie éclataient des conflits internes sanglants, le territoire concerné n'acquerrait pas l'indépendance.

Le processus de décolonisation doit être mis en place, comme cela a été défini, par des méthodes constitutionnelles, autour d'une table de négociations, sans drame politique important, en sauvant l'essentiel : la poursuite des échanges de richesses et de marchandises entre l'Afrique et l'Europe sans perturbation majeure.

Le contexte dans lequel doit se produire le bond vers le royaume de la liberté place un grand nombre d'Africains devant un dilemme. En effet, en eux cohabitent deux loyautés menant entre elles une lutte douloureuse et inextricable. D'un côté, il y a la mémoire historique, profondément codée, de leur clan et de leur peuple, la connaissance des alliés à aider et des ennemis à haïr. De l'autre, il s'agit d'entrer dans la famille des États indépendants, des sociétés modernes, à condition justement de renier tout égoïsme et aveuglement ethniques.

Tel est le problème auquel l'Ouganda se trouve confronté. Dans ses frontières actuelles, c'est un pays jeune, ayant à peine quelques dizaines d'années. Mais son territoire regroupe quatre anciens royaumes : Ankole, Buganda, Bunyoro et Toro. L'histoire de leurs rancunes et de leurs conflits réciproques est aussi pittoresque et riche que l'histoire des guerres entre Celtes et Saxons, ou entre gibelins et guelfes.

Le royaume du Buganda, dont la capitale, Mengo, est devenue un quartier de Kampala, est le plus puissant d'entre eux. Mengo désigne aussi une colline sur laquelle se tient le palais royal. En effet, Kampala, ville d'une beauté extraordinaire, pleine de fleurs, de palmiers, de manguiers et de poinsettias, s'étend sur sept collines douces et vertes dont une partie descend directement dans le lac.

Jadis les palais royaux étaient érigés les uns après les autres sur ces collines : quand un roi mourait, on abandonnait le palais vide et on en construisait un neuf sur la colline suivante. Il ne fallait surtout pas perturber le pouvoir que le mort continuait d'exercer, même si c'était de l'au-delà. Ainsi le pouvoir était détenu par toute une dynastie et le roi en exercice n'en était qu'un représentant provisoire.

En 1960, deux ans avant la libération, les gens qui ne se considèrent pas sujets du roi du Buganda fondent le parti UPC (*Uganda People's Congress*). Ce parti remporte les premières élections. À sa tête se trouve le jeune fonctionnaire Milton Obote, dont j'ai fait la connaissance à Dar es-Salaam.

Les journalistes attendus à Kampala doivent loger dans les baraquements de l'ancien hôpital un peu à l'écart de la ville (le nouvel hôpital, présent de la reine Elizabeth, va sous peu ouvrir ses portes). Nous arrivons les premiers ; les baraques, blanches et propres, sont encore vides. Dans le bâtiment principal qui donne sur la rue, on me remet la clé de ma chambre. Léo est parti au nord voir les cascades de Murchison. Je l'envie mais je dois rester pour préparer le matériel pour notre reportage. Je trouve notre baraquement. Il se tient à l'écart, au milieu de canneliers et de tamarins luxuriants. La porte de ma chambre se trouve au bout d'un long couloir. J'entre, pose ma valise et mon sac, referme la porte. Alors, le lit, la chaise et l'armoire s'élèvent dans les airs, se mettent à tourbillonner de plus en plus vite sous le plafond.

Je perds connaissance.

Des entrailles de glace

Quand je rouvre les yeux, je vois un grand écran blanc et, sur son fond clair, le visage d'une jeune fille noire. Ses yeux me fixent, puis disparaissent. Sur l'écran apparaît alors la tête d'un Hindou. Il doit être penché au-dessus de moi, car son visage est tout près et semble agrandi plusieurs fois.

— Grâce à Dieu, tu es vivant, me dit-on. Mais tu es malade. Tu as le paludisme. Le paludisme cérébral.

Je reprends aussitôt connaissance, je veux même m'asseoir, mais je sens que je n'en ai pas la force, que je suis sans énergie. Le paludisme cérébral (*cerebral malaria* en anglais) est la terreur de l'Afrique tropicale. Autrefois cette maladie était fatale. Maintenant encore elle est dangereuse et souvent mortelle. En venant ici, nous sommes passés à côté d'un cimetière dans la banlieue d'Arusha où reposaient les victimes d'une épidémie ayant sévi dans la région il y a quelques années.

Je regarde à droite et à gauche. L'écran blanc au-dessus de moi est le plafond de la chambre dans laquelle je suis alité. Je me trouve au Mulago Hospital qui vient d'ouvrir ses portes. J'en suis l'un des premiers patients. La jeune fille est une infirmière, Dora, et l'Hindou, un médecin, le docteur Patel. Ils me disent que la veille, j'ai été transféré ici en ambulance. Léo est resté trois jours dans la région des cascades Murchison, et à son retour m'a trouvé sans connaissance dans ma chambre. Il a couru à la conciergerie pour demander de l'aide. C'était justement le jour de la déclaration de l'Indépendance, la ville entière dansait, chantait, baignait dans la bière et le vin de palme.

59

Complètement désemparé, le pauvre Léo s'est finalement rendu lui-même à l'hôpital et a appelé une ambulance.

C'est ainsi que je me retrouve ici, dans une chambre individuelle où tout respire encore la fraîcheur, le calme et l'ordre.

Le premier symptôme d'un accès de paludisme se manisfeste par un malaise intérieur ressenti brusquement et sans raison précise : il vous arrive quelque chose, quelque chose de mauvais. Si vous croyez aux esprits, vous comprenez ce qui vous arrive — un esprit malin est entré en vous, vous a jeté un sort. Il vous a privé de vos forces et vous a cloué sur place. Puis vous êtes en proie à un état de torpeur, d'apathie, de lourdeur. Tout vous irrite. Surtout la lumière, vous haïssez la lumière. Les autres vous insupportent, leurs voix sonores, leur odeur répugnante, leur contact rude.

Mais cette sensation de répulsion, de dégoût est passagère. En effet, rapidement, et parfois même brutalement, surgit l'attaque. C'est une attaque de froid, subite et violente. D'un froid polaire, arctique. Comme si on vous avait arraché tout nu de la fournaise infernale du Sahel ou du Sahara et qu'on vous avait directement expédié sur les pics glacés du Groenland et de l'archipel du Spitzberg, en pleine neige, au cœur de la bourrasque et de la tourmente. Quelle secousse ! Quel choc ! En une seconde, vous êtes transi d'un froid effrayant, pénétrant, cauchemardesque. Vous vous mettez à grelotter, à trembler, à vous tordre. Mais vous sentez bien que cela n'a rien à voir avec les tremblements et les frissons que vous avez pu connaître auparavant. Non, ce sont des vibrations et des convulsions qui vous agitent et qui d'un instant à l'autre vont vous déchirer en lambeaux. Pour échapper à cette calamité, vous vous mettez à implorer de l'aide.

La seule chose qui soulage dans ces moments, qui peut vraiment aider dans l'immédiat, c'est de vous faire couvrir. Mais non d'un simple couvre-lit, d'un plaid ou d'un édredon, il faut que la couverture vous écrase de son poids, qu'elle vous enferme, vous compresse, vous broie. Dans ces instants, vous n'aspirez qu'à une seule chose :

être écrabouillé. Vous n'avez qu'une envie : vous faire ter-
rasser par un rouleau compresseur.

Un jour, j'ai eu une violente attaque de paludisme dans
un village pauvre où il n'y avait pas de couverture
épaisse. Les paysans ont posé sur moi le couvercle d'un
coffre et sont restés assis dessus patiemment, attendant
que les tremblements les plus violents passent. Les plus
malheureux sont ceux qui, en proie à une attaque de malaria, n'ont rien pour se couvrir. On peut les voir sur le bord
des routes, dans la brousse ou dans des cases, couchés
par terre semi-conscients, ruisselant de sueur, le regard
trouble, le corps secoué par des vagues régulières de
convulsions. Mais même couvert d'une douzaine de cou-
vertures, de vestes et de manteaux, vous claquez des
dents et gémissez de douleur, car vous sentez que ce froid
ne vient pas de l'extérieur. Dehors il fait quarante degrés !
Ce froid, vous l'avez à l'intérieur, en vous. Vos entrailles
sont habitées par les glaciers de l'Arctique. Tous ces ice-
bergs, ces calottes et ces montagnes de glace flottantes
vous traversent le corps, les veines, les muscles et les os.
Cette idée vous emplirait sans doute d'effroi si vous étiez
encore en état d'éprouver le moindre sentiment. En fait
vous n'y pensez que quelques heures après, quand le
paroxysme de l'attaque passe et que, impuissant, vous
sombrez dans un état d'épuisement et d'inertie extrêmes.

Comme toute souffrance, l'attaque de paludisme est
aussi une épreuve métaphysique. Vous tombez dans un
univers dont vous ignoriez tout jusqu'au moment où vous
vous faites happer par lui, vous vous y incorporez. Alors
vous découvrez en vous des précipices, des gouffres et
des abîmes de glace dont la présence vous emplit de souffrance et de terreur. Puis, ce moment de découvertes
passé, les esprits vous quittent, déguerpissent, disparaissent en laissant sur le carreau, sous une montagne de cou-
vertures invraisemblables, une épave navrante.

Juste après une forte crise de malaria, l'homme n'est
plus qu'une loque. Il gît dans une mare de sueur, il a
encore de la fièvre, il ne peut remuer ni main ni pied. Tout
lui fait mal, la tête lui tourne, il a des nausées. Il est épuisé,

faible, mou. Quand on le porte dans les bras, on a l'impression qu'il n'a ni muscles ni os. Il faut plusieurs jours avant qu'il puisse se remettre debout.

Chaque année, la malaria affecte des dizaines de millions d'hommes, et là où elle sévit le plus — dans les zones humides, basses et marécageuses — elle tue un enfant sur trois. Il y a plusieurs formes de malarias. Certaines sont douces, passent comme la grippe. Elles épuisent cependant celui qui en est victime. D'abord pour la bonne raison que sous ce climat meurtrier il est difficile de supporter la moindre indisposition. Ensuite parce que les Africains sont souvent sous-alimentés, épuisés, affamés. Il est fréquent de rencontrer des gens endormis, apathiques, engourdis. Dans les rues, sur le bord des routes, ils sont assis ou couchés des heures durant, sans rien faire. Vous leur parlez, mais ils ne vous entendent pas. Vous les regardez, mais vous avez l'impression qu'ils ne vous voient pas. Vous vous demandez s'ils vous méprisent, si ce sont simplement des paresseux couchés là à ne rien faire, ou s'ils sont vraiment mal, en proie à un accès mortel de paludisme. Vous êtes mal à l'aise, désemparé.

Je suis resté à l'hôpital Mulago deux semaines. Les crises se renouvelaient, mais elles étaient de moins en moins intenses et épuisantes. On m'a fait des ponctions, des dizaines de piqûres. Tous les jours, le docteur Patel venait me rendre visite, m'examinait, me disant que quand je serais guéri, il me présenterait à ses proches. Il vient d'une famille aisée, propriétaire de plusieurs grands magasins à Kampala et en province. Elle a eu les moyens de l'envoyer faire ses études à Londres, d'où il est revenu avec un diplôme de médecin. Comment ses ancêtres se sont-ils retrouvés en Ouganda ? Comme des milliers de jeunes Hindous, son grand-père a été transporté à la fin du XIXe siècle par les Anglais en Afrique de l'Est pour y construire la ligne de chemin de fer de Mombasa à Kampala.

C'était une nouvelle étape de l'expansion colonialiste : la pénétration du continent africain, la conquête et la maîtrise des terres intérieures. Si l'on regarde d'anciennes cartes de l'Afrique, on est frappé par une chose : les côtes sont jalonnées de dizaines, voire de centaines de noms de ports, villes et bourgs, alors que tout le reste de ce territoire immense, incommensurable, autrement dit quatre-vingt-dix-neuf pour cent de la surface de cette partie du monde, est une tache blanche pratiquement vierge, avec çà et là de rares indications.

Les Européens restaient accrochés aux côtes, à leurs ports, à leurs auberges, à leurs navires, ils ne s'enfonçaient dans les terres que de mauvaise grâce, sporadiquement. En effet, les routes étaient rares, ils avaient peur des populations hostiles et des maladies tropicales : le paludisme, la maladie du sommeil, la fièvre jaune, la lèpre. Bien qu'installés sur ces côtes depuis plus de quatre siècles, ils vivaient dans le provisoire, se distinguaient par une mentalité mesquine que dominait l'appât du gain immédiat, de la proie facile. On comprend pourquoi leurs ports ressemblaient à des ventouses plaquées sur l'organisme de l'Afrique. C'étaient des places d'où l'on exportait les esclaves, l'or et l'ivoire. Il s'agissait d'exporter à moindres frais. Ces têtes de pont de l'Europe rappelaient souvent les vieux quartiers les plus pauvres de Liverpool ou de Lisbonne. Pendant quatre cents ans, les Portugais n'ont installé dans la ville de Luanda ni eau potable ni électricité.

La construction d'une ligne de chemin de fer jusqu'à Kampala était donc le symbole d'une nouvelle pensée économique dans les métropoles des pays colonisateurs. Surtout à Londres et à Paris. Maintenant que les États d'Europe s'étaient partagé l'Afrique, ils pouvaient tranquillement investir dans les territoires riches et fertiles de leurs colonies qui leur promettaient monts et merveilles : plantations de café, de thé, de coton ou d'ananas, mines de diamants, d'or ou de cuivre.

Toutefois les moyens de transport faisaient défaut. Les Africains, qui jadis transportaient tout sur leur tête, ne suffisaient plus. Il fallait construire des routes, des voies ferrées et des ponts. Oui, mais qui devait le faire ? Il n'était pas question d'importer une main-d'œuvre blanche : le

Blanc était un seigneur, il ne pouvait travailler physiquement. Au début, le travailleur africain était lui aussi exclu : il n'existait tout simplement pas. Il était difficile d'attirer la population locale vers un travail lucratif, car elle n'avait aucune notion de l'argent (le commerce qui existait ici depuis des siècles se faisait sous forme de troc : on échangeait par exemple les esclaves contre des armes à feu, des blocs de sel, des étoffes de percale).

Peu à peu, les Anglais ont instauré un système de travail obligatoire : le chef de la tribu devait fournir un contingent d'hommes pour un travail gratuit. On plaçait ceux-ci dans des camps. Quand ces grandes concentrations de goulags étaient signalées sur une carte, cela prouvait que le colonialisme était fortement enraciné dans la région. Avant de parvenir à cette solution, on a cherché des mesures intermédiaires. L'une d'entre elles a consisté à faire venir en Afrique orientale des travailleurs bon marché d'une autre colonie britannique, l'Inde. C'est ainsi que le grand-père du docteur Patel s'est retrouvé d'abord au Kenya, puis en Ouganda où il s'est par la suite définitivement installé.

Au cours d'une consultation, le docteur m'a raconté qu'au fur et mesure que le chantier de la voie ferrée s'éloignait des rives de l'océan Indien et pénétrait l'immensité de la brousse, les travailleurs hindous se sont trouvés confrontés à une situation périlleuse : les attaques des lions.

À la fleur de l'âge, le lion n'est pas amateur de chair humaine. Il a ses habitudes de chasse, des goûts bien précis et ses préférences culinaires. Il adore la viande d'antilope et de zèbre. Il apprécie aussi la girafe, bien qu'il ait du mal à la chasser à cause de sa taille. Il ne dédaigne pas non plus la viande de bœuf, et c'est pourquoi, la nuit, les bergers parquent leurs troupeaux derrière des clôtures faites de branches épineuses qu'ils vont chercher dans la brousse. Ces clôtures, appelées *goma*, ne sont pas toujours efficaces, car le lion est un excellent sauteur et est capable de bondir par-dessus la barrière ou de se glisser en dessous.

Le lion chasse la nuit, généralement en bande, organisant l'affût et les pièges. Juste avant de partir en chasse a lieu la répartition des rôles. Un groupe est chargé de rabattre les victimes dans la gueule du chasseur. Les plus actives sont les lionnes. Ce sont elles qui attaquent le plus souvent. Les femelles sont les premières à festoyer, elles s'abreuvent du sang le plus frais, dévorent les meilleurs morceaux, sucent la moelle grasse.

Les lions passent la journée à digérer et à faire la sieste. Ils sont couchés avec indolence à l'ombre des acacias. Si on ne les agace pas, il n'attaqueront pas. Même quand on s'approche d'eux, ils se lèvent et s'éloignent. C'est toutefois risqué, car ce carnassier peut bondir en une fraction de seconde. Un jour, en traversant la réserve de Serengeti, un pneu de notre véhicule a éclaté. Prêt à bondir de la voiture pour le changer, je me suis soudain aperçu qu'autour de moi, dans les hautes herbes, des lionnes se prélassaient parmi des lambeaux ensanglantés d'antilopes. Elles nous fixaient sans broncher. Léo et moi sommes restés enfermés dans la voiture. Au bout d'un quart d'heure, elles se sont levées, superbes, élancées, fauves, puis elles sont tranquillement parties dans la brousse.

Quand les lions partent en chasse, ils le signalent par un rugissement puissant qui retentit dans toute la savane. Ce cri effraie et panique la faune. Les seuls à ne pas être impressionnés par ce clairon guerrier sont les éléphants : les éléphants ne craignent personne. Pour la plupart des bêtes, c'est le sauve-qui-peut général, ou pour certaines la pétrification, dans l'attente que le carnassier surgisse des ténèbres et leur assène le coup fatal.

Le lion est un chasseur habile et dangereux pendant près de vingt ans. Puis il commence à vieillir. Ses muscles s'atrophient, sa vitesse ralentit, ses bonds sont de plus en plus courts. Il a du mal a rattraper la farouche antilope, le zèbre vif et agile. Il erre, la faim au ventre, et devient un poids pour la communauté. C'est une période dangereuse pour lui, car le groupe ne tolère pas les faibles et les malades ; le vieux lion peut donc devenir sa victime. Il a de plus en plus peur que les plus jeunes le dévorent. Progressivement il s'isole, traîne à l'arrière, pour rester définitivement seul. Il est tourmenté par la faim, mais ne peut chasser de gibier. Il ne lui reste plus qu'une solution : chasser l'homme. Ce lion, couramment appelé ici mangeur d'hommes (*man-eater*), devient la terreur de la population environnante. Il se met à l'affût près des torrents où les femmes viennent laver leur linge, sur le bord des chemins que les enfants empruntent pour aller à l'école — car un lion affamé chasse aussi de jour. Les gens n'osent plus sortir de leur case, mais il les attaque jusque chez eux. Il est intrépide, impitoyable et toujours vigoureux.

Ce sont ces lions-là, poursuit le docteur Patel, qui se sont attaqués aux Hindous construisant la ligne de chemin de fer. Comme les ouvriers dormaient sous la tente, les carnassiers n'avaient aucun mal à déchirer la toile et à emporter leurs proies endormies. Ces gens n'étaient protégés par personne, ni même armés. Comme il est vain de se battre contre un lion dans les ténèbres africaines, le grand-père du docteur et ses camarades ont souvent entendu, impuissants, les cris des malheureuses victimes dépecées par les lions qui banquetaient tout près des tentes puis, rassasiés, disparaissaient dans le noir.

Le docteur a toujours pris le temps de discuter avec moi, d'autant que quelques jours après la crise, je ne pouvais pas encore lire — les caractères d'imprimerie étaient flous, les lettres tanguaient, s'élevant et se balançant sur des vagues invisibles. Un jour il m'a demandé : « Tu as déjà vu beaucoup d'éléphants ? — Oh oui, ai-je répondu, des centaines ! — Tu sais, m'a-t-il dit, quand les Portugais sont arrivés ici il y a très longtemps et qu'ils ont commencé à acheter l'ivoire aux indigènes, ils ont constaté avec étonnement que les Africains n'en avaient pas beaucoup. L'ivoire est pourtant un matériau résistant et solide. S'ils avaient du mal à attraper l'éléphant vivant — ils le chassaient cependant en le faisant tomber dans une fosse préalablement creusée —, ils auraient pu du moins récupérer les défenses d'éléphants qu'ils trouvaient morts, gisant sur le sol. Les Portugais ont fait part de leur étonnement à leurs intermédiaires africains. Mais la réponse qui leur a été faite les a stupéfiés : il n'y a pas d'éléphants morts, les cimetières d'éléphants n'existent pas. Cette énigme a déconcerté les Portugais. Comment meurent les éléphants ? Où gisent leurs dépouilles ? Où sont leurs ossuaires ? L'enjeu était de taille, les défenses d'éléphants représentaient des sommes d'argent colossales... »

La manière dont meurent les éléphants était un secret que les Africains ont longtemps caché aux Blancs. L'éléphant est un animal sacré et sa mort l'est tout autant. Or tout ce qui est sacré est entouré d'un mystère impénétrable. Le fait que, dans le monde animal, l'éléphant n'ait pas d'ennemis a toujours suscité l'étonnement. Personne n'a jamais réussi à percer ce mystère. Il ne pouvait mourir, autrefois, que de mort naturelle. Cela se passait généralement au crépuscule, quand les éléphants venaient s'abreuver. Au bord du lac ou d'une rivière, chacun déployait au loin sa trompe et buvait. Mais il arrivait un moment où, vieux et fatigué, l'éléphant ne pouvait plus soulever sa trompe et, pour assouvir sa soif, il devait avancer dans l'eau. Ses pattes s'embourbaient dans la vase. Le lac l'attirait dans son abîme. Pendant un certain temps, il se débattait, luttait, essayait de se tirer de la boue, de revenir sur la berge, mais il était trop massif, et la force d'attraction du fond était si paralysante que l'animal finissait par perdre l'équilibre, tombait et disparaissait à jamais dans les flots.

« C'est ainsi que, au fond de nos lacs, se trouvent des cimetières d'éléphants antédiluviens », a conclu le docteur Patel.

Le docteur Doyle

Mon appartement à Dar es-Salaam, avec ses deux chambres, sa cuisine et sa salle de bains, se trouve au premier étage d'une maison bâtie au milieu de cocotiers et de bananiers au panache exubérant, tout près d'Ocean Road. Dans l'une des chambres, il y a une table et des chaises, dans l'autre un lit au-dessus duquel est déployée une moustiquaire : sa présence solennelle — elle rappelle en effet un langoureux voile de mariée blanc — est plutôt là pour rassurer le locataire que pour intimider les moustiques : ces insectes trouvent toujours le moyen de se glisser quelque part. Ces agresseurs minuscules et empoisonnants se fixent sans doute le soir un plan d'extermination. S'ils sont dix par exemple, ils n'attaquent pas tous en même temps ; cela permettrait d'en venir à bout d'un seul coup et d'avoir la paix pour le reste de la nuit. Non, ils donnent l'assaut un par un ; ils envoient tout d'abord un confrère en mission de reconnaissance pendant que les autres observent attentivement ce qui va se passer. Bien reposé pour avoir dormi pendant toute la journée, notre éclaireur nous tourmente avec son bourdonnement infernal jusqu'au moment où, tout ensommeillés et furieux, nous nous mettons en chasse, finissons par tuer l'assaillant et, soulagés, nous nous remettons au lit. Mais la lumière vient à peine d'être éteinte que le suivant se lance à son tour dans une série de loopings, spirales et vrilles.

Ayant observé pendant de longues années (ou plutôt pendant de longues nuits) les moustiques, j'en suis arrivé à la conclusion que ces créatures devaient avoir dans leurs gènes un instinct suicidaire, un besoin impulsif d'autoextermination qui, devant la mort de celle qui les précède — ce sont en effet les femelles qui attaquent, transmettant la malaria —, les pousse, au lieu d'abandonner la partie et de capituler, à se précipiter les unes à la suite des autres dans une surenchère d'excitation, de désespoir et de détermination, vers une mort inévitable et subite.

De retour de voyage, combien de fois ai-je semé le trouble et le malaise au sein de l'univers qui régnait dans mon appartement ! Quand le chat n'est pas là, les souris dansent ! À peine ai-je claqué la porte qu'il est conquis par une foule grouillante, remuante et indiscrète. Des fissures du plancher et des murs, des chambranles et des coins, de dessous les tasseaux et rebords des fenêtres sortent au grand jour des armées de fourmis, de mille-pattes, d'araignées et de scarabées, s'envolent des nuées de mouches et de papillons de nuit. Mes deux chambres se remplissent de bestioles les plus variées que je ne saurais ni décrire ni nommer, et tout ce beau monde gigote des ailes, joue des mandibules et remue des pattes. J'ai toujours été subjugué par une variété de fourmis rouges qui, surgies on ne sait d'où, dans un alignement parfait et à un rythme impeccable, entrent dans une armoire, mangent ce qu'elles y trouvent de sucré, puis quittent leur pâturage en une file toujours aussi irréprochable, disparaissant on ne sait où sans laisser de traces.

Je n'y coupe pas à mon retour de Kampala. Dès mon arrivée, une partie de la compagnie déguerpit aussi sec. En revanche, l'autre partie s'exécute de mauvais gré et en renâclant. Je bois un jus de fruits, parcours mon courrier et les journaux, et vais me coucher. Le matin j'ai du mal à me lever du lit, je n'ai plus de force. De plus, c'est la saison sèche, la chaleur est insupportable, meurtrière dès le matin. Surmontant ma faiblesse, je rédige quelques dépêches sur la situation en Ouganda pendant les premières semaines d'indépendance et je les emporte à la poste. Je remets les dépêches à l'employé de service qui note sur un cahier la date et l'heure. Elles sont par la suite expédiées par téléscripteur à notre agence à Londres, et de là-bas à Varsovie : c'est ce qui nous revient le moins cher. Je suis stupéfié par l'adresse des télétypistes locaux qui recopient sur une bande le texte polonais sans aucune faute. Une fois, je leur ai demandé comment ils faisaient. Ils m'ont répondu qu'ils avaient appris à recopier non pas des mots ou des phrases, mais des lettres les unes à la suite des autres. Aussi peu leur importe la langue dans laquelle est écrite la dépêche. Ce n'est pas du sens qu'ils envoient, mais des signes.

Bien qu'un certain temps se soit écoulé depuis mon retour de Kampala, je me sens de plus en plus mal. Ce sont les séquelles de la malaria, me dis-je, ajoutées aux insupportables températures de la saison sèche. Mais bien que je commence à éprouver intérieurement une sensation de chaleur intense que je ne connaissais pas jusqu'à présent, je crois que ce sont les chaleurs extérieures qui me pénètrent et rayonnent dans mon organisme. Je suis trempé de sueur, mais je ne suis pas le seul. La sueur ne sauve-t-elle pas les hommes de la fournaise de l'été ?

Je me traîne lamentablement pendant un mois. Une nuit je me réveille, sentant mon oreiller tout mouillé. J'allume la lumière et je suis saisi d'effroi : mon oreiller est couvert de sang. Je me précipite à la salle de bains, je me regarde dans le miroir : mon visage est barbouillé de sang. J'ai dans la bouche la sensation de quelque chose de collant, un goût saumâtre. Je me lave, mais je ne peux plus me rendormir.

Je me souviens avoir vu sur l'une des maisons de la rue principale, Independence Avenue, une plaque avec le nom d'un médecin, John Laird. Je m'y rends. Le docteur, un Anglais grand et mince, va et vient dans son cabinet encombré de malles et de paquets. Il doit rentrer en Europe dans deux jours, mais il me donne les coordonnées d'un confrère à qui je peux m'adresser. Tout près, à côté de la gare, se trouve un dispensaire municipal où je le trouverai. « Il s'appelle Ian Doyle, il est irlandais », ajoute-t-il (comme si dans ce pays, la spécialité importait moins que la nationalité).

Le dispensaire se trouve dans un vieux baraquement qui servait de caserne aux Allemands à l'époque où le

Tanganyika était leur colonie. Devant le bâtiment bivouaque une foule apathique d'Africains qui souffrent probablement de toutes les maladies imaginables. J'entre et demande le docteur Doyle. Je suis reçu par un homme d'âge moyen, fatigué, usé, d'un abord cordial et chaleureux. Sa seule présence, son sourire, sa bienveillance agissent sur moi comme un baume. Il me dit de venir l'après-midi à l'Ocean Road Hospital, car c'est le seul établissement équipé d'un appareil radioscopique.

Je sais que je vais mal, mais j'en rends responsable la malaria. Je souhaite ardemment que le docteur confirme mon diagnostic. Lorsque nous sortons du service — la radio a été faite par Doyle en personne —, il me met la main sur l'épaule et m'entraîne dans une promenade sur une douce colline plantée de hauts palmiers. C'est agréable, car les arbres font de l'ombre et de l'océan souffle un brise légère.

— Bon, finit par dire Doyle et il me serre légèrement le bras, en définitive, c'est la tuberculose.

Puis il se tait.

Mes jambes fléchissent et deviennent si lourdes que je ne peux plus les soulever. Nous nous arrêtons.

— Nous allons te prendre à l'hôpital, ajoute-t-il.

— Je ne peux pas aller à l'hôpital, rétorqué-je. Je n'ai pas d'argent.

Un mois à l'hôpital revient plus cher que mon traitement trimestriel.

— Alors tu dois rentrer chez toi, dit-il.

— Je ne peux pas revenir en Pologne.

Je sens la fièvre me consumer, j'ai envie de boire et je suis faible.

Je décide de tout lui dire. Cet homme, dès le début, m'a inspiré confiance et je suis sûr qu'il me comprendra. Je lui explique que ce séjour en Afrique est la chance de ma vie, que c'est la première fois que mon pays a l'occasion d'avoir un correspondant permanent en Afrique noire, que c'est grâce aux efforts de ma rédaction, qui est pourtant pauvre, que cette possibilité nous a été offerte, car je viens d'un pays où chaque dollar vaut son pesant d'or, et que si j'informe Varsovie de ma maladie, ils ne seront pas en mesure de me payer l'hôpital, ils me feront rentrer et je ne reviendrai plus ici. Ainsi le rêve de ma vie s'envolera à jamais : je ne pourrai plus travailler en Afrique.

Le docteur écoute mes arguments en silence. Nous reprenons notre promenade parmi les palmiers, les arbustes et les fleurs. La beauté des tropiques s'est à mes yeux muée en cadeau empoisonné.

Doyle réfléchit, pèse le pour et le contre. Après un long silence, il finit par dire :

— Il n'y a qu'une solution. Ce matin tu es venu au dispensaire municipal. On y traite les Africains pauvres, car les soins y sont gratuits. Les conditions y sont déplorables. J'y suis rarement, car je suis le seul phtisiologue de cet immense pays où la tuberculose est une maladie très répandue. Ton cas est typique : la malaria affaiblit tellement l'organisme que le malade contracte facilement une autre maladie, la tuberculose notamment. Dès demain, je t'inscris sur la liste des patients du dispensaire. J'en ai le droit. Je vais te présenter au personnel. Tu viendras tous les jours te faire faire une piqûre. On verra bien.

Le personnel du docteur Doyle est constitué de deux personnes, deux hommes à tout faire : ils nettoient, font les piqûres, et surtout gèrent le flux des malades. Ils en admettent certains, en renvoient d'autres aussi sec selon des critères mystérieux (tout soupçon de corruption étant exclu, car ici personne n'a d'argent).

Le plus âgé et le plus gros s'appelle Edu, le plus jeune, plus petit et musclé, Abdullahi. Dans de nombreuses communautés africaines, les noms que l'on donne aux enfants sont en rapport avec un événement du jour de leur naissance. Edu, c'est l'abréviation de *education*, car le jour où Edu est venu au monde, la première école de son village a ouvert ses portes.

Naguère, dans les régions où le christianisme et l'islam n'étaient pas encore bien implantés, la richesse des prénoms donnés aux hommes était infinie. C'est là que s'exprimait la poésie des adultes. Ils donnaient à leurs enfants des noms comme « Matin agile » (si l'enfant était né à l'aube) ou « Ombre d'Acacia » (s'il était né sous un acacia). Dans les sociétés ignorant l'écriture, les noms perpétuaient les événements les plus importants de l'histoire ancienne ou actuelle. Si un enfant naissait au moment de la proclamation de l'indépendance du Tanganyika, on le baptisait « Indépendance » (en swahili *Uhuru*). Si les parents étaient des inconditionnels du président Nyerere, ils appelaient leur enfant Nyerere.

Ainsi pendant des siècles, une histoire moins écrite qu'orale s'est constituée, caractérisée par un degré d'identification fort, personnalisé : j'exprime mon identité avec ma communauté, car le nom que je porte célèbre la gloire d'un fait inscrit dans la mémoire du peuple dont je fais partie.

L'introduction du christianisme et de l'islam a réduit cet univers luxuriant de poésie et d'histoire à quelques dizaines de noms issus de la Bible et du Coran. Dès lors il n'est resté que des James et des Patrick, des Ahmed et des Ibrahim.

Edu et Abdullahi sont des types en or. Très vite nous nous lions d'amitié. Je veux leur donner l'impression que ma vie est entre leurs mains (ce qui est vrai), je les bouleverse complètement. Ils abandonnent tout lorsqu'il faut me venir en aide. Je viens les voir tous les jours après seize heures, quand les grosses chaleurs sont passées, que le dispensaire est fermé. Ils balaient les vieux planchers en bois, soulevant d'invraisemblables nuages de poussière. Puis tout se déroule selon les recommandations du docteur Doyle. Dans la petite armoire vitrée de son cabinet, il y a une énorme boîte métallique (un cadeau de la Croix-Rouge danoise) avec de grosses pastilles grises appelées PAS. J'en prends vingt-quatre par jour. Pendant que je les compte en les mettant dans un petit sac, Edu retire de l'eau bouillante une lourde seringue de métal, ajuste l'aiguille et aspire d'un flacon deux centimètres de streptomycine. Puis il prend son élan comme s'il s'apprêtait à lancer le javelot et me pique. Je bondis en l'air — c'est devenu un rite — en émettant un sifflement perçant, là-dessus Edu et Abdullahi — qui assiste à toutes les séances — éclatent d'un rire homérique.

En Afrique, le meilleur moyen de se lier avec les gens, c'est de rire ensemble d'une chose vraiment drôle, par exemple du fait qu'un Blanc saute au plafond à cause d'une stupide piqûre. J'ai donc joué le jeu, et même si l'aiguille qu'Edu m'enfonce dans la peau avec une fougue d'enfer me tord de douleur, je m'esclaffe avec eux.

Dans ce monde d'inégalité raciale, dans cet univers perturbé et paranoïaque, où tout est décidé par la couleur ou même par la teinte de la peau, ma maladie, même si je la supporte très mal, m'offre une opportunité inattendue car, en m'affaiblissant et me fragilisant, elle rabaisse mon statut prestigieux de Blanc, d'individu supérieur et par là même crée pour les Noirs l'occasion de devenir mes semblables. Désormais on peut me traiter d'égal à égal car, tout en restant un Blanc, je suis devenu un Blanc diminué, un Blanc au rebut, un Blanc imparfait. Dans mes relations avec Edu et Abdullahi apparaît une espèce de sincérité qui n'est possible qu'entre égaux. Ce sentiment serait inimaginable s'ils me traitaient comme un Européen fort, sain et autoritaire.

C'est ainsi qu'ils m'ont invité chez eux. Peu à peu je suis devenu un habitué des quartiers africains de la ville et j'ai connu leur vie comme jamais auparavant. Dans la tradition africaine, l'invité a droit à tous les égards. Le dicton « Un hôte chez soi, Dieu chez soi » a ici un sens littéral. Les maîtres de maison préparent pendant longtemps la réception d'un invité. Ils font le ménage, cuisinent les plats les meilleurs. Je parle de la maison d'un homme comme Edu, employé au dispensaire municipal. Quand je l'ai connu, son statut était relativement privilégié : il avait un emploi fixe, chose rare ici. La plupart des gens en ville travaillent par intermittence, de manière sporadique, ou restent sans emploi pendant de longues périodes. C'est le mystère des villes d'Afrique : de quoi vivent ces foules ? De quoi et comment ? Ils ne viennent pas ici parce que la ville a besoin d'eux, mais parce que la misère les a chassés du village. La misère, la faim et le dénuement. Ce sont donc des migrants en quête de salut et de délivrance, des hommes maudits par le sort, des réfugiés. Quand ils franchissent les frontières de la ville, ces hommes qui ont fui la sécheresse et la faim ont l'épouvante et la panique dans les yeux. Ici, dans les bidonvilles, chacun cherchera son eldorado. Que vont-ils devenir ? Comment vont-ils se débrouiller ?

Voici Edu et quelques cousins de son clan. Ils appartiennent au peuple Sangu qui vit au fin fond du pays. Naguère ils travaillaient à la campagne mais, leur terre s'étant épuisée, ils sont arrivés à Dar es-Salaam il y a quelques années. Leur première démarche a été de retrouver des parents. Ou des hommes appartenant à des communautés liées par des liens d'amitié avec les Sangu. L'Africain est comme un poisson dans l'eau dans ce réseau d'amitiés et de haines interethniques aussi vivaces que celles qui existent aujourd'hui dans les Balkans.

De fil en aiguille, ils vont finir par remonter jusqu'à leurs compatriotes. Le quartier s'appelle Kariakoo, l'agencement de ses rues est plus ou moins planifié : des rues de sable rectilignes. L'architecture est monotone, schématique : la plupart des maisons, appelées *swahili house*, sont des appartements communautaires de type soviétique. Chaque bâtiment sans étage compte huit à douze pièces. Dans chacune d'elles vit une famille. La cuisine est commune, les toilettes et la buanderie aussi. La promiscuité est invraisemblable, car les familles sont nombreuses. Chaque maison est un véritable jardin d'enfants. Toute la famille dort sur le sol d'argile recouvert de nattes en rafia.

Debout avec ses cousins devant une de ces maisons, Edu s'écrie : « *Hodi !* » Dans ces quartiers les portes n'existent pas ou sont toujours ouvertes. Mais comme on ne peut pas entrer sans prévenir, avant d'atteindre le seuil on s'écrie : « *Hodi !* » Ce qui veut dire : « Puis-je entrer ? » Si on répond de l'intérieur : « *Karibu !* », cela veut dire : « Je t'en prie. Salut ! »

Edu entre.

Commence alors la litanie, le cortège des salutations rituelles. C'est aussi l'étape de la reconnaissance. Car les deux parties tentent de trouver précisément leurs liens de parenté. Concentrés et sérieux, ils pénètrent maintenant dans la forêt des arbres généalogiques qui composent tout clan ou toute tribu. Pour une personne extérieure, il est impossible de s'y retrouver. Pour Edu et ses camarades, c'est un moment crucial, car un cousin proche, c'est une aide capitale, un cousin éloigné, un secours secondaire. Dans un cas comme dans l'autre, ils ne s'en iront pas les mains vides. Ils trouveront sûrement un toit. Sur le sol il y a toujours un peu de place. Malgré la chaleur, il est difficile en effet de dormir dehors à cause des moustiques, des araignées, des carabes et de tous les autres insectes tropicaux qui vous harcèlent et vous piquent.

Le lendemain, commence pour Edu sa première journée en ville. Et bien que cet environnement, cet univers soient nouveaux pour lui, les rues de Kariakoo ne l'étonnent pas, ne l'émeuvent pas. Il n'en est pas de même pour moi. S'il m'arrive de m'aventurer loin du centre, dans les ruelles profondes et peu fréquentées de ce quartier, les petits enfants prennent leurs jambes à leur cou et vont se cacher dans un coin. Il faut savoir que quand ils font des bêtises, leurs mères leur disent : « Soyez gentils, sinon le mzungu va vous manger ! » Le *mzungu*, en swahili, cela veut dire le Blanc, l'Européen.

Un jour, à Varsovie, je parlais de l'Afrique à des enfants. Au cours de cette rencontre, un petit garçon s'est levé et a demandé : « Avez-vous vu beaucoup de cannibales ? » Pouvait-il s'imaginer qu'un Africain rentrerait un jour d'un voyage en Europe, qu'il parlerait à Kariakoo de Londres, de Paris ou d'autres villes habitées par des mzungu et qu'un petit Noir se lèverait pour demander : « Tu en as vu beaucoup, là-bas, des cannibales ? »

Zanzibar

Je vais d'est en ouest, de Nairobi à Kampala. C'est dimanche matin. La route déserte traverse des terres ridées. Devant moi les rayons du soleil forment sur la chaussée des lacs de lumières scintillants, vibrants. Lorsque je m'approche, la lumière disparaît, l'asphalte devient gris, puis vire au noir. Mais un instant après, un autre lac jaillit, puis un autre. Le voyage se transforme en une croisière à travers une contrée couverte d'eaux flamboyantes qui s'allument et s'éteignent comme les lueurs de projecteurs dans une discothèque endiablée. Des deux côtés de la route s'élève maintenant une végétation luxuriante, des bois d'eucalyptus, les vastes plantations de la *Tea and Bond Co.* Çà et là, parmi les cyprès et les cèdres, brille la gentilhommière d'un fermier anglais. Tout au bout de la route, grossissant à vue d'œil, un halo fonce à ma rencontre. J'ai à peine le temps de me ranger sur le côté qu'une colonne de motos et de voitures me frôle. J'aperçois au milieu une Mercedes noire dans laquelle est installé Jomo Kenyatta. Kenyatta est rarement dans son bureau de Premier ministre à Nairobi. Il passe la majeure partie de son temps à Gatundu, sa résidence privée située à cent soixante kilomètres de la capitale. Sa distraction favorite consiste à admirer des groupes de danseurs folkloriques du Kenya venus le distraire. Malgré le bruit des tambours, des sifflets et les cris des danseurs, Kenyatta somnole, assis dans son fauteuil, la main appuyée sur une canne. Il ne se réveille qu'à la fin du spectacle, lorsque les danseurs sortent sur la pointe des pieds et que le silence revient.

Mais que fait Kenyatta ici, à cette heure ? Un dimanche

matin ? Et ces limousines fonçant à toute allure ? Il a dû se passer quelque chose d'extraordinaire.

Sans réfléchir, je fais demi-tour et suis la colonne. Au bout d'un quart d'heure nous sommes en ville. Les limousines se garent devant le bâtiment des bureaux du Premier ministre, un immeuble moderne situé City Square au centre de Nairobi, mais la police me barre la route, je dois m'arrêter. Je me retrouve tout seul dans une rue déserte, ne sachant pas où m'informer. Je n'ai pas l'impression qu'il se passe quelque chose dans Nairobi même : la ville est endormie, indolente et déserte comme un dimanche.

J'ai l'idée d'aller rendre une petite visite à Félix, il doit être au courant. Félix Naggar est le chef de bureau de l'Agence France Presse en Afrique orientale. Il habite dans une villa à Ridgeways, le quartier chic de Nairobi, complètement séparé du reste de la ville. Félix est une véritable institution. Il sait tout, son réseau d'informateurs s'étend du Mozambique au Soudan, du Congo à Madagascar. Lui-même sort rarement de chez lui. Soit il surveille ses cuisiniers, qui préparent la meilleure cuisine de toute l'Afrique, soit il reste dans son hall devant la cheminée à lire des romans policiers. Il a tout le temps un cigare à la bouche. Il ne s'en sépare jamais, sauf pour avaler une bouchée de homard rôti ou pour goûter une cuillerée de sorbet à la pistache. De temps en temps, le téléphone sonne. Naggar décroche, inscrit quelque chose dans la marge d'une feuille et s'en va au bout de sa maison où ses assistants sont assis devant un téléscripteur — les jeunes Hindous les plus beaux qu'il ait pu trouver en Afrique. Il leur dicte le texte de la dépêche avec aisance, d'un jet, sans modification. Puis il revient à ses cuisines pour touiller dans les casseroles, ou à sa cheminée pour se replonger dans son polar.

C'est d'ailleurs là que je le trouve, assis dans son fauteuil : comme toujours, un roman à la main, un cigare à la bouche.

— Félix, m'écrié-je du seuil, qu'est-ce qui se passe, Kenyatta est revenu à Nairobi !

Et je lui parle de la colonne de voitures officielles que j'ai croisée sur la route.

Naggar se jette sur son téléphone et se met à passer des coups de fil dans tous les azimuts. Je branche sa radio. C'est un Zenith, un récepteur de télécommunications exceptionnel dont je rêve depuis des années. Il capte des centaines de stations, même les communications radio des navires. Au début je n'intercepte que des transmissions de services religieux, des sermons du dimanche et de la musique d'orgue, des publicités, des émissions dans des langues incompréhensibles, des muezzins appelant à la prière. Mais soudain, à travers le bruit et les crépitements, une voix à peine audible perce : « ... la tyrannie du sultan de Zanzibar n'est plus... le pouvoir des buveurs de sang, qui... un état-major de la révolution a été formé, un maréchal de campagne... »

De nouveau des bruits et des crépitements, des mots qui s'éloignent, décousus, et les rythmes des Mount Kenya, un groupe en vogue ici. C'est tout, mais nous savons le plus important : un coup d'État à Zanzibar ! Cela a dû se produire pendant la nuit. On comprend maintenant pourquoi Kenyatta est revenu en hâte à Nairobi. La révolte peut se propager au Kenya et à toute l'Afrique orientale. Elle est susceptible de transformer cette partie du continent en une nouvelle Algérie, en un nouveau Congo. Bref, pour Félix et moi, une chose est sûre : il faut aller à Zanzibar.

Nous commençons par appeler East African Airways. On nous dit que le premier avion pour Zanzibar décolle lundi. Nous réservons deux places. Mais une heure après, on nous rappelle pour nous dire que l'aéroport de Zanzibar est fermé et que les vols sont ajournés. Que faire ? Comment nous rendre à Zanzibar ? Un avion peut nous emmener ce soir à Dar es-Salaam. De là nous sommes tout près de l'île, quarante kilomètres à vol d'oiseau. Sans hésiter, nous décidons de prendre l'avion pour Dar et de là-bas nous rendre sur l'île. Entre-temps, tous les correspondants en poste à Nairobi se sont réunis chez Félix. Nous sommes quarante. Des Américains, des Anglais, des Alle-

mands, des Russes, des Italiens. Tout le monde a décidé
de prendre le même avion.

À Dar es-Salaam nous occupons l'*Imperial*, un vieil hôtel
avec une grande véranda donnant sur une baie où se
balance le yacht blanc du jeune sultan de Zanzibar. Seyyid
Jamshid bin Abdulla bin Khalifa bin Harub bin Thwain
bin Said a fui l'île, abandonnant son palais, son trésor et
sa Rolls Royce rouge. Les hommes de l'équipage nous
parlent d'un terrible massacre sur l'île. Il y a des morts
partout. Les rues dégoulinent de sang. Des sauvages pillent, violent les femmes, incendient les maisons. Personne
n'est épargné.

Pour le moment, Zanzibar est coupé du monde. La
radio de l'île annonce toutes les heures que tout avion qui
tentera d'atterrir sur l'île sera abattu, et que tout bateau à
moteur ou tout navire qui s'en approchera sera coulé. Ces
avertissements sont destinés à mettre en garde contre
une intervention. Nous écoutons ces communiqués,
condamnés à l'inaction, à une attente interminable. De
bonne heure, nous apprenons que des navires militaires
britanniques se dirigent vers Zanzibar. Tom, de l'agence
Reuter, se frotte les mains, espérant être transporté en
hélicoptère sur un navire et débarqué sur l'île avec le premier détachement d'infanterie de marine. Tous, nous
n'avons qu'une idée : nous rendre sur l'île. Je suis dans la
situation la plus difficile, car je n'ai pas d'argent. En cas
de révolution, de coup d'État ou de guerre, les grandes
agences ne lésinent pas. Elles paient ce qu'il faut pour
obtenir des informations de première main. Le correspondant de l'Associated Press, de l'AFP ou de la BBC louera
un avion, affrétera un navire, achètera une voiture qu'il
n'utilisera que quelques heures, tout cela pour se rendre
sur le théâtre des opérations. Au milieu de cette concurrence, je n'ai aucune chance, je ne peux compter que sur
une occasion, sur un heureux concours de circonstances.

À midi, un bateau de pêcheurs s'approche de l'hôtel. Il
ramène quelques journalistes américains au visage rouge
cramoisi, brûlé par le soleil. Le matin ils ont essayé de
gagner l'île avec ce bateau. Arrivés à proximité des côtes,

ils ont été accueillis par des tirs nourris et ont été obligés de faire demi-tour : la route maritime est fermée.

Après le déjeuner, je vais faire un tour à l'aéroport. Le hall est bondé de journalistes, encombré de tas de caméras et de valises. La plupart des reporters somnolent dans des fauteuils, certains prennent une bière au bar, en sueur, accablés par le soleil des tropiques, débraillés. Un avion pour le Caire est sur le point de décoller. Soudain, c'est le silence : un troupeau de vaches traverse la piste. À part cet incident, nulle trace de vie dans cet espace surchauffé et mort, dans ce désert au bout du monde.

Je m'apprête à revenir en ville quand soudain surgit Naggar. Il m'arrête et m'entraîne sur le côté. Il jette un coup d'œil à droite et à gauche pour voir si personne ne l'écoute et, bien que nous soyons seuls, il me chuchote à l'oreille avec un air plein de mystère que lui et Arnold (l'opérateur de NBC) ont loué un petit avion et payé un pilote qui accepte d'aller à Zanzibar. Mais ils ne peuvent pas décoller parce que l'aéroport de l'île est toujours fermé. Ils sont justement en pourparlers avec la tour de contrôle de Zanzibar qui leur refuse l'accès et leur dit qu'elle est prête à ouvrir le feu.

Naggar est nerveux, il jette le cigare qu'il vient d'allumer, en prend aussitôt un autre.

— Qu'en penses-tu ? dit-il. Que peut-on faire ?

— Quel avion est-ce ? demandé-je.

— Un Cessna, un quatre places.

— Félix, si je m'arrange pour obtenir l'autorisation d'atterrissage, tu me prends à bord gratis ?

— Bien sûr ! accepte-t-il aussitôt.

— Bon. Il me faut une heure.

Tout en parlant, je sais que j'y vais au culot. La suite des événements montrera que ce n'était pas seulement du bluff. Je bondis dans une voiture et fonce vers la ville.

En plein centre, au milieu d'Independence Avenue, se dresse un immeuble à quatre étages recouvert de bois avec des balcons ombragés et ajourés, le *New Africa Hotel*. Sur son toit se trouve une grande terrasse avec un bar et quelques petites tables. C'est là que conspire aujourd'hui l'Afrique, que se retrouvent les réfugiés, les évadés et les émigrants de tous les coins du continent. On peut trouver assis à la même table Mondlane du Mozambique, Kaunda de Zambie, Mugabe du Zimbabwe. À une autre, Karume de Zanzibar, Chisiza du Malawi, Nujoma de Namibie, etc. Étant le premier État, dans la région, à avoir acquis l'indépendance, le Tanganyika attire les hommes de toutes les colonies. Le soir, quand il fait plus frais et qu'au-dessus de la ville souffle une agréable brise en provenance de la mer, la terrasse se remplit d'hommes qui discutent, édifient des plans, comptent leurs forces et leurs chances. Elle se transforme provisoirement en poste de commandement. Nous, les correspondants, nous y passons souvent afin de récolter des informations. Nous connaissons tous les leaders, nous savons avec qui il vaut la peine de s'asseoir. Nous savons que Mondlane, serein et ouvert, discute volontiers, alors que Chisiza, énigmatique et fermé, ne desserre pas les mâchoires.

Sur la terrasse on entend de la musique qui vient d'en bas. Deux étages au-dessous, Henryk Subotnik, originaire de Łódź, tient une boîte de nuit, le *Paradise*. Quand la guerre a éclaté, Subotnik se trouvait en Union soviétique. Par la suite, par l'Iran, il a gagné en bateau Mombasa. Il y a contracté le paludisme et, au lieu de rejoindre l'armée d'Anders et de débarquer en Europe, il a fini par se retrouver au Tanganyika.

Son local est toujours bondé et bruyant. Les clients y sont attirés par la belle Miriam, une strip-teaseuse chocolat venue des lointaines Seychelles. Son numéro consiste à éplucher et manger une banane, d'une manière tout à fait spéciale.

— Monsieur Henryk, avez-vous entendu parler des troubles à Zanzibar ? demandé-je à Subotnik que je trouve au bar.

— Et comment ! réagit-il, je sais tout !

— Monsieur Henryk, pensez-vous que Karume soit là-bas ? demandé-je encore.

Abeid Karume est le dirigeant de l'*Afro-Shirazi Party* à Zanzibar, le parti de la population noire africaine de l'île.

Bien qu'il ait obtenu la majorité aux dernières élections, le parti de la minorité arabe, le *Zanzibar Nationalist Party*, appuyé par Londres, a formé un gouvernement. Furieux, les Africains se sont insurgés et ont renversé le gouvernement des Arabes. Voilà ce qui s'est passé sur l'île il y a deux jours.

— Karume y est-il ?

Subotnik éclate d'un rire qui en dit long : il y est à coup sûr.

C'est tout ce que je voulais savoir.

Je repars à l'aéroport. Félix et moi, nous nous faufilons discrètement jusqu'à la tour de contrôle. Félix demande à l'un des contrôleurs de garde de nous mettre en contact avec la tour de l'aéroport de Zanzibar. Quand j'entends une voix au bout du fil, je prends le combiné et demande à parler à Karume. Il n'est pas dans les parages, mais doit revenir d'un moment à l'autre. Je raccroche et nous décidons d'attendre. Au bout d'un quart d'heure, le téléphone sonne. Je reconnais sa voix sonore et enrouée. Pendant vingt ans, Karume a écumé le monde comme simple matelot et maintenant, même quand il vous parle à l'oreille, il gueule si fort qu'on a l'impression d'être au cœur d'un océan déchaîné.

— Abeid, dis-je, nous avons un petit avion et nous sommes trois : un Américain, un Français et moi. Nous voudrions atterrir sur votre île. Est-ce possible ? Nous n'écrirons aucune saloperie, je te le promets. Je le jure, pas un mensonge. Est-ce que tu pourrais contrôler qu'on ne nous tire pas dessus au moment de l'atterrissage ?

Un long silence s'ensuit. Puis j'entends de nouveau sa voix. Il me dit que nous avons l'autorisation et que nous sommes attendus à l'aéroport. Nous nous précipitons dans l'avion et un instant plus tard nous sommes dans les airs, au-dessus de la mer. Je suis assis à côté du pilote, Félix et Arnold sont à l'arrière. Dans la cabine règne un silence de mort. Nous sommes bien sûr ravis d'avoir réussi à rompre le blocus et d'être les premiers à atterrir sur l'île, mais en même temps nous sommes depuis pleins d'appréhension.

D'une part, l'expérience m'a appris que, de loin, les

situations de crise semblent souvent pires et plus dangereuses qu'elles ne le sont en réalité. Notre imagination
s'empare de la moindre sensation, absorbe le moindre
signal de danger ou la moindre odeur de poudre pour
amplifier aussitôt ces indices à une échelle monstrueuse et
pétrifiante. Mais d'un autre côté, je sais que ces explosions
sociales, ces moments où les eaux tranquilles et lourdes se
mettent à s'agiter et à bouillonner, sont des périodes de
chaos, de désordre et de troubles où il est facile de périr
pour une broutille, pour une erreur, parce qu'on n'a pas
bien entendu ou qu'on n'a pas senti à temps. Pendant ces
moments, le hasard joue un grand rôle, il devient le maître
et le souverain de l'histoire.

Au bout d'une demi-heure de vol, nous approchons de
l'aéroport. Zanzibar : grosse broche en pierre blanche
sculptée avec art. C'est la vieille ville arabe. Au-delà, des
forêts de cocotiers, de gigantesques girofliers branchus,
des champs de maïs, de manioc, le tout bordé de la den-
telle scintillante des plages de sable et des baies vert céla-
don où tanguent des flottilles de bateaux de pêcheurs.

Lorsque nous sommes tout près du sol, nous apercevons des hommes armés rangés de part et d'autre de la
piste d'atterrissage. Sentiment de soulagement : ils ne bra-
quent pas leurs armes sur nous, ne tirent pas. Ils sont
quelques dizaines, mais on voit tout de suite qu'ils sont
habillés n'importe comment, qu'il sont à moitié nus. Le
pilote conduit l'appareil jusqu'au bâtiment central.
Karume n'est pas là, mais des hommes se présentent
comme ses assistants. Ils nous disent qu'ils vont nous
emmener à notre hôtel et exigent que l'avion reparte aussitôt.

Nous nous rendons en ville dans deux voitures de
police. La route est déserte, nous passons devant des maisons détruites, devant une boutique éventrée. Nous pénétrons dans la ville par une porte imposante et massive.
Au-delà, les ruelles sont si étroites qu'elles permettent
tout juste le passage d'une voiture. Si nous croisons un
autre véhicule, il devra se garer pour nous céder le
passage.

Mais à cette heure la ville est silencieuse, les portes des maisons sont toutes fermées, ou leurs chambranles sont arrachés, les volets fracassés. Une enseigne sur laquelle on peut lire : « Maganlal Yejchand Shah » a été emportée, la vitrine du magasin « Noorbhai Aladin and Sons » a été brisée, les boutiques d'à côté, « M. M. Bhagat and Sons », « Agents for Favre Leuba-Geneva », sont béantes, vides.

On aperçoit quelques garçons pieds nus, l'un d'entre eux est armé d'un fusil.

— C'est ça, notre problème, dit Ali, l'un de nos guides, ancien ouvrier agricole dans une plantation de girofliers. Nous n'avions que quelques dizaines de vieux fusils pris à la police. Très peu d'armes automatiques. Nous avons surtout des machettes, des couteaux, des barres, des bâtons, des haches, des marteaux. D'ailleurs vous verrez par vous-mêmes.

On nous donne des chambres dans le quartier arabe déserté, au *Zanzibar Hotel*. L'immeuble est conçu de façon à être toujours frais et ombragé. Nous nous installons au bar pour souffler un peu. Des gens que nous ne connaissons pas viennent nous regarder et nous saluer. Tout à coup une vieille femme fine et alerte entre. Elle se met à nous poser des questions : que sommes-nous venus faire ici ? pourquoi ? d'où nous venons ? Lorsque arrive mon tour et que je lui dis d'où je suis, la femme me prend par la main, se fige et se met à déclamer :

La clairière brille en cette belle matinée.
Murmuré par le tremblement du feuillage,
Le silence caresse les cimes élancées.
Un vent léger fait plier les herbages.

Naggar, Arnold, notre sentinelle, les combattants nu-pieds qui ont eu le temps de remplir le hall, tous sont bouche bée.

Partout que de silence et de douceur
Et que le monde alentour est stupéfiant,
Comme si elle venait de passer à l'instant,
Frôlant de sa robe les herbes et les fleurs.

— Staff ? demandé-je avec hésitation.

— Bien sûr que c'est Staff. Leopold Staff ! réplique-t-elle triomphante. Je m'appelle Helena Trembecka. Je viens de Podolie. Je tiens l'hôtel *Pigalle* à côté. Venez donc me voir. Vous pourrez rencontrer Karume et ses hommes, je leur sers gratuitement la bière.

Que s'est-il passé à Zanzibar ? Pourquoi sommes-nous ici, dans cet hôtel surveillé par quelques têtes brûlées aux pieds nus et armés de machettes (leur chef a un fusil, mais je ne suis pas sûr qu'il soit chargé) ?

Si on regarde attentivement une carte précise de l'Afrique, on remarque que le continent est entouré de nombreuses îles. Certaines sont tellement minuscules qu'elles ne sont répertoriées que par des cartes de navigation très détaillées, d'autres en revanche sont suffisamment étendues pour être indiquées sur des atlas classiques. Sur la côte ouest du continent se trouvent les îles Djalita et Kerkennah, Lampione et Lampedusa, les Canaries et le Cap-Vert, les îles de Gorée et Fernando Po, les îles de São Tomé et Príncipe, l'archipel de Tristan da Cunha et d'Annobón. Sur la côte est se trouvent les îles Shaduan et Gifatun, Suakin et Dahlak, Socotra, Pemba et Zanzibar, Mafia et les Amirantes, les Comores, Madagascar et les Mascareignes. En réalité, les îles sont beaucoup plus nombreuses, elles se comptent par centaines, car beaucoup d'entre elles se ramifient en archipels entiers, d'autres sont entourées par de merveilleux récifs de corail et des bancs de sable qui ne dévoilent la beauté étincelante de leurs couleurs et de leurs formes qu'aux heures du reflux. Ces îles et ces caps sont tellement foisonnants qu'on peut imaginer que l'œuvre de la création a été abandonnée ou inachevée, que le continent actuel, visible, palpable, n'est que la partie émergée de l'Afrique géologique, dont le reste demeure au fond, et que ces îles sont justement les sommets d'un univers submergé.

Cette configuration géologique a entraîné des conséquences historiques. Car depuis longtemps l'Afrique repousse autant qu'elle attire. D'un côté, elle suscitait parmi les étrangers la frayeur. Inconnue et imprenable, elle a pendant des siècles été efficacement protégée par sa nature interne : un climat tropical pénible, des maladies mortelles jadis incurables (le paludisme, la vérole, la maladie du sommeil, la peste, etc.), l'insuffisance de routes et de moyens de transport, sans oublier la résistance souvent acharnée de ses habitants. L'inaccessibilité de l'Afrique a engendré le mythe de son mystère : le « cœur des ténèbres » de Conrad commence sur les rives ensoleillées du continent, dès qu'on a quitté le navire et mis un pied sur la terre ferme.

Mais en même temps l'Afrique alléchait, attirait par le mirage de ses butins abondants, de ses trésors opulents.

Celui qui voguait vers ses rives s'exposait à un jeu risqué, extrême : au début du XIXᵉ siècle, plus de la moitié des Européens qui atteignaient l'Afrique mouraient de la malaria. Mais ceux qui avaient survécu en revenaient à la tête d'une fortune immense et fulgurante : des cargaisons d'or, d'ivoire et surtout d'esclaves noirs.

C'est là que ces dizaines d'îles éparpillées le long des côtes viennent à la rescousse de l'internationale des navigateurs, des négociants et des brigands. Elles deviennent pour eux des points d'attache, des rades, des ports et des comptoirs. Elles sont avant tout sûres, car, d'une part, elles se trouvent assez loin pour que les Africains ne puissent les atteindre avec leurs rafiots de fortune creusés dans des troncs d'arbres et, d'autre part, elles sont assez près de la terre ferme pour lier et entretenir des contacts avec les indigènes.

Ces îles connaissent un développement important à l'époque du trafic d'esclaves, car beaucoup d'entre elles sont transformées en camps de concentration où sont parqués les esclaves avant d'être embarqués sur des navires à destination de l'Amérique, de l'Europe et de l'Asie.

Le trafic d'esclaves : il a duré quatre cents ans, il a commencé au milieu du XVᵉ siècle. Quand a-t-il pris fin ? Officiellement, dans la seconde moitié du XIXᵉ siècle, mais pour certains pays, bien plus tard, notamment au Nigeria du Nord où il n'a été aboli qu'en 1936. Ce trafic occupe une place centrale dans l'histoire de l'Afrique. Des millions d'hommes — les estimations varient de 15 à 30 millions — ont été arrachés et emportés dans des conditions effroyables au-delà de l'Atlantique. On considère que pendant leur transport (qui durait de deux à trois mois) près de la moitié des esclaves mourait de faim, d'asphyxie et de soif, quand ce n'était pas la totalité du navire qui périssait. Ceux qui avaient survécu travaillaient par la suite dans des plantations de canne à sucre et de coton au Brésil, aux Caraïbes, aux États-Unis, édifiant la fortune du nouveau monde. Les trafiquants d'esclaves (pour la plupart des Portugais, des Hollandais, des Anglais, des Français, des Américains, des Arabes et leurs associés africains) ont vidé le continent et l'ont condamné à une vie végétative : aujourd'hui encore de nombreux territoires sont dépeuplés et transformés en désert. À ce jour, l'Afrique ne s'est pas relevée de cette calamité.

Le trafic d'esclaves a aussi eu des conséquences psychologiques fatales. Il a empoisonné les relations humaines entre les habitants de l'Afrique, il a semé la haine, multiplié les guerres. Les plus forts essayaient d'assujettir les plus faibles et de les vendre au marché, les rois négociaient leurs sujets, les vainqueurs leurs prisonniers, les juges leurs condamnés.

Mais ce trafic a surtout laissé dans la structure psychique de l'Africain une blessure profonde, douloureuse et durable, le complexe d'infériorité : le Noir, autrement dit celui que le Blanc, le trafiquant, l'occupant, le bourreau, peut arracher à sa maison ou à son champ, mettre aux fers, expédier sur un navire, exposer au marché, puis pousser d'un coup de fouet au cauchemar des travaux forcés.

L'idéologie des marchands d'esclaves reposait sur la conception que le Noir n'est pas un homme, que l'humanité est divisée en deux parties : les hommes et les sous-hommes, et que l'on peut faire de ces derniers ce que l'on veut, au mieux exploiter leur travail, puis les détruire. Dans les notes et les commentaires de ces marchands (rédigés dans un style primitif) se trouve la future idéologie du racisme et du totalitarisme, dont l'essence repose sur l'idée que l'Autre est un ennemi, pire encore, un non-homme. Toute cette philosophie de mépris et de haine obsessionnelle, de bassesse et de retour à la barbarie, avant d'inspirer les chantiers de la Kolyma et d'Auschwitz, a été des siècles plus tôt formulée et notée par les capitaines des *Marthe*, *Progresso*, *Mary Ann* et *Rainbow*, tandis qu'ils surveillaient des cabines de leurs navires, amarrés à proximité des îles Sherbro, Kwale ou Zanzibar, les chargements successifs de nègres tout en contemplant par le hublot les palmeraies et les plages inondées de soleil.

Dans ce trafic mondial — puisque l'Europe, les deux Amériques, de nombreux pays du Proche-Orient et d'Asie y ont pris part —, Zanzibar fait figure d'étoile noire et lugubre, d'adresse sinistre, d'île maudite. Des années durant, que dis-je, des siècles durant, des cargaisons d'esclaves fraîchement arrachés au continent, du Congo, du Malawi, de la Zambie, de l'Ouganda, du Soudan, ont été dirigées vers les côtes de cette île. Souvent enchaînés, ils servent en même temps de porteurs, chargeant sur les navires des marchandises de valeur : des tonnes d'ivoire, de l'huile de palme, des peaux de bêtes sauvages, des pierres précieuses, de l'ébène.

Transférés en bateaux du continent sur l'île, ils sont exposés sur la place du marché et mis en vente. Ce marché s'appelle Mkunazini. Il est situé non loin de l'endroit où se trouve actuellement mon hôtel, là où se dresse aujourd'hui la cathédrale anglicane. Les prix varient : de un dollar pour un enfant à douze pour une fille jeune et belle. Ce qui est assez cher, vu qu'en Sénégambie les Portugais troquent un cheval contre douze esclaves.

Les plus sains et les plus forts sont ensuite rabattus de Mkunazini au port : c'est tout près, à quelques centaines de mètres. De là, sur des navires spécialement destinés au transport des esclaves, il sont expédiés soit en Amérique, soit au Proche-Orient. Les esclaves gravement malades, pour lesquels personne n'a voulu donner même un *cent*, sont jetés sur la rive pierreuse à la fin du marché : là ils sont dévorés par des hordes de chiens sauvages qui rôdent dans les parages. Mais ceux qui réussissent à guérir et à reprendre des forces restent à Zanzibar, et comme esclaves travailleront chez les Arabes propriétaires de grandes plantations de girofliers et de cocotiers. Nombreux seront les petits-enfants de ces esclaves à prendre part à la révolution d'aujourd'hui.

De bon matin, quand le vent de la mer est encore vif et relativement frais, je me rends en ville. Je suis immédiatement suivi par deux jeunes gens armés de machettes. Gardes du corps ? Escorte ? Police ? Je suis dérouté. Leurs misérables machettes ont l'air de leur poser un problème. Comment les porter ? Avec fierté et arrogance ou avec timidité et discrétion ? Jusqu'à présent, la machette était l'outil du manœuvre, du paria, un signe de pauvreté. Or depuis quelques jours elle est devenue le symbole du prestige et du pouvoir. Celui qui la porte appartient à la classe victorieuse, car les vaincus vont les mains vides, sans armes.

De l'hôtel on plonge directement dans les ruelles étroites caractéristiques des villes arabes. Pourquoi les hommes ont-ils conçu des constructions si denses ? Pourquoi se sont-ils ainsi entassés ? Pourquoi vivent-ils les uns sur les autres ? Pour ne pas avoir de trajet à faire ? Pour défendre plus facilement la ville ? Je l'ignore. N'importe comment, cette masse de pierre compacte, cet amoncellement de murs, cette superposition de galeries, de niches, d'auvents et de toits permettent de retenir et de conserver, comme dans une chambre froide, un brin d'ombre, de fraîcheur et d'air au moment de la canicule de midi.

C'est avec la même prévoyance et la même imagination qu'a été conçu le plan des rues. Elles sont en effet tracées et disposées de manière à déboucher systématiquement, quelles que soient la ruelle ou la direction empruntées, sur la mer ou sur un large boulevard plus spacieux, plus agréable, moins suffocant.

La ville est en ce moment vide et morte. Quel contraste avec son apparence d'il y a quelques jours encore ! Car Zanzibar était un lieu où l'on rencontrait des gens du monde entier. Il y a des siècles, sur cette île habitée par des indigènes, se sont installés des musulmans réfugiés de Chiraz en Iran. Avec le temps ils se sont mélangés à la population locale, se sont intégrés à elle tout en gardant le sentiment d'être un peu à part : ils ne venaient pas d'Afrique, mais d'Asie. Puis ont commencé à affluer les Arabes du golfe Persique. Après avoir vaincu les Portugais qui gouvernaient l'île, ils se sont emparé du pouvoir qu'ils ont exercé pendant deux cent soixante ans. Ils ont occupé les postes dominants dans les domaines les plus lucratifs : le négoce des esclaves et de l'ivoire. Ils sont devenus propriétaires des meilleures terres et des plus grandes plantations. Ils possédaient une flotte importante. Avec le temps, ce sont les Hindous et les Pakistanais qui ont pris les rênes du commerce, mais les Européens, essentiellement les Anglais et les Allemands, ne sont pas demeurés en reste.

Formellement, l'île était gouvernée par un sultan, un descendant des Arabes d'Oman. Dans les faits, c'était une colonie britannique (officiellement un protectorat).

Les plantations exubérantes et fertiles de Zanzibar attirent les hommes du continent. Ils y trouvent du travail dans la cueillette des clous de girofle et des noix de coco. De plus en plus souvent, ils y restent, s'y installent. Le climat et la misère favorisent la mobilité : en quelques heures on peut se construire une cabane et y fourrer tout son bien : une chemise, une marmite, une bouteille à eau, un morceau de savon et une natte. Une fois qu'on a un toit, et surtout un coin à soi, on commence à chercher à se nourrir. Là, les choses se compliquent. Pratiquement on ne peut trouver de travail que dans la plantation d'un Arabe, qui détient toutes les richesses. Pendant des années, cette situation est considérée par l'immigrant du continent comme normale, jusqu'au moment où surgit un leader, un agitateur qui déclare que cet Arabe est différent et que les idées d'un homme différent ne peuvent qu'être néfastes et sataniques, car l'homme qui est différent est un étranger, un buveur de sang et un ennemi. Le monde que le réfugié croyait réglé une fois pour toutes par les dieux et les ancêtres est désormais perçu comme une réalité injuste et humiliante qu'il convient de modifier.

C'est là le côté fascinant de l'agitation ethnique : elle est facile et accessible puisque l'autre, on le voit, chacun peut le regarder et se rappeler son visage. Pas la peine de lire des livres, de réfléchir, de discuter : il suffit de regarder.

À Zanzibar, cette dichotomie ethnique, de plus en plus tendue, est créée d'une part par les dominateurs arabes (vingt pour cent de la population), d'autre part par leurs sujets, les Noirs africains de l'île et du continent, autrement dit les petits fermiers et pêcheurs, la masse indéfinie et fluctuante de la main-d'œuvre, les domestiques, les gardiens d'ânes, les porteurs.

Le contexte que je décris se situe au moment où le monde arabe et l'Afrique noire se trouvent simultanément sur la voie de l'indépendance. Mais qu'est-ce que cela signifie à Zanzibar ? Ici les Arabes disent : « Nous voulons l'indépendance », et il faut comprendre : « Nous voulons rester au pouvoir. » Les Africains disent la même chose : « Nous voulons l'indépendance », mais pour eux ce slogan a un autre sens : « Puisque nous sommes majoritaires, le pouvoir nous revient. »

Voilà la pierre d'achoppement, l'essence du conflit. Là-dessus, les Anglais versent de l'huile sur le feu. Comme ils ont de bonnes relations avec les sultans du golfe Persique (d'où vient le sultan de Zanzibar), et qu'ils craignent une Afrique en révolte, ils déclarent que Zanzibar fait partie non pas du monde africain mais du monde arabe et, en lui accordant l'indépendance, ils maintiennent les Arabes au pouvoir. Cette politique est contestée par le parti africain, l'*Afro-Shirazi Party*, dont le leader est Abeid Karume. Le parti proteste dans la légalité, en respectant la loi, car il est dans l'opposition, certes, mais dans l'opposition parlementaire.

Sur ces entrefaites, arrive de l'Ouganda un jeune homme, John Okello. Il a tout juste vingt-cinq ans. Comme c'est fréquent en Afrique, il exerce ou prétend exercer de multiples professions : il est tailleur de pierres, maçon, puis peintre en bâtiment. À moitié analphabète, charismatique, c'est un original qui se prend pour un messie. Il est guidé par quelques idées simples qui lui viennent à l'esprit quand il taille la pierre ou qu'il pose des briques :

— le Seigneur Dieu a donné Zanzibar aux Africains et Il m'a promis que l'île nous reviendrait ;

— nous devons vaincre et refouler les Arabes, sinon ils ne céderont pas et continueront de nous opprimer ;

— il faut savoir de quel côté se trouve le beurre sur la tartine : on ne peut pas compter sur le soutien de ceux qui ont du travail, mais sur celui des affamés ;

— nous n'attirerons pas dans la bataille les politiques comme Karume et les autres : ce sont de grands hommes et, si nous perdons, il serait dommage qu'ils soient tués ;

— nous allons attendre le départ des Anglais, nous n'en viendrons pas à bout ; quand il ne restera plus que les Arabes, nous les battrons aussitôt.

Ces pensées l'absorbent et le dévorent au point qu'il est souvent obligé de se retirer en ermite dans la forêt, le seul endroit où il peut méditer en paix. Un an avant l'indépendance de Zanzibar, Okello met sur pied une armée secrète. Parcourant l'île, les villages et les petites villes, il recrute des détachements de plus de trois mille hommes. Aussitôt commence leur instruction : entraînement au tir à l'arc, maniement du couteau, du bâton et de la lance. Certains détachements s'exercent au maniement de la hache, de la machette, de la chaîne et du marteau. Des exercices complémentaires sont consacrés à l'apprentissage de la lutte, de la boxe et du lancer de pierres.

La veille du soulèvement, Okello se proclame maréchal de campagne, et il nomme général d'armée ses proches collaborateurs, pour la plupart des ouvriers agricoles et des anciens policiers.

Trois semaines après que le prince Philip, au nom de la reine Elizabeth, a remis l'île aux mains du gouvernement arabe, le maréchal de campagne John Okello, au cours d'une nuit, prend le pouvoir à Zanzibar.

Avant midi, Félix, Arnold et moi nous rendons avec nos gardes au quartier général du maréchal. Dans la cour d'une maison arabe (j'ignore de quelle maison il s'agit), grouillent des dizaines de gens. Les femmes préparent sur des feux le manioc et les légumes, font rôtir des poulets et des brochettes de mouton. Nos guides nous poussent à l'intérieur à travers la foule. Les gens s'écartent de mauvais gré, nous regardent avec méfiance, mais en même temps avec curiosité, car en ce moment tous les Blancs se sont planqués où ils ont pu. Dans un grand vestibule oriental, Okello trône sur un fauteuil d'ébène, il fume une cigarette. Il a la carnation très sombre, un visage épais, des traits grossiers. Sur la tête il s'est enfoncé un képi de policier : les insurgés ont mis la main sur les magasins de la police où ils ont raflé quelques fusils et uniformes. Le bandeau de son képi est toutefois ceint d'un ruban bleu clair (pourquoi bleu, je l'ignore). Okello semble absent, en état de choc, il donne l'impression de ne pas nous voir. Les gens se bousculent autour de lui, se poussent, se pressent, tous parlent, gesticulent, c'est la pagaille la plus complète. Un entretien est évidemment hors de question. La seule chose que nous voulons, c'est qu'il nous autorise à rester sur l'île. Nos gardes lui en parlent. Okello hoche du bonnet. Au bout d'un moment, il semble avoir une illumination, car il serre sa cigarette entre les dents et décide de nous raccompagner. Il jette sur son épaule son vieux fusil, en prend un second. De l'autre main, il remet en place son pistolet derrière sa ceinture, puis en prend un autre. Ainsi armé jusqu'aux dents, il nous pousse devant lui, en direction de la cour, comme s'il nous conduisait au peloton d'exécution.

L'un des symptômes de la maladie qui me mine, c'est une fièvre permanente et épuisante. Elle fait une poussée le soir. J'ai alors l'impression que mes os se mettent à rayonner. Comme si quelqu'un m'avait mis des résistances métalliques dans la moelle et les avait branchées sur le courant électrique. Chauffées à blanc, elles embrasent mon squelette tout entier dans un incendie intérieur, invisible.

Impossible de m'endormir. Au cours de ces soirées, à Dar es-Salaam, je suis allongé dans ma chambre et je regarde les lézards chasser. Ceux qui vivent dans mon appartement sont petits mais remuants, ils ont la peau rouge brique ou jaune-gris. Adroits et agiles, ils parcourent les murs et le plafond avec aisance. Jamais ils ne se déplaceront à un rythme normal, tranquille. Au début, ils sont paralysés et immobiles, puis soudain ils démarrent au quart de tour, se ruent sur un objectif connu d'eux seuls, pour se figer de nouveau. Seules les pulsations rapides de leur torse indiquent que ce sprint, ce saut en avant vers une ligne d'arrivée invisible les a tellement épuisés qu'ils doivent souffler, se reposer et reprendre des forces pour le bond suivant.

La chasse commence le soir, quand la lumière est allumée. L'objet de leur intérêt et de leur attaque sont les insectes, sous toutes leurs formes : mouches, coléoptères, mites, papillons de nuit, libellules et surtout moustiques. Les lézards surgissent soudain, comme si on les avait lancés à la catapulte et plaqués au mur. Ils regardent autour d'eux sans remuer la tête : leurs yeux sont placés sur des tourelles, comme les lentilles d'une lunette d'astronome, ce qui leur permet de voir aussi bien ce qui se passe devant que derrière eux. Voilà que le lézard vient d'apercevoir un moustique. Conscient du danger, celui-ci prend son envol. Le plus curieux, c'est qu'il ne s'enfuit jamais vers le bas, dans l'abîme au fond duquel se trouve le plancher, mais s'élève en tournant, énervé et furieux, puis, fonçant toujours plus haut, se pose sur le plafond. Il ne sait pas, ne sent pas que cette décision aura pour lui des conséquences fatales. Car une fois accroché au plafond, la tête en bas, il est désorienté, déboussolé. Au lieu de déguerpir de cette zone de danger, il se comporte comme s'il était tombé dans un piège.

Maintenant que le lézard a réussi à attirer le moustique sur le plafond, il peut se réjouir et se lécher les babines : la victoire est proche. Pas question toutefois de se reposer sur ses lauriers. Concentré, vigilant et déterminé, il se rue sur le plafond et se met à tourner à toute allure autour du moustique en formant des cercles de plus en plus petits. Il doit alors se passer un phénomène tenant de la magie, de l'ensorcellement, de l'hypnose, car le moustique, qui pourrait se sauver en s'envolant dans le vide où l'assaillant ne pourrait pas l'atteindre, laisse le lézard resserrer les anneaux autour de lui, tranquillement, à son rythme : il bondit et il s'immobilise, bondit et s'immobilise. Au bout d'un moment, le moustique remarque avec effroi qu'il ne lui reste plus aucune liberté de manœuvre, que le lézard est tout contre lui. Cette idée l'étourdit et le pétrifie encore plus, si bien que, résigné et battu, il se laisse avaler sans la moindre résistance.

Toutes les tentatives d'apprivoiser un lézard sont vouées à l'échec. Ce sont des créatures méfiantes et farouches, qui mènent leur bonhomme de chemin, même si c'est au pas de course. Cette impossibilité confirme par métaphore qu'on peut vivre ensemble, sous le même toit, sans toutefois se comprendre, trouver un langage commun.

À Zanzibar je ne peux pas assister aux folâtreries des lézards parce que ici, le soir, c'est le couvre-feu et je dois attendre patiemment dans l'obscurité le lever du jour. Ces heures longues et vides passées dans la somnolence à guetter sans rien faire le point du jour sont pénibles.

Hier à l'aube (qui ici n'est jamais pâle, mais rouge, couleur de feu, d'emblée multicolore) a retenti dans la rue le tintement d'une clochette. Au début lointain et étouffé, il se rapprochait de plus en plus pour finir par devenir net, sonore et aigu. J'ai regardé par la fenêtre. Dans la perspective de la ruelle étroite, j'ai aperçu un Arabe qui vendait du café fumant. Il était coiffé de la chéchia brodée du musulman et portait une ample djellaba blanche. Dans une main il tenait un récipient métallique en forme de cône avec un bec, dans l'autre un panier garni de tasses en porcelaine.

Le café du matin est ici un rite ancestral par lequel les musulmans commencent la journée en même temps que la prière. La clochette du vendeur, qui dès l'aube sillonne son secteur, rue après rue, est leur réveil traditionnel. Au son de ces grelots, ils se lèvent et sortent devant leur maison pour accueillir l'homme qui distribue un café tout frais, aromatique et corsé. Le café du matin, c'est l'occasion d'échanger des salutations et des compliments, le moment de s'assurer mutuellement que la nuit s'est bien passée, d'exprimer sa foi dans le bon déroulement de la journée, si Allah le veut !

Lorsque nous sommes arrivés, il n'y avait pas de vendeurs de café. Mais au bout de cinq jours, ils ont fait leur réapparition : la vie a repris son cours, la norme est revenue, le quotidien a repris le dessus. Cette tendance à la normalité, obstinée et héroïque, instinctive et irréversible, est belle, profondément humaine. Les gens simples traitent ici les cataclysmes politiques, les coups d'État, les putschs, les révolutions et les guerres comme des phénomènes appartenant à l'univers de la nature. Ils les appréhendent avec la même résignation apathique, avec le même fatalisme. Comme s'il s'agissait d'une rafale, d'une tempête. On ne peut rien contre eux, il faut attendre qu'ils passent, se mettre à l'abri et de temps en temps jeter un coup d'œil au ciel pour vérifier si les éclairs ont disparu ou si les nuages sont partis. Si c'est le cas, on peut sortir et revenir à ses occupations, à son travail, à son voyage, à son soleil.

En Afrique, le retour à la normale est d'autant plus facile et rapide que tout y est provisoire, passager, léger et misérable. Le moindre village, la moindre culture, la moindre route sont à la merci d'une destruction fulgurante, mais ils sont susceptibles d'être reconstruits tout aussi vite.

Habituellement nous nous rendons à la poste pour envoyer notre courrier avant midi. Nous sommes maintenant dix journalistes sur l'île, car sept autres ont pu débarquer. Le petit bâtiment de la poste, tout orné d'arabesques, a son histoire : c'est d'ici que de nombreux voyageurs, Livingstone, Stanley, Burton, Speke, Cameron et Thomson envoyaient leurs dépêches. Les téléscripteurs installés à l'intérieur de la poste sont là pour rappeler cette lointaine époque. Leurs entrailles rappellent les mécanismes des grandes et vieilles horloges ornant les beffrois des hôtels de ville du Moyen Âge par la multitude des petites roues, pignons, systèmes de transmission et leviers qu'ils contiennent.

Après avoir pris et lu les dépêches qui lui sont destinées, John, de United Press International, un grand blond toujours affairé, se prend la tête entre les mains. Une fois dans la rue, il m'entraîne sur le côté en me montrant un imprimé au texte alarmant. La rédaction informe John qu'au Kenya, au Tanganyika et en Ouganda ont éclaté pendant la nuit des insurrections militaires et qu'il doit sur-le-champ se rendre dans ces pays. « Sur-le-champ ! s'écrie John. Sur-le-champ, mais comment ? »

L'information est sensationnelle. Une insurrection armée ! Cela a l'air sérieux, même si nous ne connaissons aucun détail. La semaine dernière Zanzibar. Aujourd'hui l'Afrique orientale tout entière ! Vraisemblablement le continent entre dans une période de troubles, de révolutions, de coups d'État. Les pensionnaires du *Zanzibar Hotel* se trouvent dès lors confrontés à un autre problème : comment sortir d'ici ? Rester plus longtemps à Zanzibar n'a plus aucun sens : les hommes du maréchal de campagne Okello ne veulent pas nous laisser franchir les portes de la ville, ils nous interdisent d'aller en province, dans les villes où se sont déroulés les combats et où ils gardent, paraît-il, de nombreux prisonniers. Quant à la ville, elle est calme, somnolente, les journées s'écoulent sans que rien ne s'y passe.

À notre retour à l'hôtel, nous tenons un conseil au cours duquel John informe ses collègues du contenu de la dépêche qu'il vient de recevoir. Tous veulent revenir sur le continent, mais personne ne sait comment. L'île est toujours coupée du monde. Pire encore, les insulaires, qui craignent toujours une intervention, semblent vouloir nous garder comme otages. Karume, le seul homme susceptible de nous aider, est insaisissable, il passe la majeure partie de son temps à l'aéroport, mais même là-bas on ne le voit guère.

La seule solution, c'est de tenter la voie maritime. L'un de nous a lu dans un guide que Dar es-Salaam se trouve à soixante-quinze kilomètres. Une croisière sans doute agréable, mais où prendre un bateau ? Il n'en est pas question. Impossible de mettre dans le secret les propriétaires de yachts, car soit ils sont en prison — s'ils n'ont pas été tués —, soit ils auront peur ou nous dénonceront. Mais le risque majeur, ce serait de nous faire tirer dessus par les hommes inexpérimentés et imprévisibles du maréchal, dispersés le long de la côte, dès qu'ils apercevront notre bateau. À vrai dire, ces hommes sont livrés à eux-mêmes.

Pendant notre conseil, un courrier nous apporte une nouvelle dépêche. La rédaction harcèle John : l'armée occupe l'aéroport et les bâtiments du gouvernement, les Premiers ministres des trois pays ont disparu. Se cachent-ils ? Sont-ils encore en vie ? Prisonniers de l'île, nous écoutons ces nouvelles sensationnelles en serrant les dents de désarroi et de rage. Notre réunion ne débouche sur rien. Il ne reste plus qu'à attendre. Les deux Anglais, Peter de Reuter et Aidan de Radio Tanganyika, vont en ville à la recherche de compatriotes susceptibles de nous aider. Désespérés, nous nous accrochons à la moindre chance.

Dans la soirée, Peter et Aidan reviennent et réunissent un nouveau conseil. Ils ont trouvé un vieil Anglais qui a décidé de quitter l'île à la première occasion et veut vendre son bateau à moteur, qui est par ailleurs en bon état. Le yacht est amarré non loin de là, dans un bassin latéral et isolé au port. Cet homme nous y accompagnera par des sentiers détournés, à la faveur de l'obscurité. Cachés dans le bateau, nous attendrons que la nuit soit bien avancée et que les gardes-côtes se soient endormis. Le vieil Anglais, un colon de la vieille garde, conclut : « Un nègre, c'est un nègre. Il a beau être noir, il a besoin de sommeil. Quand minuit sera passé, vous mettrez le moteur en marche et vous prendrez la poudre d'escampette. Les nuits sont maintenant tellement sombres qu'ils ont peu de chance de vous atteindre avec leurs balles. »

Un ange passe, puis les premières voix se font entendre. Comme toujours, il y a les partisans et les adversaires du plan. Les questions fusent, une discussion s'engage. Il est certain que s'il y avait d'autres possibilités, cette fuite en bateau paraîtrait risquée et folle, mais nous sommes acculés au mur et désespérément convaincus que nous devons à tout prix, précisément à n'importe quel prix, nous extirper de ce piège. Le sol nous brûle les pieds, le temps presse. Zanzibar ? Nous manifestons la même fougue pour quitter l'île que nous en avons manifestée pour la gagner. Seuls Félix et Arnold sont contre. Félix considère que c'est de la folie, qu'il est trop âgé pour de telles aventures. Quant à Arnold, il a du matériel de grande valeur, qu'il craint de perdre. Nous nous entendons toutefois pour qu'ils règlent l'hôtel une fois que nous serons en mer afin ne pas éveiller les soupçons.

Le soir arrive un monsieur mince, grisonnant, vêtu de l'habit colonial traditionnel : une chemise blanche, un large short blanc et des chaussettes montantes blanches également. Nous le suivons. Il fait tellement noir que sa silhouette imprécise scintille à peine devant nous. Tel un fantôme, elle apparaît, disparaît. Pour finir, nous sentons sous nos pieds des planches ; nous devons être arrivés sur la jetée. Le vieux nous dit en chuchotant de descendre les marches jusqu'au bateau. Quelles marches ? Quel bateau ? On ne voit rien. Mais le colon insiste, sa voix devient autoritaire. Il peut y avoir dans les parages des hommes du maréchal. Mark, l'Australien, un gars grand et costaud au visage large et bon, descend le premier, puisque pendant le conseil il a affirmé qu'il savait naviguer et piloter un bateau. C'est lui aussi qui a la clé de l'amarre. Quand il met le pied au fond du bateau, un clapotis se fait entendre. Tout le monde se crispe : « Chut ! » Puis nous descendons dans le bateau à la queue leu leu : les Anglais Peter et Aidan, l'Allemand Thomas, l'Américain John, l'Italien Carlo, le Tchèque Jarek et moi. Chacun essaie de repérer à tâtons la forme du yacht, le bord du bastingage et l'emplacement des parapets, puis s'assoit sur un banc ou s'étend confortablement au fond.

Le vieil Anglais disparaît et nous restons seuls. On ne voit aucune lumière. Il règne un silence profond, de plus en plus saisissant. De temps en temps seulement, on entend le clapotis d'une vague se brisant sur la jetée et, au large, les échos de l'océan invisible. Afin de ne pas trahir notre présence, nous n'échangeons pas un mot. De temps en temps, John fait circuler sa montre phosphorescente : un minuscule petit point lumineux passe de main en main : 22.30, 23.00, 23.30. Nous restons dans le noir le plus complet, à moitié endormis, engourdis et inquiets. Jusqu'au moment où la montre de John indique deux heures du matin. À ce moment-là, Mark tire le câble du moteur qui, comme un animal soudain blessé, se met à vrombir et à hurler. Le yacht tangue, sa proue se dresse, puis il fonce droit devant lui.

Le port de Zanzibar se trouve sur la côte ouest de l'île, celle qui est la plus proche du continent. Logiquement, pour atteindre le continent, il faut mettre le cap vers l'ouest ou même le sud-ouest si on veut se diriger sur Dar es-Salaam. Mais pour le moment, nous ne souhaitons qu'une chose : nous retrouver au plus loin du port. Mark pousse le moteur au maximum. Tremblant légèrement, le yacht glisse à toute allure au-dessus du gouffre calme et lisse. L'obscurité est toujours totale, et de l'île on n'entend pas un coup de feu. La fuite a réussi, nous ne sommes plus en danger. Nous sortons de l'état de torpeur où nous étions plongés, nous sommes de bonne humeur. Nous voguons dans la béatitude plus d'une heure quand soudain tout change. La masse de l'océan, jusqu'à présent plate, se met à remuer, devenant menaçante et violente. Subitement puissantes et agressives, les vagues se lèvent et heurtent les bords du yacht. On dirait qu'un poing s'abat avec fureur sur le bateau. Il y a dans ces coups une détermination terrible, une rage folle, une fureur aveugle, et en même temps un acharnement systématique. L'ouragan se joint à la fête et il se met à tomber des cordes, comme c'est fréquent sous les tropiques : une cascade, un mur d'eau. Comme il fait toujours noir, nous perdons complètement le nord, nous ne savons plus où nous sommes, dans quelle direction nous voguons. Mais cela n'a même plus d'importance, car des vagues de plus en plus immenses et hautes se mettent à balayer le yacht. Elles sont tellement déchaînées que nous nous demandons bien ce qui va nous arriver d'une minute à l'autre. Dans un premier temps, le bateau est expédié en l'air dans un bruit d'enfer. Là haut, il s'immobilise quelques secondes au sommet de la vague invisible, puis replonge avec violence dans le gouffre, l'abîme mugissant, les ténèbres rugissantes.
Soudain, le moteur complètement inondé s'arrête. Alors c'est l'horreur. Le yacht est bringuebalé dans tous les sens,

tourne en rond, impuissant et désarmé. Dans l'effroi, nous attendons le moment où la vague suivante va le renverser. Chacun s'accroche convulsivement au bord. L'un pousse des cris hystériques, l'autre implore l'aide du bon Dieu, le troisième, couché au fond, gémit et vomit toute sa bile. Des rafales d'eau s'abattent sur nous, le mal de mer nous arrache nos entrailles, et s'il nous reste quelque chose dans les tripes, c'est une terreur bestiale et glacée. Nous n'avons ni bouée ni gilet de sauvetage. Chaque vague montante est porteuse de mort.

Le moteur est fichu, il ne bronche plus. Soudain Peter crie à travers la bourrasque : « L'huile ! » Il vient de se rappeler que ce type de moteur a non seulement besoin d'essence, mais aussi d'huile. Mark et lui se mettent à chercher. Ils finissent par trouver un bidon qu'ils versent dans le réservoir. Mark tire plusieurs fois sur le câble, le moteur se remet en marche. Tout le monde hurle de joie. Pourtant l'orage sévit toujours. Une lueur d'espoir toutefois a jailli.

L'aube est lugubre, les nuages sont bas, mais la pluie a cessé et le jour finit par poindre. Nous regardons de tous les côtés. Où sommes-nous ? De l'eau, encore de l'eau, toujours de l'eau, une étendue immense, sombre, mobile. Au loin, l'horizon qui monte et descend, ondule à un rythme régulier, cosmique. Puis, quand le soleil se retrouve haut dans le ciel, nous apercevons une ligne noire à l'horizon. La terre ! Nous mettons le cap dans cette direction. Devant nous s'étend une côte plate, des palmiers, un groupe d'hommes et, à l'arrière-plan, des cases. En fait, nous nous retrouvons à Zanzibar, mais bien au-dessus de la ville. Ne connaissant pas la mer, nous ignorions qu'à cette époque de l'année souffle la mousson qui nous a emportés. Heureusement qu'elle nous a rejetés sur cette côte, car elle aurait pu nous pousser dans le golfe Persique, au Pakistan ou en Inde. Personne n'aurait survécu au naufrage, nous aurions tous péri de soif ou nous nous serions mutuellement dévorés.

Nous débarquons et nous écroulons à moitié morts sur le sable. Incapable de reprendre mon calme, je demande aux gens réunis là comment me rendre en ville. L'un d'eux a une moto et accepte de m'emmener. Nous fonçons à travers des tunnels verts et parfumés, parmi les bananiers, les manguiers et les girofliers. La vitesse et l'air chaud sèchent ma chemise et mon pantalon tout blancs et salés par l'eau de mer. Au bout d'une heure, nous atteignons l'aéroport. Je compte y rencontrer Karume afin qu'il m'aide à gagner Dar. Soudain j'aperçois sur la piste un petit avion dans lequel Arnold est en train de charger son matériel. À l'ombre des ailes se tient Félix. J'accours vers lui. Il me regarde, me salue et dit :

— Ta place est libre. Elle t'attend. Tu peux t'installer.

Anatomie d'un coup d'État

Notes prises à Lagos en 1966 :
Samedi 15 janvier. Au Nigeria l'armée a opéré un coup d'État. À 1 heure du matin, dans toutes les unités militaires du territoire, l'alarme a été donnée. Des détachements spéciaux ont procédé à l'exécution des opérations. L'efficacité du coup d'État dépendait de sa coordination, car le putsch devait avoir lieu simultanément dans cinq villes : à Lagos, la capitale de la fédération, et dans les chefs-lieux de quatre États[1] : à Ibadan (Nigeria de l'Ouest), à Kaduna (Nigeria du Nord), à Benin-City (Nigeria du Centre-Ouest) et à Enugu (Nigeria de l'Est). Dans ce pays, dont la surface est trois fois celle de la Pologne et la population de 56 millions d'hommes, le coup d'État a été effectué par une armée de huit mille soldats à peine.

Samedi, 2 heures du matin.
Lagos : les patrouilles militaires occupent l'aéroport, la station de radio, le central téléphonique et la poste. Les soldats sont casqués, ils portent l'uniforme de campagne et sont armés de mitraillettes automatiques. Sur ordre de l'armée, la centrale a coupé l'électricité dans les quartiers africains. La ville dort, les rues sont désertes. La nuit est très sombre, brûlante, étouffante. King George V Street, quelques jeeps s'arrêtent. C'est une toute petite rue au bout de l'île de Lagos (qui a donné son nom à la ville). D'un côté se trouve le stade, de l'autre deux villas. L'une d'elles est la résidence du Premier ministre de la fédéra-

1. À l'époque, le Nigeria était composé de quatre États : celui du Nord, de l'Est, de l'Ouest et du Centre-Ouest. *(N.d.T.)*

tion, sir Abubakar Tafawa Balewa. Dans la seconde habite le ministre des Finances, *chief* Festus Okotie-Eboh. L'armée entoure les deux villas. Un groupe d'officiers pénètre dans la résidence du Premier ministre, le réveille et l'emmène. Un deuxième groupe arrête le ministre des Finances. Les voitures démarrent. Quelques heures après, un communiqué officiel informe que le Premier ministre et son ministre des Finances ont été « emmenés dans une direction inconnue ». On ignore à ce jour le sort de Balewa. D'après certains, il aurait été enfermé dans une caserne. D'autres prétendent qu'il a été tué. Selon des rumeurs insistantes, Okotie-Eboh aurait aussi été tué, non pas fusillé, mais « assassiné à mort ». Cette expression traduit moins les faits que le sentiment de la population à l'égard du ministre. C'était un individu extrêmement antipathique, brutal, vorace. Monstrueusement gros, lourd, gavé. Il a bâti sa fortune sur la base d'une corruption indescriptible. Il traitait les gens avec un dédain suprême. Balewa est son opposé : sympathique, modeste, calme. Grand, mince, un peu ascète, un musulman.

L'armée occupe le port et encercle le Parlement. Des patrouilles surveillent les rues de la ville endormie.

Il est 3 heures du matin.

Kaduna : dans les faubourgs du chef-lieu de l'État du Nord, entourée d'un mur, se dresse la résidence à étages du Premier ministre, Ahmadu Bello. Le chef d'État du Nigeria est Nnamdi Azikiwe, le chef du gouvernement Tafawa Balewa, mais le vrai maître du pays, c'est Ahmadu Bello. Pendant toute la journée du samedi, Bello reçoit. La dernière visite, celle d'un groupe fulani [1], a lieu à 19 heures. Six heures plus tard, dans les broussailles en face de la résidence, un groupe d'officiers poste deux mortiers. Le chef de ce groupe est le commandant Chukuma Nzeogwu. À 3 heures, un coup est tiré. Il atteint le toit de la résidence. Un incendie se déclare. C'est le signal d'attaque. Les officiers commencent par donner l'assaut à la guérite du palais. Deux d'entre eux périssent dans le

1. Peul. *(N.d.T.)*

combat contre la garde du Premier ministre, les autres gagnent le palais en flammes. Dans un couloir, ils tombent sur Ahmadu Bello qui est sorti en courant de sa chambre. Bello est abattu d'une balle dans la tempe.

La ville dort, les rues sont désertes.

Il est 3 heures du matin.

Ibadan : le palais du Premier ministre de l'État de l'Ouest, *chief* Samuel Akintola, se dresse sur l'une des douces collines de ce bourg sans étage, « le plus grand village du monde », peuplé d'un million et demi d'habitants. Depuis trois mois, cette région est le théâtre de combats sanglants. En ville c'est le couvre-feu, le palais d'Akintola est solidement protégé. L'armée lance l'assaut, des coups de feu sont tirés et dégénèrent bientôt en combat. Un groupe d'officiers fait irruption dans le palais. Akintola périt dans la véranda, abattu de treize balles.

Il est 3 heures du matin.

Benin-City : l'armée occupe la station de radio, la poste et les autres points stratégiques de la ville. Elle bloque toutes les sorties. Un groupe d'officiers désarme les policiers qui protègent la résidence du Premier ministre de la région, *chief* Denis Osadebay. Pas un coup de feu n'est tiré. De temps en temps, une jeep verte passe avec quelques soldats.

Il est 3 heures du matin.

Enugu : la résidence du Premier ministre de l'État de l'Est, Michael Okpara, a été encerclée en silence et dans le plus grand secret. À l'intérieur, l'archevêque Makarios, président de Chypre, hôte du Premier ministre, dort paisiblement. Le chef des insurgés a garanti aux deux dignitaires la liberté de déplacement. À Enugu, la révolution se déroule en douceur. D'autres détachements assiègent la station de radio et la poste, puis ferment les sorties de la ville endormie.

Le putsch qui s'est déroulé simultanément dans cinq villes du Nigeria s'est révélé efficace. En l'espace de quelques heures, une petite armée est devenue le maître de ce pays énorme, le plus puissant de l'Afrique. En l'espace d'une nuit, la mort, les arrestations ou la fuite dans la brousse ont mis un terme à des centaines de carrières politiques.

Samedi, matin, midi et soir.
Lagos se réveille dans l'ignorance de ce qui se passe. Une journée normale commence, les magasins ouvrent, les gens se rendent au travail. Dans le centre de la ville, l'armée est invisible. Mais à la poste, on nous dit que les communications avec le monde sont coupées. On ne peut pas envoyer de dépêches. En ville, les premières rumeurs commencent à circuler. Le plus souvent, elles font état de l'arrestation de Balewa et du putsch de l'armée. Je me rends à la caserne d'Ikoyi (un quartier de Lagos). Des patrouilles avec des armes automatiques, des mitraillettes, sortent en jeep en passant sous un porche, en face duquel une foule s'est déjà attroupée, immobile, silencieuse. Les cuisinières ambulantes installent leurs feux de bivouac.

À l'autre bout de la ville, le Parlement se réunit. Devant le bâtiment, les soldats sont nombreux. On nous contrôle à l'entrée. Sur trois cent douze députés, à peine trente-trois sont présents. Un seul ministre est là, R. Okafor. Il propose d'ajourner la séance. Les parlementaires présents exigent des explications : « Que s'est-il passé ? », « Que se passe-t-il ? » Là-dessus une patrouille de huit soldats entre dans la salle et disperse l'assemblée.

La radio diffuse de la musique. Pas un seul communiqué. Je me rends chez le correspondant de l'AFP, David Laurell. Nous sommes tous les deux au bord des larmes. Pour des journalistes, ce sont des moments frustrants : avoir entre les mains des informations d'importance mondiale et ne pas pouvoir les diffuser. Ensemble nous allons à l'aéroport. Gardé par un détachement militaire de la marine, il est vide, ni passagers, ni avions. Sur le chemin du retour, nous sommes arrêtés par un poste militaire : on ne veut pas nous laisser entrer en ville. Une longue discussion s'engage. Les soldats sont aimables, courtois, calmes. Un officier arrive, il nous autorise à poursuivre notre route. Nous traversons des quartiers plongés dans l'obscurité complète : il n'y a toujours pas de lumière. Seules les marchandes font brûler des bougies ou des petites lampes à huile devant leurs échoppes, si bien que de loin les rues ressemblent aux allées d'un cimetière le Jour des Morts. C'est la nuit, mais l'air est lourd, étouffant, irrespirable.

Dimanche : un nouveau pouvoir.
La ville est survolée par des hélicoptères. À part cela, tout est calme. Le plan d'exécution de cette révolution — les putschs militaires sont de plus en plus nombreux — est généralement l'œuvre d'un petit groupe d'officiers vivant dans des casernes inaccessibles aux civils et œuvrant dans la clandestinité la plus stricte. La société n'est informée qu'une fois le fait accompli, le plus souvent par des rumeurs et des conjectures.

Cette fois, la situation est vite éclaircie. Juste avant minuit, le général-major John Thomas Aguiyi-Ironsi, le nouveau chef d'État et chef de l'armée, un homme de quarante et un ans, fait une déclaration à la radio : l'armée « a accepté de prendre le pouvoir », la Constitution et le gouvernement sont suspendus. Le pouvoir est désormais entre les mains du Conseil supérieur militaire. Dans le pays, la loi et l'ordre sont rétablis.

Lundi : les causes du coup d'État.
Les rues baignent dans l'allégresse. Les amis nigérians que je croise me tapent sur l'épaule, rient, sont d'humeur joyeuse. Je traverse le marché ; la foule danse, un garçon bat le rythme sur un bidon en fer. Il y a un mois, j'ai été témoin d'un *coup d'État*[1] similaire au Dahomey. Là aussi la rue acclamait l'armée. La récente série de putschs militaires est très populaire en Afrique, elle suscite l'enthousiasme.

À Lagos affluent les premières résolutions de soutien et d'allégeance envers le nouveau pouvoir : « Le 15 janvier, dit la résolution d'un parti local, l'UPGA *(United Progres-*

---

1. En français dans le texte. *(N.d.T.)*

sive Grand Alliance), passera à la postérité de notre grande République comme le jour où pour la première fois nous avons conquis la liberté, bien que le Nigeria soit indépendant depuis cinq ans déjà. L'avidité de nos hommes politiques a jeté l'opprobre sur le nom du Nigeria à l'étranger... Dans notre pays s'est développée une caste gouvernante qui a consolidé son pouvoir en semant la haine mutuelle, en poussant le frère contre le frère, en éliminant tous ceux qui pensaient autrement qu'elle... Nous saluons le nouveau pouvoir afin que, comme un envoyé de Dieu, il libère le peuple des impérialistes noirs, de la tyrannie et de l'intolérance, de la fourberie et des ambitions meurtrières de ceux qui ont cru pouvoir représenter le Nigeria... Dans notre Patrie, il ne peut y avoir de place pour les loups politiques qui ont pillé le pays. »

« L'anarchie générale et la désillusion des masses, déclare la résolution de l'organisation de jeunesse *Zikist Movement*, ont rendu cette révolution nécessaire. Pendant les années d'indépendance, les droits fondamentaux de l'homme ont été bafoués par le gouvernement. On refusait aux hommes le droit de vivre dans la liberté et dans le respect mutuel. Ils n'avaient pas le droit d'avoir leurs propres opinions. Un gangstérisme politique organisé et une politique de falsifications ont transformé toutes les élections en farces. Au lieu de servir le peuple, les hommes politiques se sont employés à piller le pays. Le chômage et l'exploitation n'ont cessé de croître, et la petite clique de fascistes féodaux au pouvoir a maltraité le peuple à outrance. »

C'est ainsi que de nombreux pays d'Afrique sont en train de vivre la deuxième étape de leur brève histoire d'après-guerre. La première étape était la décolonisation accélérée, la conquête de l'indépendance. C'était une période d'optimisme, d'enthousiasme, d'euphorie générale. Les gens étaient convaincus que la liberté leur garantirait un toit, une marmite de riz plus copieuse, les premières chaussures de leur vie. Ils étaient persuadés que le miracle, la multiplication des pains, des poissons et du vin, allait se produire. Il n'en a rien été. Au contraire, des populations pour lesquelles il n'y avait pas assez de nourriture, d'écoles et de travail ont brutalement déferlé. L'optimisme a rapidement cédé la place à la désillusion et au pessimisme. Toute l'amertume, la fureur et la haine se sont retournées contre les élites régnantes qui s'empressaient de se remplir les poches. Dans ce pays, le secteur privé n'est pas très développé, les plantations appartiennent à des étrangers, les banques sont la propriété du capital étranger. Le seul moyen de faire fortune, c'est la carrière politique.

Pour résumer, la pauvreté et la désillusion de ceux qui se trouvent à la base, la cupidité et l'avidité de ceux qui se trouvent au sommet créent une atmosphère empoisonnée, minée, que les militaires flairent ; se faisant passer pour les défenseurs des humiliés et offensés, ils sortent de leurs casernes et partent à la conquête du pouvoir.

Mardi : les tam-tams battent l'appel.
Un article de presse en provenance de l'État de l'Est a été publié aujourd'hui dans le quotidien *The Daily Telegraph*, qui sort à Lagos.

« Enugu. Quand la nouvelle de l'arrestation de Michael Okpara, le Premier ministre de l'État de l'Est, est parvenue jusqu'à sa région natale, dans tous les villages environnants, à Ohuku, Ibeke, Igbere, Akyi, Ohafia, Abiriba, Abam et Nkporo, les tam-tams se sont mis à résonner, appelant les guerriers de la tribu au combat. On leur a dit que des hommes avaient enlevé leur parent, Michael Okpara. Au début, les guerriers ont cru que c'était l'affaire de la coalition au pouvoir et ils ont décidé de se mettre en guerre. Tous les propriétaires ont mis leurs charrettes à la disposition des combattants. En l'espace de quelques heures, le chef-lieu de l'Est, Enugu, a été occupé par une armée de combattants armés jusqu'aux dents de lances, de piques, d'arcs et de boucliers. Ils entonnaient des chants guerriers. Dans la ville entière les tam-tams résonnaient. À ce moment-là, on a expliqué aux chefs des colonnes que c'était l'armée qui avait pris le pouvoir, que Michael Okpara était sain et sauf et qu'il se trouvait dans une maison d'arrêt. Quand les guerriers ont compris le message, ils ont manifesté de la joie et ont regagné leur village. »

Jeudi 20 janvier : voyage à Ibadan.
Je suis allé dans l'État de l'Ouest me renseigner sur ce que les gens disent de la révolution. Aux barrières de Lagos, les soldats et les policiers contrôlent les voitures et les bagages. De Lagos à Ibadan, il y a cent cinquante kilomètres. La route verdoyante serpente entre de douces collines. Au cours des derniers mois, pendant la guerre civile, beaucoup d'hommes y ont péri. On ne sait jamais qui on va rencontrer au détour du chemin. Dans le fossé gisent des carcasses de voitures calcinées. Généralement ce sont de grandes limousines avec des plaques d'immatriculation officielles. Je me suis arrêté à côté de l'une d'entre elles : des os carbonisés y sont toujours emprisonnés. Toutes les petites villes sur la route portent des traces de combat — squelettes de maisons incendiées, bâtiments rasés, devantures éventrées et dévalisées, meubles brisés, camions roues en l'air, ruines. Il n'y a personne, les gens ont fui, ils ont disparu dans la nature.

Je me suis rendu à la résidence d'Akintola. Elle se trouve dans la banlieue d'Ibadan, dans un quartier résidentiel boisé, celui des ministres, aujourd'hui complètement mort. Les villas imposantes, luxueuses et kitsch sont démolies et vides. Même les domestiques sont partis. Une partie des ministres a péri, une autre a fui au Dahomey. Devant la résidence d'Akintola quelques policiers sont postés. L'un d'eux prend un fusil et me fait visiter les lieux. C'est une grande villa neuve. À l'entrée, sur le sol en marbre de la véranda, gît une mare de sang coagulé. À côté, une djellaba ensanglantée. Un tas de lettres éparpillées et déchirées ainsi que deux mitraillettes en plastique cassées. Les jouets des petits enfants d'Akintola ? Les murs sont criblés de balles, la cour est jonchée de verre, les moustiquaires aux fenêtres ont été lacérées par les soldats au moment de l'assaut.

Akintola avait cinquante-cinq ans. C'était un homme obèse, au large visage couvert de tatouages baroques. Au cours des derniers mois, il ne sortait pas de sa résidence gardée par la police, il avait peur. Il y a cinq ans, c'était un avocat de fortune moyenne. Un an après son accès au poste de Premier ministre, il était millionnaire. Il virait tout simplement l'argent du trésor public sur son compte personnel. Où que l'on aille, se dressent ses maisons : à Lagos, à Ibadan, à Abeokuta. Il avait une douzaine de limousines, qu'il n'utilisait d'ailleurs jamais, car ce qu'il aimait, c'était les contempler du haut de son balcon. Ses ministres se sont aussi enrichis en un temps record. Ce sont des fortunes fabuleuses bâties sur le dos de la politique, plus exactement détournées par le gangstérisme politique, l'écrasement des partis, la falsification des élections, le meurtre des adversaires, le mitraillage de foules affamées. En toile de fond, une misère accablante, un pays mis à feu et à sang.

L'après-midi, je suis rentré à Lagos.

Samedi 22 janvier : les funérailles de Balewa.

Un communiqué du gouvernement fédéral militaire sur le décès du Premier ministre du Nigeria, sir Abubakar Tafawa Balewa, est ainsi rédigé : « Vendredi matin, des villageois de la région d'Otto près de Lagos ont raconté qu'ils avaient trouvé dans la brousse une dépouille mortelle qui rappelait Tafawa Balewa. Elle a été découverte en position assise, le dos appuyé à un arbre. Le corps était recouvert d'une large djellaba blanche, et à ses pieds se trouvait un képi rond. Le jour même, le corps a été transporté par avion spécial à Bauchi, la ville natale du Premier ministre (Nigeria du Centre). À part le pilote et l'officier-radio, il n'y avait dans l'avion que des soldats. Le corps de Tafawa Balewa a été inhumé dans le cimetière musulman en présence d'une foule nombreuse. »

Le quotidien *New Nigerian* écrit que les habitants du Nigeria du Nord ne croient pas à la mort de leur dirigeant, Ahmadu Bello. Ils sont persuadés qu'il a fui à la Mecque, sous la protection d'Allah.

Aujourd'hui, mon camarade Nizi Onyebuchi, un étudiant nigérian, m'a dit : « Notre nouveau dirigeant, le général Ironsi, est un homme surnaturel. Quelqu'un lui a tiré dessus et la balle a dévié sans même l'effleurer. »

Ma ruelle, 1967

L'appartement que je loue à Lagos est régulièrement cambriolé, non seulement quand je pars pour une longue période au Tchad, au Gabon ou en Guinée, mais même quand je vais moins loin, à Abeokuta ou à Oshogo, pour une brève période, je sais qu'à mon retour l'encadrement de ma fenêtre aura été démis, les meubles renversés, les armoires dépouillées.

L'appartement se trouve au centre de la ville, sur l'île de Lagos. Jadis, cette île était le point de chute des marchands d'esclaves. Ce passé honteux et sinistre a laissé dans l'atmosphère de la capitale des traces inquiétantes, violentes et vivaces. Je suis par exemple dans un taxi et je discute avec le chauffeur qui soudain se tait et regarde de tous côtés avec nervosité. « Que se passe-t-il ? demandé-je intrigué. — *Very bad place !* » répond-il en baissant la voix. Nous poursuivons notre route, il se détend et recommence à discuter tranquillement. Mais sur les bords de la route — il n'y a pas de trottoirs ici —, un groupe passe. En les apercevant, le chauffeur de taxi se tait de nouveau, regarde à droite et à gauche et accélère : « Que se passe-t-il ? demandé-je. — *Very bad people !* » répond-il, et ce n'est qu'au bout de un kilomètre qu'il reprend la conversation interrompue.

Ce chauffeur de taxi a le plan de la ville gravé dans la tête, mais ce plan doit ressembler à celui que l'on voit sur les murs des commissariats de police. Des lumières multicolores scintillent, palpitent sans cesse, lui signalant les points chauds, là où se passent les attaques et les crimes. Ces signaux sont particulièrement nombreux au cœur de la capitale, justement là où j'habite. J'aurais pu, il est vrai, choisir Ikoyi, le quartier sûr et luxueux des Nigérians riches, des Européens et des diplomates, mais c'est un endroit artificiel, exclusif, fermé et strictement surveillé. Je préfère vivre dans la ville africaine, dans la rue africaine, dans une maison africaine. Comment connaître autrement cette ville, ce continent ?

Pour un Blanc cependant, vivre dans un quartier africain n'est guère chose facile. Les Européens sont les premiers à être choqués et à protester. Il faut être bizarre ou toqué pour avoir de telles lubies. Ils essaient donc de me dissuader, de me mettre en garde : « Tu vas y laisser ta peau, à tous les coups ! » Le seul point sur lequel ils divergent concerne le type de mort qui m'attend. Soit je serai tué, soit je succomberai tout seul tant les conditions de vie sont abominables.

Du côté africain, mon idée ne suscite guère l'enthousiasme non plus. D'abord, il y a les difficultés techniques : où habiter ? Le quartier est pauvre, bondé, les maisons sont misérables, ce sont des cases, c'est un bidonville, on y étouffe, il n'y a pas de lumière, c'est poussiéreux, ça pue et il y a des tas de bestioles. Où me trouver un endroit ? Un coin à moi ? Comment me déplacerai-je ? Et l'eau ? Il faut aller la chercher à l'autre bout de la rue, c'est là que se trouve la pompe. Or c'est le travail des enfants, éventuellement celui des femmes. Jamais celui des hommes. Et moi, le Blanc, je vais faire la queue avec les enfants devant le puits ! Ha ! Ha ! Ha ! C'est impossible ! Bon d'accord, admettons que j'aie une chambre où je désire m'enfermer pour travailler. M'enfermer ? C'est absolument impossible ! Ici tous vivent ensemble, en famille, en groupe. Enfants, adultes, vieux, ils ne se séparent jamais. Même après la mort, leurs esprits restent parmi les vivants. S'enfermer tout seul dans une chambre afin que personne ne puisse entrer ? Ha ! Ha ! Ha ! C'est impossible ! « Et par-dessus le marché, m'expliquent avec douceur les habitants du coin, notre quartier est dangereux. Il y a plein d'hommes mauvais ici ! Les plus dangereux sont les *boma boys*, des gangs de malfaiteurs enragés qui attaquent, cognent et détroussent, des bandes qui dévastent tout. Ils auront vite flairé qu'un Européen solitaire habite ici. Or

114

pour eux, un Européen est un nanti, point final. Qui te défendra ? »

Je tiens tête. Je fais fi de leurs avertissements, je suis résolu. Peut-être parce que je suis agacé par les gens qui arrivent ici, habitent dans la « Petite Europe » ou la « Petite Amérique » (c'est-à-dire dans des hôtels luxueux) et repartent, se vantant par la suite d'avoir été en Afrique alors qu'en réalité ils n'ont rien vu de ce continent.

Or voilà qu'une occasion se présente. Je fais la connaissance d'un Italien, Emilio Madera, propriétaire d'un petit local désaffecté dans une ruelle près de Massey Street. Il y entrepose des outils agricoles (les Blancs liquident peu à peu leurs affaires). À côté, ou plus exactement au-dessus de ce local, se trouvent deux chambres de service, vides, car personne ne veut y habiter. Il est content que je veuille bien les lui louer. Un soir, il m'y conduit en voiture et m'aide à installer mes affaires (on monte à l'étage par un escalier métallique fixé à l'extérieur de la maison). À l'intérieur règne une fraîcheur agréable, car dès le matin Emilio branche le climatiseur. Il y a aussi un réfrigérateur qui fonctionne. L'Italien me souhaite bonne nuit et disparaît en hâte, car le lendemain matin il regagne Rome ; redoutant que le dernier coup d'État militaire n'engendre de nouveaux troubles, il veut rapatrier une partie de son pactole.

Je défais mes paquets.

Au bout d'une heure, la lumière s'éteint.

L'appartement est plongé dans l'obscurité. Je n'ai pas de lampe. Mais le pire, c'est que le climatiseur s'est aussi arrêté et que la chaleur est tout d'un coup devenue brûlante et étouffante. J'ouvre la fenêtre. Une odeur de légumes pourris, d'huile brûlée, de lessive et d'urine envahit la chambre. Malgré la proximité de la mer, on ne sent pas le moindre courant d'air dans cette ruelle fermée et étroite. On est en mars, le mois des chaleurs torrides. La nuit, l'air semble plus chaud et suffocant que pendant la journée. Je regarde par la fenêtre. Au fond de la ruelle, des gens à moitié nus sont couchés sur des nattes tressées ou à même le sol. Les femmes et les enfants dorment, quelques hommes, le dos appuyé aux murs des cases, me fixent. Je ne comprends pas leurs regards. Veulent-ils me connaître ? M'aider ? Me tuer ?

Conscient qu'avec la chaleur régnant dans l'appartement je ne tiendrai pas jusqu'au matin, je descends. Deux hommes se lèvent, les autres se regardent sans broncher. Nous dégoulinons tous de sueur, nous sommes tous morts de fatigue. Le seul fait d'exister par un tel climat nous coûte un effort immense. Je leur demande si les coupures de courant sont fréquentes. Ils n'en savent rien. Je leur demande si la panne est réparable. Ils discutent entre eux dans une langue incompréhensible pour moi. L'un d'eux s'éloigne. Les minutes passent. Au bout d'un certain temps, il revient accompagné de deux jeunes gens qui se disent prêts à réparer la panne pour dix livres. J'accepte. Peu de temps après, la lumière revient dans mon appartement et le climatiseur se remet en marche. Quelques jours après, une nouvelle panne : encore dix livres, puis quinze, puis vingt.

Et les cambriolages ? Au début, quand je retrouve à mon retour un appartement pillé, je suis pris de fureur. Être volé, c'est avant tout une humiliation, une tromperie. Je me rends toutefois compte qu'ici considérer un vol comme une humiliation et une tromperie est un luxe de l'esprit. Vivant au milieu de la pauvreté de mon quartier, je comprends que le vol, même le plus infime, équivaut parfois à une condamnation à mort. J'ai un jour assisté à un vol revenant à un meurtre, à un assassinat : dans un petit coin de ma ruelle vivait une femme solitaire dont le seul bien était une marmite. Elle subsistait en achetant à crédit des haricots qu'elle préparait, accommodait d'une sauce et revendait. Pour nombre d'Africains, ce plat est le seul repas de la journée. Or voilà qu'une nuit un cri saisissant nous a réveillés. Toute la ruelle s'est animée. La femme courait en rond, désespérée, folle : des voleurs lui avaient pris sa marmite, elle avait perdu son unique moyen de subsistance.

Dans ma ruelle, beaucoup de gens ne possèdent qu'un seul objet. Pour l'un c'est une chemise, un autre un *panga*, c'est-à-dire une machette, un troisième une pioche dénichée on ne sait où. Celui qui a une chemise peut se faire embaucher comme gardien de nuit (personne ne voudra d'un gardien à moitié nu), celui qui a un panga peut être employé pour couper des mauvaises herbes, celui qui a une pioche peut creuser un fossé. Ceux qui n'ont que leurs muscles à vendre espèrent être embauchés comme porteurs ou commissionnaires. Dans tous les cas de figure, les chances sont minimes, car la concurrence est rude. Ce ne sont du reste que des emplois occasionnels, pour un jour, pour quelques heures.

C'est ainsi que ma ruelle, les rues avoisinantes et le quartier tout entier grouillent de gens désœuvrés. Ils se réveillent le matin et vont chercher de l'eau pour se débarbouiller. Puis celui qui a de l'argent se paie un petit déjeuner : un verre de thé et un morceau de pain sec. Mais nombreux sont ceux qui ne mangent rien. Avant midi la chaleur est déjà difficile à supporter, il faut trouver un endroit ombragé. Au fil des heures, l'ombre se déplace avec le soleil, et avec elle, l'homme dont c'est la seule occupation : suivre l'ombre en rampant, se mettre à l'abri de ses ailes obscures et fraîches. La faim l'obsède, il a très envie de manger, mais il n'a rien. Avec cela, le bar d'à côté embaume la viande rôtie. Pourquoi ces hommes ne s'y ruent-ils pas ? Ils sont pourtant jeunes et forts.

L'un d'eux cependant n'a pas pu se retenir. Un cri a retenti. C'est une marchande ambulante à qui un gamin a chipé un régime de bananes. Avec sa voisine, elle s'est mise à lui courir après et a fini par le rattraper. Des policiers ont surgi d'on ne sait où. Ici ils sont armés de grandes matraques en bois avec lesquelles ils cognent sec, sans pitié. Le gamin gît dans la rue, roulé en boule, il se protège des coups. Immédiatement un attroupement s'est formé, ce qui est fréquent ici, car la foule oisive est avide du moindre événement, du moindre trouble, de la moindre sensation pour se distraire, regarder, faire quelque chose. Ils se serrent de plus en plus près comme si le bruit des coups de matraque et les gémissements de l'enfant battu leur procuraient une réelle volupté. Ils encouragent et excitent les policiers avec des cris. Ici, quand un voleur est attrapé, les gens veulent sur-le-champ le mettre en pièces, le lyncher. Le gamin pousse des gémissements, il a lâché les bananes. Les spectateurs les plus proches se ruent sur elles et se les arrachent.

Puis tout rentre dans l'ordre. La marchande continue de se lamenter et de pester, les policiers s'éloignent. Mal en point, l'enfant battu se traîne dans une cachette, endolori et affamé. Les gens se dispersent, chacun retourne à sa place, contre une maison, un mur, sous un auvent, bref à l'ombre. Ils resteront là jusqu'à la tombée de la nuit. Après une journée de chaleur torride et de jeûne, l'homme est affaibli et abruti. Mais cet étourdissement, cet engourdissement intérieur a quelque chose de salutaire. Autrement l'homme ne survivrait pas : la composante biologique, animale de sa nature aurait dévoré tout ce qui lui reste d'humain.

Le soir, ma ruelle s'anime un peu. Ses habitants se réunissent. Les uns sont restés là pendant toute la journée, en proie aux affres du paludisme. D'autres reviennent de la ville. Pour certains, la journée a été chanceuse : ils ont travaillé ou ont rencontré un parent qui a partagé avec eux ses quelques sous. Ceux-ci dîneront : un plat de manioc avec une sauce au paprika relevée, parfois accompagné d'un œuf dur ou d'un morceau de mouton. Une partie du repas revient aux enfants qui fixent avec avidité les hommes avalant morceau après morceau. Ici la moindre bouchée disparaît instantanément, sans laisser de trace. Ici, on mange tout, jusqu'à la dernière miette. Personne ne fait de provisions. D'ailleurs, où les mettre ? Où les enfermer ? Ici, on vit dans l'immédiat, au jour le jour. Chaque journée est un obstacle difficile à vaincre. L'imagination ne peut aller au-delà. On ne fait pas de plans. On ne rêve pas.

Celui qui **a un** shilling va au bar. Les bars ici sont légion, dans les petites rues, aux croisements, sur les places. Parfois ce sont des locaux misérables, avec des murs en tôle ondulée, des rideaux de percale en guise de portes. Pourtant on a l'impression d'entrer à Lunapark, d'être invité à un festin coloré. Une vieille radio diffuse de la musique, sous le plafond brille une ampoule rouge. Sur les murs sont affichés des photos d'actrices de cinéma découpées dans des journaux. Derrière le comptoir se tient d'ordinaire une imposante et grosse *madame*, la propriétaire. Elle vend la seule boisson que l'on puisse consommer dans ce genre de bar, une bière maison. Cela peut être une bière à base de banane, de maïs, d'ananas ou de palmier. En général chaque patronne est spécialisée dans la préparation d'une bière. Un verre de ce breuvage a trois vertus : a) il contient de l'alcool, b) il étanche la soif, c) comme au fond du verre la solution est dense et épaisse, il constitue pour celui qui a le ventre creux un succédané d'aliment. C'est pourquoi celui qui dans la journée n'a gagné qu'un shilling ira à coup sûr le dépenser au bar.

Dans ma ruelle, on ne s'installe jamais pour longtemps. Les gens qui la hantent sont des nomades de la ville, des voyageurs éternels errant dans le labyrinthe chaotique et poussiéreux des rues. Ils déguerpissent aussi vite qu'ils sont apparus, sans laisser de traces, car ils n'ont strictement rien. Ils vont plus loin, attirés par le mirage d'un emploi, effrayés par une épidémie venant de se déclarer dans la ruelle ou chassés par les propriétaires des cases et des vérandas à qui ils ne peuvent payer le loyer de leur place. Tout dans leur vie est provisoire, mouvant et précaire, existe sans exister. Et quand quelque chose existe, pour combien de temps ? Cette incertitude permanente fait que les hommes de ma ruelle se sentent toujours menacés, sont constamment effrayés. Ayant abandonné la misère de leur campagne, ils ont fait le voyage jusqu'à la ville avec l'espoir d'y vivre mieux. Celui qui y a retrouvé un cousin peut compter sur son soutien, sur un coup de pouce. Mais beaucoup de ces villageois d'hier n'ont trouvé aucun proche, aucun membre de leur tribu. Souvent ils ne comprennent même pas la langue qu'ils entendent dans la rue, ils ne savent pas demander le moindre renseignement. L'univers de la ville les engloutit. Le lendemain de leur arrivée, il ne sont plus capables d'en sortir.

Ils commencent par se construire un toit, un petit coin, une place à eux. Comme ces migrants n'ont pas d'argent, puisqu'ils sont justement partis en ville pour en gagner — le village traditionnel africain ignore la notion de l'argent —, ils ne peuvent se réfugier que dans les bidonvilles. L'architecture de ces quartiers est invraisemblable. Le plus souvent, les autorités de la ville affectent aux pauvres les terrains les plus mauvais : des marécages, ou bien des terres nues et sablonneuses. C'est là qu'on installe la première cabane. À côté d'elle vient s'élever une deuxième. Puis une troisième. Spontanément surgit une rue. Quand cette rue en rencontre une autre, cela forme un croisement. Puis ces rues commencent à se séparer, tourner, se ramifier. C'est ainsi que naît un quartier. Mais comment se procurent-ils les matériaux ? C'est le grand mystère. En creusant le sol ? En décrochant les nuages ? En tout cas il est sûr et certain que cette foule de miséreux n'achète rien. Sur la tête, sur les épaules, sous le bras, ils transportent des morceaux de tôle, de planches, de contreplaqué, de plastique, de carton, de carrosserie, de cageot, puis ils assemblent, montent, clouent, collent ces pièces en un ensemble qui tient de la cabane ou de la hutte et forme un collage multicolore improvisé. En guise de couche, ils tapissent la terre d'herbe à éléphant, de feuilles de bananiers, de rafia ou de paille de riz, car souvent le sol est bourbeux ou pierreux. Faites de bric et de broc, ces architectures monstrueuses en papier mâché sont infiniment plus créatives, imaginatives, inventives et fantaisistes que les quartiers de Manhattan ou de La Défense à Paris. La ville entière tient sans une brique, sans une poutre métallique, sans un mètre carré de verre !

À l'instar des happenings, des œuvres éphémères, ces bidonvilles ont la vie brève. Ils disparaissent dès qu'ils prennent trop d'ampleur ou que la municipalité décide de construire autre chose à leur place. J'ai un jour assisté à la démolition d'un bidonville situé non loin de ma ruelle. Il s'étendait sur les bords de l'île. Ayant estimé que c'était inadmissible, le gouvernement militaire a envoyé un beau matin des camions avec la police. Aussitôt les gens se sont attroupés. Les policiers se sont rués dans le bidonville et en ont chassé les habitants. Il y a eu des cris, du tintamarre. Là-dessus des bulldozers énormes, jaune vif, ont débarqué. En un instant, des nuages de fumée et de poussière se sont élevés : les engins se sont avancés et ont démoli rue après rue, laissant derrière eux une terre écrasée et déserte. Les réfugiés ont envahi ma ruelle. Elle a grouillé de monde pendant quelque temps et la chaleur est devenue encore plus suffocante.

J'ai eu un jour la visite d'un homme d'âge moyen en djellaba blanche. Il s'appelait Souleïman et était originaire du nord du Nigeria. Il avait récemment travaillé chez un Italien comme gardien de nuit. Il connaissait la ruelle et ses environs. Il était réservé, ne voulait pas s'asseoir en ma présence. Il m'a demandé si je n'avais pas besoin d'un gardien de nuit puisque justement il venait de perdre son job. Je lui ai dit que non, mais comme il m'a fait une bonne impression, je lui ai donné cinq livres. Quelques jours plus tard, il est revenu. Cette fois, il s'est assis. Je lui ai préparé du thé. Nous avons commencé à discuter. Je lui ai confié que j'étais constamment cambriolé. Souleïman a reconnu que c'était un phénomène tout à fait normal. Le vol permet, de manière regrettable certes, de niveler les inégalités. C'est bien qu'ils me volent, a-t-il affirmé, c'est même un geste amical de leur part. Par ce biais, il me font savoir que je leur suis utile et qu'ils m'acceptent. Au fond, je peux me sentir en sécurité. Est-ce qu'il m'est déjà arrivé de me sentir en danger ici ? J'ai avoué que non. Justement ! Je serai en sécurité tant que je me laisserai cambrioler sans chercher à faire punir le coupable. Mais si je préviens la police et qu'on le poursuit, j'ai intérêt à quitter les lieux.

Il est revenu au bout d'une semaine. Je lui ai offert du thé, puis il m'a dit d'un ton mystérieux qu'il m'emmènerait au « Jankara Market » et que nous y achèterions ce qu'il me faut. « Jankara Market » est un marché où les sorcières, les herboristes, les cartomanciens et les exorcistes vendent toutes sortes d'amulettes, de talismans, de baguettes et de médicaments miraculeux. Souleïman allait d'étal en étal, regardait, demandait. Finalement il m'a fait acheter à une femme un bouquet de plumes de coq blanches. C'était cher, mais je me suis laissé faire.

Nous sommes revenus dans ma ruelle. Souleïman a posé les plumes à plat, les a attachées avec un fil et les a accrochées sur le haut du chambranle de ma porte.

À partir de ce jour-là, je n'ai plus jamais été cambriolé.

Salim

Soudain j'aperçois dans la nuit deux pupilles étincelantes. Elles sont lointaines et se déplacent par saccades, comme si elles appartenaient à une bête qui s'agite dans une cage la nuit. Je suis assis sur une pierre, à la lisière de l'oasis de Ouadane, dans le Sahara, en Mauritanie, au nord-est de Nouakchott. Depuis une semaine, j'essaie en vain de quitter les lieux. S'il est difficile de se rendre à Ouadane, il est encore plus difficile d'en repartir. Aucun chemin en terre battue, aucun moyen de transport régulier n'y mène. Une fois par semaine ou une fois par mois, un camion y passe et si le chauffeur vous prend, vous partez, s'il ne vous prend pas, vous restez bloqué là à attendre l'occasion suivante, qui se représentera Dieu seul sait quand.

Les Mauritaniens assis à côté de moi se sont mis à remuer, sans doute en réaction au froid de la nuit qui tombe brusquement et, après la fournaise de la journée, vous transperce douloureusement. Point de pelisse ni de couverture pour se protéger. Immobiles comme des statues, ils sont emmitouflés dans de vieilles housses déchirées.

À proximité, un tuyau noir émerge du sol. À son extrémité est fixé un mécanisme de pompe à piston rongé par la rouille et le sel, la seule station d'essence de la région. Si un véhicule passe par là, il doit obligatoirement s'y arrêter. C'est l'unique attraction de l'oasis. D'ordinaire les journées s'écoulent uniformes et immuables, semblables à la monotonie du climat du désert : toujours le même soleil qui brille, un soleil de feu, solitaire dans un ciel sans vie et sans nuages.

Apercevant les lumières encore lointaines, les Mauritaniens échangent quelques remarques. Je ne comprends pas un mot de leur langue. Peut-être disent-ils : « Ouf ! Enfin ! Enfin quelqu'un ! On n'a pas attendu pour rien ! »

Les longues journées passées à patienter et à observer le désert figé et immobile sont enfin récompensées. Depuis longtemps, aucune forme mobile, aucun être vivant n'est venu distraire l'homme pour l'arracher à la torpeur et au désespoir de l'attente. Le passage d'un camion (les voitures particulières sont trop fragiles pour traverser ces régions) ne change pourtant rien à la vie de ces gens. Généralement le véhicule s'arrête pour repartir aussitôt. Mais ce bref arrêt est pour eux infiniment utile et important : il rompt la monotonie de leur vie, leur fournit pour les semaines à venir un sujet de conversation, et surtout il est la preuve matérielle de l'existence d'un autre monde, la confirmation réconfortante que ce monde sait qu'ils vivent ici puisqu'il leur envoie son messager mécanique.

Peut-être leur discussion porte-t-elle toujours sur le même thème : « Arrivera ? N'arrivera pas ? » Voyager dans ce coin du Sahara est en effet une aventure risquée, une loterie permanente, une constante inconnue. Sur ces routes impraticables, jonchées de brèches, de trous, de failles, de pierres, de rochers, de dunes de sable, de moraines, de bancs de gravier glissant, un véhicule se déplace à la vitesse de l'escargot, quelques kilomètres à l'heure. Chaque roue du camion a sa propre force de transmission et chacune, mètre après mètre, soit en tournant, soit en s'arrêtant dans les accidents du terrain et les dépressions en étage, cherche individuellement à agripper le terrain. Seule la conjonction de ces efforts et de ces luttes acharnées sous le vrombissement lancinant d'un moteur poussif et surchauffé, ajoutée au balancement périlleux de la plate-forme, permet au camion d'avancer.

Mais les Mauritaniens savent aussi que le camion peut tomber en panne aux portes de l'oasis. Cela arrive quand la tempête recouvre la piste de monticules de sable. Alors, soit les hommes réussissent à déblayer le sable, soit le chauffeur trouve une déviation, soit il rentre à la base. Il faudra alors attendre qu'une nouvelle tempête déplace les dunes et déblaie la voie.

Cette fois-ci, les pupilles électriques sont de plus en plus proches. Leur lueur éclaire les cimes des dattiers cachés dans les ténèbres, les murs écorchés des cases, les chèvres et les brebis qui somnolent sur le bord de la route. Pour finir, un énorme Berliet pile devant nous dans un tintamarre de ferraille et un panache de poussière. Les Berliet sont des camions français adaptés aux pistes du désert. Ils ont de hautes roues avec de larges pneus, et de leur capot dépasse un filtre à air fixé en hauteur. Les dimensions et la forme bombée du filtre font que de loin ces camions rappellent l'avant d'une vieille locomotive à vapeur.

Le chauffeur, un Mauritanien noir aux pieds nus, vêtu d'une djellaba indigo qui lui tombe jusqu'aux chevilles, descend de la cabine par une petite échelle. Comme la plupart de ses compatriotes, il est grand et charpenté. Les hommes et les animaux qui ont un corps massif supportent mieux la chaleur tropicale. Aussi les habitants du Sahara ont-ils généralement un physique impressionnant. Ici aussi prévaut la loi de la sélection naturelle : dans les rudes conditions du désert, seuls les plus forts atteignent l'âge adulte.

Le chauffeur est aussitôt entouré par les Mauritaniens dans une cacophonie de salutations, de compliments, de questions et de souhaits. Cela n'en finit plus. C'est à qui criera le plus fort. Tous agitent les bras dans tous les sens comme s'ils participaient à des enchères sur un marché bruyant. Ils me montrent du doigt. Je fais pitié à voir : sale, mal rasé et surtout exténué par les chaleurs cauchemardesques de l'été saharien. Un Français expérimenté m'avait pourtant prévenu : « C'est comme si on te donnait des coups de poignard dans le dos, dans la tête. À midi, les rayons du soleil cognent aussi dur qu'un couteau. »

Le chauffeur me regarde sans un mot, puis, montrant le camion de la main, donne son accord d'un cri : « *Jalla !* » (« En route ! Monte ! ») Je grimpe dans la cabine et claque la portière. Nous démarrons aussitôt.

Je ne sais pas où nous allons. Dans la lumière des phares, on ne voit défiler que du sable, toujours le même, qui scintille de mille reflets, broché de bancs de gravier et d'éclats de roches. Les roues rebondissent sans cesse sur des barrières de granit, s'enfoncent dans des brèches ou des crevasses rocheuses. Dans la nuit noire et profonde, on ne voit que deux taches lumineuses qui glissent à la surface du désert, deux ronds brillants, nettement encadrés. C'est tout.

Je commence à me demander si nous n'avançons pas à l'aveuglette, droit devant nous, car on ne voit nulle part de points d'orientation, de panneaux de signalisation, de piquets ou autres traces de route. J'essaie de sonder le Mauritanien. Montrant la nuit devant nous, je lui demande : « Nouakchott ? »

Il me regarde et éclate de rire : « Nouakchott ? » dit-il d'un air rêveur comme si j'évoquais les merveilleux mais inaccessibles jardins de Sémiramis. J'en déduis que nous n'allons pas dans la direction que je souhaite. Je ne sais pas comment lui demander où nous nous dirigeons précisément. J'ai très envie d'établir le contact avec lui, de faire sa connaissance : « Ryszard », dis-je en me montrant. Puis je le montre du doigt. Il comprend. « Salim », répond-il et de nouveau il éclate de rire. Silence. Nous devons nous trouver sur une surface lisse du désert, car le Berliet roule sans à-coups et à une allure plus rapide (j'ignore à quelle vitesse car aucun cadran du véhicule ne fonctionne). Nous avançons sans rien nous dire, puis je finis par m'endormir.

Je suis réveillé par un brusque silence. Le moteur s'est arrêté et le camion s'est immobilisé. Salim appuie sur la pédale en tournant la clé de contact. L'accumulateur fonctionne, le démarreur aussi, mais le moteur ne répond pas. Le jour s'est levé, il fait déjà clair. Le Mauritanien cherche dans la cabine la manette d'ouverture du capot. Cela m'étonne, me paraît même suspect : comment un chauffeur peut-il ne pas être capable d'ouvrir le capot de son véhicule ? Il finit par comprendre qu'il s'ouvre à l'aide de manettes se trouvant à l'extérieur. Hissé sur une aile, il examine le moteur, mais il semble contempler son architecture alambiquée comme s'il la voyait pour la première fois de sa vie. Il touche quelque chose, essaie de remuer autre chose, tout cela d'une manière très peu professionnelle. Il tourne la clé de contact, mais le moteur reste silencieux comme une tombe. Il trouve la boîte à outils, en sort un marteau, quelques clés et tournevis. Puis il commence à démonter le moteur.

Je sors de la cabine. Autour de nous, le désert s'étend à perte de vue. Du sable jonché de pierres sombres. Tout près, un roc planté dans le sol, ovale, noir. À midi, quand le soleil dardera ses rayons brûlants, il transformera la terre en haut fourneau. Un paysage lunaire, fermé par la ligne d'horizon droite et parfaitement régulière, tout au bout de la terre. Au-delà, il y a le ciel, rien que le ciel. Pas une montagne, pas une dune, pas une feuille. Et, évidemment, pas d'eau. L'eau ! C'est ce qui vient immédiatement à l'esprit dans ce genre de situation. Car dans le désert, la première chose que l'homme voit en ouvrant les yeux le matin, c'est le visage enflammé de son ennemi, le soleil. Cette vue éveille aussitôt son instinct de conservation : chercher de l'eau. Boire ! Boire ! C'est le seul moyen d'augmenter un tant soit peu ses chances de survie dans cette lutte immémoriale contre le désert, dans ce duel éperdu contre le soleil.

Je décide de me mettre en quête d'eau, car je n'ai rien emporté avec moi, ni eau, ni nourriture. Dans la cabine, je ne trouve rien. Je finis par trouver mon bonheur : deux outres d'eau attachées avec des ficelles de part et d'autre des ridelles, en dessous du camion. Ce sont des peaux de chèvre mal tannées qu'on a cousues en gardant la forme de l'animal. Une patte de la chèvre sert de bec verseur.

Ouf ! Mais mon soulagement ne dure pas, car je me mets à compter. Sans eau, on peut survivre vingt-quatre heures, quarante-huit au grand maximum. Le calcul est simple : dans le désert, l'homme peut perdre en une journée près de dix litres de sueur. Or pour vivre, il doit boire la même quantité d'eau. Sinon il souffre aussitôt de la soif. Sous les tropiques brûlants et secs, la soif, la vraie, celle qui s'éternise, est une sensation lancinante et destructrice, plus difficile à supporter que la faim. Au bout de quelques heures, l'homme devient somnolent et mou, il s'affaiblit, perd le sens de l'orientation. Au lieu de parler, il bredouille, de plus en plus indistinctement. Le soir même ou le lendemain, il est en proie à une poussée de température puis il ne tarde pas à mourir.

J'en conclus que si Salim ne partage pas l'eau avec moi, je mourrai le jour même. À supposer qu'il me donne un peu de son eau, nous tiendrons un jour de plus. Autrement dit, nous mourrons demain, au plus tard après-demain.

Essayant de brider le cours de mes pensées, je décide d'observer les faits et gestes du Mauritanien. Barbouillé de cambouis, en nage, Salim démonte le moteur, tourne des boulons, enlève des conduites. Il exécute toutes ces opérations sans ordre ni logique, comme un enfant qui casse avec colère un joujou qui ne marche pas. Les ailes du camion, les pare-chocs sont parsemés de ressorts, de soupapes, de joints et de fils de fer, certaines pièces sont même tombées sur le sol. Je le laisse et je m'en vais à l'autre bout de camion, du côté où il y a encore de l'ombre. Je m'assieds par terre, le dos contre une roue.

Salim.

Je ne sais rien de cet homme qui tient mon destin entre ses mains, du moins pour aujourd'hui. Si Salim me chasse loin du camion et de l'eau (il a un marteau à la main, dans la poche un couteau, et en plus il a sur moi un avantage physique incontestable), s'il me donne l'ordre de partir dans le fin fond du désert, je ne passerai pas la nuit. Cette éventualité me semble tout à fait plausible, car mon départ lui permettrait de rallonger sa propre vie ou même de la sauver s'il trouve du secours à temps.

Visiblement Salim n'est pas un chauffeur professionnel. Il ne connaît pas la région non plus. Peut-on d'ailleurs connaître le désert quand on sait que les orages et les tempêtes changent constamment son paysage, déplaçant des montagnes de sable et changeant à leur gré les signes d'orientation ? Bref, il est fréquent ici qu'un homme un tant soit peu argenté loue les services d'un plus pauvre que lui pour se faire remplacer. Il va de soi que le chauffeur de ce camion a loué les services de Salim afin que celui-ci conduise à sa place le véhicule jusqu'à une oasis. Mais ici l'homme ne reconnaît jamais son ignorance ou son incompétence. Si on s'approche d'un chauffeur de taxi, qu'on lui montre une adresse et qu'on lui demande s'il connaît cet endroit, il répondra illico que oui. Puis il commencera à tourner en rond dans toute la ville, car bien sûr il n'a aucune idée du lieu où il doit se rendre.

Le soleil monte de plus en plus haut. La mer immobile et pétrifiée du désert absorbe ses rayons, sa chaleur devient incandescente. L'heure approche où tout se transforme en enfer, la terre, le ciel et nous-mêmes. Selon les croyances des Yoroubas, l'homme qui est quitté par son ombre est voué à la mort. Or en ce moment toutes les ombres commencent à se recroqueviller, à se rétrécir, à pâlir. Elles disparaissent. On est tout près du moment effroyable de la mi-journée où les hommes et les objets n'ont plus d'ombre, où ils existent sans exister, où ils ne sont plus qu'un blanc luminescent, incandescent.

Pensant que cette heure a sonné, je vois soudain devant moi un paysage complètement différent. L'horizon mort, immobile, écrasé par le poids de la chaleur, figé, désert pour l'éternité, s'anime tout d'un coup et verdit. À perte de vue je vois des palmiers hauts et superbes, des palmeraies entières plantées sur toute la ligne de l'horizon, touffues, continues. Je vois aussi des lacs, oui, des lacs immenses, des lacs tout bleus dont la surface vit et ondule. Il y a aussi des arbustes magnifiques, branchus, au feuillage vert frais, exubérant, plein de sève et de force. Et, comme voilé par une brume légère, ce paysage vibre, chatoie, palpite constamment, vaporeux et insaisissable. L'atmosphère, là tout près et au loin à l'horizon, baigne dans un silence imperturbable. Le vent ne souffle pas et dans les bosquets pas un oiseau ne chante.

— Salim ! m'écrié-je. Salim !

Une tête surgit de derrière les ailes du capot ouvert. Il me regarde.

« Salim ! » répété-je en lui montrant de la main les palmiers et les lacs, ce fastueux jardin en plein désert, ce paradis au cœur du Sahara.

Salim jette un regard dans la direction que je lui montre, sans réaction. Mon visage sale, inondé de sueur, doit exprimer l'étonnement, la folie et l'exaltation, mais aussi quelque chose qui manifestement l'inquiète. Il s'approche du camion, détache une outre, boit une gorgée et me donne le reste sans dire un mot. Je m'empare de la poche en peau rêche et me mets à boire. J'ai la tête qui tourne. Pour ne pas tomber, je m'appuie à la carrosserie du Berliet. Je bois, la bouche collée à la patte de chèvre, le regard fixé sur l'horizon. Mais à mesure que je sens ma soif s'apaiser, que ma folie se calme, le paysage verdoyant disparaît de ma vue. Ses teintes deviennent plus ternes, plus pâles, ses formes s'amenuisent et s'effacent. Une fois que j'ai complètement vidé la gourde, l'horizon est redevenu plat, vide et mort. L'eau du Sahara, répugnante, chaude, sale, lourde de sable et de crasse, m'a prolongé la vie en m'ôtant la vue du paradis. Mais le plus important, c'est que Salim m'a donné à boire. Je n'ai plus peur de lui. Je me sens en sécurité, du moins jusqu'au moment où il ne nous restera plus qu'une gorgée.

Nous passons la deuxième partie de la journée couchés sous le camion, dans son ombre chétive et fauve. Salim et moi sommes les seuls êtres vivants dans cet univers prisonnier d'horizons ardents. Je fixe des yeux la terre que j'ai à portée de main, les pierres toutes proches. Je cherche une créature, quelque chose qui vibre, bouge, rampe. Je me souviens que dans une région du Sahara vit un petit coléoptère que les Touaregs appellent *ngubi*. Quand il fait très chaud, le ngubi souffre de la soif. Malheureusement il n'y a d'eau nulle part, autour de lui il n'y a que du sable brûlant. Aussi, pour se désaltérer, le scarabée choisit un petit monticule, une petite ride de sable inclinée, et il se met à l'escalader laborieusement. C'est un effort énorme, un véritable travail de Sisyphe, car le sable incandescent et friable se dérobe sans cesse sous ses pattes, refoulant le scarabée en bas, au point de départ de son chemin de croix. Très vite le petit coléoptère se met à transpirer. Une grosse goutte d'eau gonfle à l'extrémité de son abdomen. Alors il interrompt son ascension, se met en boule et plonge ses mandibules dans cette goutte d'eau.
Il boit.

Dans un sac en papier, Salim a quelques biscuits. Nous buvons une deuxième outre. Il nous en reste donc deux. Je m'apprête à écrire quelques mots. Je sais que parfois les hommes écrivent dans ces moments extrêmes. Je suis sans force. À vrai dire je n'ai mal nulle part. Je sens seulement un vide croissant, un vide qui en engendre un autre.

J'aperçois soudain dans les ténèbres deux pupilles lumineuses. Elles sont lointaines et se déplacent par saccades. Puis j'entends un bruit de moteur qui s'approche, je distingue un camion, j'entends des voix parlant dans une langue incompréhensible.

— Salim ! dis-je.

Quelques visages sombres, semblables au sien, se penchent au-dessus de ma tête.

Lalibela, 1975

L'Éthiopie centrale est un vaste haut plateau coupé de nombreuses ravines et vallées. Pendant la période des pluies, ces failles profondes servent de lit à d'impétueux torrents. Pendant les mois de l'été, une partie d'entre eux sèche et disparaît, découvrant un fond sec et craquelé au-dessus duquel le vent soulève des nuages noirs de boue desséchée. Ce haut plateau est dominé çà et là par des montagnes de trois mille mètres d'altitude qui ne ressemblent pourtant pas aux crêtes enneigées des Alpes, des Andes ou des Carpates. Ce sont des montagnes en pierre décomposée, couleur de bronze ou de cuivre, se terminant par un sommet plat et lisse qui pourrait servir d'aéroport naturel. En les survolant, on y aperçoit des cabanes, des huttes en argile, sans eau ni électricité. On ne peut s'empêcher de se demander comment les hommes y vivent, et de quoi. Pourquoi sont-ils là ? À midi, la terre doit atteindre la température du métal en fusion, elle doit brûler les pieds, transformer tout en cendre. Qui les a condamnés à ce bannissement cauchemardesque, juste au-dessous des cieux ? Pourquoi ? Pour quels péchés ? Je n'ai jamais eu l'occasion de grimper jusqu'à ces hameaux isolés. Personne non plus, sur le haut plateau, n'a su me parler de ces gens. Visiblement leur existence est ignorée. Ces miséreux végètent sur leurs hauteurs, en marge de l'humanité, ils sont nés à l'insu du monde et disparaissent sans doute fugitivement, comme des créatures inconnues, anonymes. La vie de ceux qui vivent au pied de ces montagnes n'est toutefois guère plus facile ni meilleure.

— Va à Wollo, me dit Teferi, va à Haragwe. Ici tu ne verras rien. Là-bas tu verras tout.

Nous sommes assis sous la véranda de sa maison à Addis-Abeba. Devant nous s'étend un jardin clôturé par un mur élevé. Autour d'une fontaine qui murmure doucement poussent des bougainvilliers parfumés et exubérants, des forsythias jaune vif. Les lieux qu'a évoqués Teferi se trouvent à quelques centaines de kilomètres d'ici. Dans ces provinces les gens meurent littéralement de faim. Là, sous cette véranda — de la cuisine parvient une délicieuse odeur de viande rôtie —, on ne peut pas imaginer ce que cela signifie. Comment du reste concevoir l'expression « mourir en masse » ? L'homme meurt seul, le moment de sa mort est le moment le plus solitaire de son existence. « Mourir en masse », cela veut dire que l'homme meurt dans la solitude, mais en même temps que lui meurt un autre homme, dans la solitude également, et encore un autre, toujours dans la solitude. En dépit du contexte et le plus souvent de sa volonté, chaque individu vit une mort unique et personnelle dans la solitude, tout en se trouvant à côté de milliers d'autres mourant en même temps que lui.

On est au milieu des années soixante-dix. L'Afrique vient d'entrer dans ses deux décennies les plus sombres. Guerres civiles, révoltes, coups d'État, massacres et en même temps famine dont sont victimes des millions d'habitants du Sahel (en Afrique occidentale) et d'Afrique orientale (Soudan, Tchad, Éthiopie et Somalie). Tels sont les symptômes de la crise. Les années cinquante et soixante pleines de promesses et d'espoir, pendant lesquelles la plupart des pays du continent se sont libérés du joug colonial et ont entamé une vie étatique indépendante, sont révolues. Dans le domaine des sciences politiques et économiques, le monde est dominé par l'idée que la liberté apportera automatiquement le bien-être, que la liberté immédiate, instantanée changera la misère passée en pays de Cocagne. C'est du moins ce que prétendent les grands sages de ces années-là. Apparemment il n'y a

aucune raison de ne pas les croire, d'autant que leurs pro-
phéties sont fort séduisantes !

Mais il en a été autrement. Les nouveaux États de
l'Afrique sont devenus le théâtre de luttes acharnées pour
le pouvoir où tout a été mis à profit : conflits tribaux et
ethniques, force armée, tentatives de corruption, menaces
d'assassinat. En même temps ces États n'ont pas été en
mesure d'assumer leur fonctions fondamentales. Tout cela
s'est passé dans le contexte de la guerre froide que l'Est
comme l'Ouest ont transférée sur le terrain de l'Afrique.
L'une des caractéristiques de cette guerre, c'est qu'elle a
royalement ignoré les problèmes et les affaires des pays
faibles et dépendants, gérant ces derniers exclusivement
en fonction de ses propres intérêts. Là-dessus s'est greffé
le complexe de supériorité et l'arrogance traditionnels et
ethnocentriques des Européens à l'égard des cultures et
des sociétés non blanches. D'ailleurs à l'époque, chaque
fois que je revenais d'Afrique, on ne me demandait
pas « Comment vivent les Tanzaniens en Tanzanie ? »
mais : « Comment vivent les Russes en Tanzanie ? » Au
lieu de me poser des questions sur les Libériens du Liberia, on me demandait : « Et les Américains au Liberia ? »
Il y a pire encore : le voyageur allemand H. Ch. Buch m'a
raconté, plein d'amertume, qu'à son retour d'une expédition meurtrière dans une société perdue d'Océanie il s'en-
tendait toujours poser la même question : « Et qu'est-ce
que tu mangeais là-bas ? » Rien n'est plus préjudiciable
aux Africains que cette manière de les traiter comme des
objets, des instruments. Pour eux, c'est la pire des humi-
liations, des dégradations. Une gifle.

Teferi est propriétaire d'une entreprise de transport. Il
a quelques camions, des Bedford usés, déglingués avec
lesquels il transporte du coton, du café et des peaux.
Comme ces véhicules vont à Wollo et à Haragwe, il
accepte que l'un de ses chauffeurs m'embarque. C'est
pour moi une occasion unique, car on ne peut s'y rendre
ni en autocar ni en avion.

Les routes en Éthiopie sont pénibles et souvent dangereuses. Pendant la saison sèche, le camion dérape sur le

gravier de l'étroit ruban creusé dans la paroi montagneuse et abrupte, bordant un précipice de quelques centaines de mètres de profondeur. Pendant la saison des pluies, les routes de montagne sont impraticables. Traversant des plaines, elles se transforment en marécages fangeux dans lesquels on peut s'enliser pour quelques jours.

En été, après quelques heures de route sur le haut plateau, l'homme est noir de poussière. Au bout d'une journée de voyage, la chaleur et la sueur aidant, on est couvert d'une épaisse carapace de crasse. C'est une poussière composée de particules microscopiques, une espèce de crachin dense et chaud qui s'infiltre dans les vêtements et s'introduit dans toutes les cellules du corps. Il est difficile de s'en débarrasser. La vue en souffre beaucoup. Les chauffeurs de ces camions ont constamment les yeux gonflés et rouges, ils sont constamment sujets à des maux de tête et deviennent aveugles très tôt.

On ne peut voyager que de jour. Du crépuscule à l'aube, des bandes, appelées ici *shifta*, sévissent sur les routes. Une shifta, c'est un groupe de jeunes bandits qui font la loi jusqu'à ce qu'ils soient pris. Autrefois on les pendait sur le bord de la route, aujourd'hui on leur règle leur compte de manière moins spectaculaire, progrès oblige. C'est littéralement un combat pour la vie et la mort, car si la shifta abandonne ses victimes dans un lieu sans hommes et sans eau, les malheureux mourront de soif. Aussi à la sortie des villes se tiennent des postes de police. Le factionnaire regarde sa montre ou le soleil et évalue si le voyageur a le temps d'atteindre la ville ou le poste suivants avant le crépuscule. S'il considère que non, il lui fait faire demi-tour.

Je suis donc embarqué dans un camion que Teferi expédie vers le nord, dans la province de Wollo, près de Dese et de Lalibela, pour un chargement de peaux. Cela a-t-il un sens de compter le nombre de kilomètres ? Ici les distances se mesurent en heures et en jours nécessaires pour aller d'un point à un autre. Par exemple de Dese à Lalibela il y a cent vingt kilomètres, mais le voyage prend huit heures — à condition d'avoir une bonne Land Rover, ce qui est peu probable.

Je vais voyager un jour ou deux, si ce n'est plus. Ici on ne sait jamais. Les camions généralement tout rouillés et déglingués tombent sans cesse en panne sur ces routes qui n'en sont pas vraiment, dans cette poussière et cette chaleur. Pour les pièces de rechange il faut retourner à Addis-Abeba. C'est pourquoi la route est toujours incertaine : on part, d'accord ! Mais quand arrivera-t-on (si on arrive) ? Quand reviendra-t-on (si on revient) ? Ce sont des points d'interrogation que le voyageur se pose constamment.

La région que nous traversons est dévastée par la sécheresse depuis longtemps. Le bétail crève par manque de pâturages et d'eau. Les nomades vendent pour trois sous des peaux dépouillées sur des squelettes de vaches. Avec cet argent, ils survivent un certain temps. Puis, s'ils n'arrivent pas à temps dans un camp d'aide internationale, ils périssent sans laisser de trace dans ce désert de feu.

À l'aube nous quittons la ville, les bois d'eucalyptus vert pâle qui l'entourent, les stations d'essence du bord de route et les postes de police. Nous nous retrouvons sur le haut plateau noyé dans le soleil, sur une route asphaltée sur les cent premiers kilomètres. Le véhicule est conduit par Sahlu, un chauffeur de confiance, calme, comme me l'a dit Teferi. Sahlu est silencieux et sérieux. Pour réchauffer l'atmosphère, je lui touche le bras, et quand il se tourne vers moi, je souris. Sahlu me jette des coups d'œil et sourit aussi, sincèrement mais timidement, avec l'air de se demander si ces sourires mutuels ne créent pas entre nous une égalité déplacée.

Plus nous nous éloignons de la ville, plus le pays est dépeuplé et mort. Çà et là, des enfants conduisent quelques vaches efflanquées, des femmes courbées en deux portent avec peine des tas de branches sèches sur leurs épaules. Les cabanes que nous voyons en passant semblent vides. Sur les seuils nous n'apercevons personne, aucun être vivant, aucune vie. Le décor est statique, toujours le même, planté une fois pour toutes.

Deux hommes surgissent sur la route. Ils ont dans les mains des armes automatiques. Ils sont jeunes et forts. Sahlu devient gris. Son visage se pétrifie, ses yeux expriment la frayeur. Il arrête son camion. Les deux hommes montent sans un mot sur la plate-forme et de la main donnent quelques coups sur le toit de la cabine pour ordonner le départ. Je suis assis, le dos rond, essayant de ne pas montrer que je meurs de peur. Je jette un coup d'œil à Sahlu, il est crispé sur le volant, l'air sombre, effrayé. Nous roulons pendant une heure peut-être. Il ne se passe rien. Le soleil tape, la cabine est noire de poussière. Les deux hommes donnent quelques coups sur le toit de la cabine. Sahlu arrête docilement son véhicule. Ils sautent à terre sans un mot et disparaissent dans les champs.

L'après-midi, nous passons par une petite ville du nom de Debre Sina. Sahlu gare son véhicule sur le bas-côté. Aussitôt nous sommes entourés par un groupe de gens. Déguenillés, amaigris, nu-pieds. Beaucoup de jeunes garçons, beaucoup d'enfants. Immédiatement un policier se faufile jusqu'à nous. Il porte un uniforme noir tout déchiré, sa veste est fermée par un seul bouton. Il connaît un peu d'anglais et d'emblée nous dit : « *Take everything with you. Everything! They are all thieves here!* » Et il montre du doigt les enfants, l'un après l'autre, en respectant l'ordre dans lequel ils nous entourent : « *This is thief! This is thief!* » Je suis du regard le doigt du policier qui se déplace dans le sens des aiguilles d'une montre en faisant une pause sur chaque nouveau visage : « *This is thief!* » continue le policier, et quand arrive le tour d'un grand garçon magnifique, sa main se met à trembler et il nous lance une dernière mise en garde : « *This is very big thief, sir!* »

Les enfants nous regardent avec curiosité. Ils sourient. Je ne lis sur leur visage ni méchanceté, ni cynisme, je les sens plutôt gênés et même humiliés. « *I have to live with them, sir* », poursuit le policier d'un ton plaintif. Et comme s'il cherchait à tout prix une compensation à son maudit destin, il me tend la main en disant : « *Can you help me, sir?* », tout en ajoutant, comme pour mieux justifier sa demande : « *We are all poor heer, sir.* » Et d'un geste de la

main, il montre tour à tour sa propre personne, les petits
voleurs, les cabanes bancales de Debre Sina, la route
pitoyable, l'horizon.

Nous nous enfonçons dans la petite ville jusqu'au
marché. Sur la place se dressent un étalage avec de
l'orge, plus loin du millet et des haricots, plus loin
encore de la viande de mouton, ou encore de l'oignon,
des tomates et des paprikas rouges. Là-bas c'est du pain
et du fromage de brebis, du sucre et du café ; puis des
boîtes de sardines, et ailleurs des biscuits et des gaufres.
On trouve de tout. Mais le marché, qui est généralement
un lieu bondé, animé et bruyant, est ici silencieux.
Immobiles, les marchandes n'ont rien d'autre à faire que
chasser paresseusement les mouches importunes. Il y a
des mouches partout. Formant des nuages denses et
noirs, elles tourbillonnent avec nervosité, rage et fureur.
Pour échapper à ces insectes qui nous assaillent, nous
nous engageons dans des ruelles latérales et abou-
tissons dans un autre univers à l'abandon, à l'agonie.
Par terre, dans la crasse et la poussière, gisent des
hommes décharnés. Ce sont des habitants des villages
environnants. La sécheresse les a privés d'eau et le soleil
a brûlé leurs cultures. Ils sont venus dans cette petite
ville avec l'ultime espoir de trouver une gorgée d'eau
et une bouchée de nourriture. Affaiblis et incapables du
moindre effort, ils meurent de faim, de la mort la plus
calme et la plus soumise. Ils ont les yeux à moitié
fermés, des yeux sans vie, sans expression. Je ne sais
pas s'ils voient quelque chose, s'ils regardent quelque
chose. Tout près de l'endroit où je me tiens, gisent
deux femmes. Leurs corps hâves sont secoués par les
tremblements de la malaria. Les vibrations de ces corps
sont la seule chose qui bouge dans cette rue.
Je tire le chauffeur par la manche : « Allons-y ! » dis-je.
Faisant demi-tour, nous repassons par le marché avec ses
sacs de farine, ses quartiers de viande et ses bouteilles
d'eau. La grande famine ne vient pas de la pénurie, c'est
l'œuvre criminelle de ses dirigeants. Il y avait assez à
manger dans le pays, mais quand la sécheresse a sévi, les

prix sont montés en flèche et les paysans pauvres n'ont pas eu les moyens d'acheter de la nourriture. Le gouvernement aurait pu intervenir, il aurait pu alerter l'opinion internationale mais, pour des raisons de prestige, il n'a pas voulu reconnaître que son pays était en proie à la famine et a refusé de recevoir de l'aide. À cette époque, il y a eu en Éthiopie un million de morts. Le premier à avoir caché cette hécatombe a été l'empereur Hailé Sélassié. Puis celui qui l'a privé du trône et de la vie, le colonel Mengistu. Séparés dans la lutte pour le pouvoir, ils étaient unis dans le mensonge.

La route est montagneuse et déserte. Ni véhicules, ni troupeaux. Des squelettes de vaches sur la terre grise réduite en cendres. À l'ombre d'un acacia, des femmes avec des grandes cuves en argile attendent : on ne sait jamais, un camion-citerne pourrait passer par là et le chauffeur apitoyé pourrait s'arrêter un instant et leur ouvrir le robinet.

Dans la soirée nous sommes à Dese. Il reste un jour de route pour arriver à Lalibela. À l'infini, des gorges montagneuses aussi brûlantes que la gueule d'un haut fourneau, désertes, sans hommes et sans végétation. Mais il suffit de s'arrêter pour être assailli par des nuages de mouches. Comme si elles nous attendaient ! Leur bourdonnement est assourdissant, triomphant, victorieux : « Vous voilà ! on vous tient ! » D'où peuvent-elles bien venir ? D'où peut bien venir la vie ?

Enfin Lalibela. Lalibela ou la huitième merveille du monde. Elle mériterait du moins ce titre. Il n'est toutefois pas facile de la contempler. Pendant la période des pluies, elle est inaccessible. Pendant la période sèche, il est tout aussi difficile de s'y rendre, à moins de tomber sur un avion se rendant à cette destination.

De la route on ne voit rien, ou plutôt on aperçoit un village ordinaire. Des enfants accourent à notre rencontre. Chacun supplie de le prendre comme guide, car c'est pour eux la seule chance de gagner un peu d'argent. Mon guide s'appelle Tadesse Mirele, il est écolier. Mais l'école est fermée, tout est fermé, c'est la famine.

Dans le village, les gens continuent de mourir. Tadesse dit qu'il n'a pas mangé depuis plusieurs jours, mais il y a de l'eau, alors il boit de l'eau. Peut-être a-t-il reçu une poignée de grains ? Un morceau de galette ? Oui, avoue-t-il, une poignée de grains. Rien de plus, ajoute-t-il désolé. Et aussitôt il demande : « *Sir !* » Je t'écoute, Tadesse. « *Be my helper, please ! I need a helper !* » Il me regarde et je vois alors qu'il n'a qu'un œil. Un seul œil dans le visage misérable et tourmenté d'un enfant.

Soudain Tadesse me prend par la main. Je crois qu'il veut me demander quelque chose. En fait il me retient de tomber dans le précipice. Le spectacle est en effet stupéfiant : de là où je suis, j'aperçois en bas, à mes pieds, sculptée dans la roche, une église, ou plus exactement un bloc à trois étages taillé dans une énorme montagne, dans son sein. Plus loin, dans la même montagne, invisible de l'extérieur, une autre église est sculptée dans la pierre, puis une autre. Onze églises gigantesques. Ce phénomène architectural a été édifié au XIIe siècle par le roi des Amharas, saint Lalibela. Les Amharas étaient — sont — des chrétiens de rite oriental. Le roi a érigé ces églises au cœur de la montagne afin que les envahisseurs musulmans ne puissent les apercevoir de loin. Même s'ils les avaient vues, ils n'auraient pu les détruire ni même les toucher puisqu'elles faisaient corps avec la montagne. Ce sont les églises de la Vierge-Marie, du Sauveur-du-Monde, de la Sainte-Croix, de Saint-Georges, de Saint-Marc, de Saint-Gabriel. Elles sont toutes reliées entre elles par des tunnels.

« *Look sir !* » me dit Tadesse en me montrant en bas une cour devant l'église du Sauveur-du-Monde. Mais j'ai déjà remarqué la scène. En contrebas, dans une cour et sur des escaliers, grouille une foule d'invalides, de mendiants. Bien que je déteste le mot « grouiller », je ne peux le remplacer par un autre, car il traduit le mieux cette image. Ces gens au fond sont serrés les uns contre les autres, leurs membres amputés, leurs moignons, leurs béquilles entrelacés forment un monstre qui bouge, rampe, lève les bras en l'air comme des tentacules, et là où il n'y a pas de bras, la bête ouvre et tend vers le ciel ses gueules prêtes à recevoir une offrande. Au fur et à mesure que nous passons d'une église à l'autre, la créature entortillée, gémissante, agonisante nous suit en bas en se traînant, perdant l'un après l'autre ses membres devenus soudain immobiles, abandonnés par le reste.

Les pèlerins, qui naguère faisaient l'aumône à ces misérables, ont déserté ce lieu depuis longtemps. Quant aux mendiants, ils n'arrivent plus à en sortir.

« *Have you seen, sir ?* » m'a demandé Tadesse, une fois que nous sommes revenus au village. Il a prononcé cette phrase comme si c'était la seule chose valant la peine d'être vue.

Amin

J'ai naguère pensé écrire un livre sur Amin, car il symbolise l'alliance du crime et de l'absence de culture. Je suis allé de nombreuses fois en Ouganda, j'y ai vu Amin à plusieurs reprises, je possède à son sujet toute une bibliothèque et des montagnes de notes personnelles. C'est le dictateur le plus connu de l'histoire de l'Afrique contemporaine et l'un des plus célèbres du XXᵉ siècle.

Amin est originaire de la petite communauté kakwa dont trois pays se partagent le territoire : le Soudan, l'Ouganda et le Zaïre. Les Kakwas ne savent pas à quel pays ils appartiennent, mais c'est le cadet de leurs soucis : ils sont avant tout préoccupés par la misère et la faim qui accablent en permanence cette région perdue de l'Afrique sans routes ni villes ni lumière ni terres arables. Celui qui est un tant soit peu énergique, malin et chanceux s'en va le plus loin possible de cette région. Toutes les directions ne sont pas bonnes pour autant. Celui qui fuira à l'ouest aura un destin pire encore, car il tombera dans le fin fond de la jungle du Zaïre. Celui qui se dirigera vers le nord commettra aussi une erreur, car il se retrouvera aux portes du Sahara, dans le sable et la pierre. Seule la direction du sud lui offrira des chances : les Kakwas y découvriront les terres fertiles du centre de l'Ouganda, le jardin merveilleux et luxuriant de l'Afrique.

C'est justement dans cette région que se rend la mère d'Amin avec son nouveau-né sur le dos. Elle arrive donc à Jinja, la deuxième ville de l'Ouganda après Kampala. Comme des milliers d'autres à cette époque, des millions aujourd'hui, elle vient à la ville dans l'espoir d'y survivre, d'y trouver un sort meilleur. Elle ne pratique aucun métier, ne connaît personne et n'a pas un sou. Il y a plusieurs manières de gagner sa vie : en trafiquant, en fabriquant de la bière locale, en ouvrant une gargote de rue. La mère d'Amin vit de sa marmite dans laquelle elle prépare le millet, qu'elle vend dans des feuilles de bananier. Son salaire journalier : une portion de millet pour elle et pour son fils.

Venue d'un village pauvre du Nord dans une ville plus riche du Sud, cette femme illustre un phénomène social qui constitue actuellement l'un des plus graves problèmes en Afrique : ayant abandonné leurs villages, des dizaines de millions d'hommes gonflent les villes déjà surpeuplées sans y trouver ni logement ni activité. En Ouganda, on les appelle les *bayaye*. On les remarque tout de suite, car la foule dont ils envahissent les rues ne ressemble pas à celle des villes européennes. En Europe, l'homme dans la rue se dirige en général vers un but précis. La foule a une direction et un rythme, le plus souvent rapide. Dans une ville africaine, seule une partie de la foule se comporte ainsi. L'autre ne va nulle part : elle n'a pas où aller, ni rien à faire. Elle va et vient, passe son temps à l'ombre, baye aux corneilles, somnole. Elle est oisive. Personne ne l'attend. Le plus souvent elle est affamée. Le moindre incident de rue, une querelle, une rixe, la capture d'un voleur, provoque aussitôt le rassemblement de cette foule. Les badauds sont partout, désœuvrés, attendant Dieu sait quoi, vivant de rien.

La principale caractéristique de leur statut, c'est le déracinement. Ils ne reviendront plus au village, ils n'ont pas de place en ville. Ils survivent, végètent. En fait, ce qui distingue leur situation, c'est la précarité, l'incertitude, aussi bien dans leur mode de vie, leur sommeil que leur alimentation. À cause du caractère illusoire et instable de son existence, le bayaye se sent constamment en danger, il est éternellement tenu par la peur. Cette frayeur est encore accrue par son état de réfugié, d'immigré involontaire, originaire d'une autre culture, pratiquant une autre religion, parlant une autre langue. Un étranger, une bouche inutile, un candidat de plus au chômage.

Amin est un bayaye typique.

Il grandit dans les rues de Jinja, petite ville où un bataillon de l'armée coloniale britannique, les *King's African Rifles*, tient garnison. Le modèle de cette armée a été mis au point à la fin du XIXᵉ siècle par le général Lugard, l'un des fondateurs de l'Empire britannique. C'est à lui que l'on doit ces détachements de mercenaires recrutés parmi des tribus étrangères à l'ethnie où ils sont stationnés : des occupants que l'on lance contre la population locale et qui la tiennent d'une poigne de fer. Pour Lugard, l'idéal, ce sont des hommes jeunes et grands recrutés dans des peuples nilotiques soudanais et qui se distinguent par leur ardeur à la guerre, leur endurance et leur cruauté. On les appelle les Nubiens, terme qui en Ouganda suscite une aversion mêlée de frayeur. En revanche les officiers et les sous-officiers de cette armée ont pendant de longues années été des Anglais. Un jour, l'un d'entre eux remarque un jeune Africain costaud, à la carrure herculéenne, rôdant autour de la caserne. C'est Amin. Il est aussitôt enrôlé. Pour des gens comme lui, sans travail et sans avenir, c'est une véritable aubaine. Il a à peine passé quatre ans à l'école élémentaire, mais comme il a la réputation d'être obéissant et qu'il s'empresse de devancer les désirs de ses chefs, il grimpe rapidement les échelons de la hiérarchie. Par ailleurs, champion de boxe d'Ouganda dans la catégorie poids lourds, il est connu dans tout le pays. À l'époque coloniale, l'armée est régulièrement utilisée dans des expéditions punitives, contre les insurgés mau-mau, contre les guerriers du Turkana ou contre le peuple Karamajong. Amin se distingue dans ces opérations : il organise embuscades et attaques, il est sans pitié pour l'adversaire.

Nous sommes dans les années cinquante, l'époque de l'indépendance approche. L'heure de l'africanisation a sonné, dans l'armée comme ailleurs. Or les officiers britanniques et français veulent rester le plus longtemps possible. Pour prouver qu'ils sont irremplaçables, ils font monter en grade des sous-fifres, pas trop malins mais dociles. Du jour au lendemain, ces caporaux et sergents sont promus colonels ou généraux. Bokassa en République centrafricaine, Soglo au Dahomey, Amin en Ouganda en sont des exemples.

Lorsque, à l'automne 1962, l'Ouganda devient un État indépendant, Amin a déjà été nommé général et vice-commandant en chef des armées par les Britanniques. Il analyse la situation. Certes il a un grade et un poste élevés, mais il est d'origine kakwa, une petite communauté qui de surcroît n'est pas considérée comme une ethnie de souche ougandaise. Or la majorité de l'armée compte dans ses rangs des hommes de la tribu langi dont est originaire le Premier ministre Obote, et des hommes de la tribu sœur acholi. Les Languis et les Acholis traitent les Kakwas de haut, les considérant comme des hommes obscurs et attardés. Nous baignons ici dans l'univers paranoïaque et obsessionnel des préjugés, des dégoûts et des aversions ethniques interafricaines. Car le racisme et le chauvinisme, quels qu'ils soient, ne se manifestent pas seulement sur les grandes lignes de front, comme par exemple dans les conflits entre les Blancs et les Noirs. Ils sont également et parfois même plus rudes et plus exacerbés à l'intérieur d'une même race, parmi des hommes ayant la même couleur de peau. La majorité des Blancs ont péri non pas de la main des Noirs, mais de celle des Blancs. Au cours de notre siècle, la majorité des Noirs a péri de la main des Noirs, et non pas de celle des Blancs. L'aveuglement ethnique a entre autres pour conséquence qu'en Ouganda personne ne s'intéressera à la sagesse, la bonté, la bienveillance ou au contraire à la méchanceté et à la perversité de X ou de Y. En revanche, on se demandera s'il vient de la tribu bari, toro, boussoga ou nandi. Il ne sera classifié et apprécié qu'en fonction de son origine.

Pendant les huit premières années de l'indépendance, l'Ouganda est dirigé par Milton Obote, un homme présomptueux, sûr de lui, vaniteux. Lorsque la presse révèle qu'Amin a détourné des fonds, de l'or et de l'ivoire que lui avait confiés la guérilla antimobutiste au Zaïre, Obote convoque Amin, lui demande de rédiger un rapport et, convaincu que rien ne peut le mettre en danger, s'envole à la conférence des Premiers ministres du Commonwealth à Singapour. Amin est parfaitement conscient que le Premier ministre le fera arrêter dès son retour. Aussi lui coupe-t-il l'herbe sous le pied en organisant un coup d'État militaire et en prenant le pouvoir. Théoriquement Obote peut être tranquille : Amin ne représente pas un danger pour lui, ses influences au sein de l'armée sont limitées. Mais Amin et les hommes sur lesquels il compte adoptent dès les premières heures de la nuit du 25 janvier 1971, quand ils occupent la caserne de Kampala, la tactique de la surprise brutale et meurtrière : ils appuient directement sur la gâchette. En se donnant bien sûr pour cible les soldats langis et acholis. L'effet est foudroyant : personne n'a le temps de réagir. Dès le premier jour, des centaines d'hommes tombent dans les casernes. Et le massacre continue. Amin se sert désormais de cette méthode : il tire sans sommation. Pas seulement sur ses ennemis, chose pour lui évidente et simple. Il va plus loin : il liquide ses rivaux potentiels. En outre, la terreur qu'instaure Amin repose sur la torture systématique. Avant de mettre à mort, on met au supplice.

Tout cela se passe dans un pays reculé, dans une petite ville. Les chambres de torture se trouvent dans des bâtiments au centre de la ville. Les fenêtres sont ouvertes, car nous sommes sous les tropiques. Dans la rue, les passants entendent des cris, des gémissements, des coups de feu. Celui qui tombe entre les mains des bourreaux disparaît. Très vite surgit une catégorie qu'on appelle en Amérique latine les *desaparecidos* : ce sont ceux qui disparaissent. On sort de chez soi et on ne revient plus. « *Nani ?* » demandent les policiers si un membre de la famille exige des explications. « *Nani ?* » (en swahili : « Qui ? » — L'homme n'est plus qu'un point d'interrogation).

L'Ouganda devient le théâtre tragique et ensanglanté d'un seul et unique acteur : Amin. Un mois après son coup d'État, Amin se proclame président, puis maréchal, puis maréchal de campagne et enfin maréchal de campagne à vie. Il ne cesse de s'épingler des grades, des médailles et des décorations. Mais il aime aussi porter l'uniforme de campagne ordinaire afin que ses soldats disent qu'il est des leurs. Il choisit sa voiture en fonction de son habit. S'il porte un costume de réception, il roule en Mercedes sombre. S'il est en survêtement, il utilise une Maserati rouge. En uniforme de campagne, il prend une Range Rover militaire qui a l'air de sortir tout droit d'un film de science-fiction : hérissée d'une forêt d'antennes, de fils, de câbles, de réflecteurs, elle croule sous les grenades, les pistolets, les couteaux. Il est armé jusqu'aux dents, car il redoute sans cesse les attentats : il en a été plusieurs fois victime, et tout le monde y a laissé la vie : ses adjudants, ses gardes du corps. Quant à lui, il s'est contenté de rajuster son uniforme après en avoir secoué la poussière. Pour brouiller les pistes, il emprunte des véhicules de fortune. Les passants surprennent alors Amin au volant d'un camion.

Il ne fait confiance à personne. Aussi, dans son proche entourage, nul ne sait où Amin va passer la nuit, où il séjournera le lendemain. Il a plusieurs résidences en ville, sur les rives du lac Victoria, en province. Il est aussi difficile que dangereux de chercher à savoir où il se trouve. C'est lui qui s'adresse à ses subordonnés, lui qui choisit ses interlocuteurs. Pour nombre d'entre eux, la rencontre se termine tragiquement. Si Amin soupçonne une personne, il l'invite chez lui. Il est aimable, cordial, lui offre du Coca-Cola. Quand l'hôte sort, des bourreaux l'attendent. Personne par la suite ne sait ce qui est advenu de lui.

Amin communique généralement avec ses subalternes par téléphone. Il utilise aussi la radio. Lorsqu'il annonce des changements dans le gouvernement ou à des postes militaires — ces remaniements sont constants —, il fait une déclaration sur les ondes.

Il n'y a qu'une station de radio, un seul petit journal, l'*Uganda Argus,* une seule caméra qui filme Amin et un unique reporter qui photographie les cérémonies. Tout est exclusivement centré sur la personne du maréchal. On peut dire en quelque sorte que quand Amin se déplace, il transporte l'État avec lui. En dehors de lui, rien ne se passe, rien n'existe. Il n'y a ni Parlement, ni partis politiques, ni syndicats ou autres organisations. Il n'y a évidemment aucune opposition, tout opposant potentiel étant supplicié et éliminé.

Le soutien d'Amin est l'armée qu'il a créée sur le modèle colonial, le seul qu'il connaisse. Dans sa majorité, elle est constituée d'hommes originaires de petits peuples vivant dans des zones périphériques, sur des territoires frontaliers de l'Ouganda et du Soudan. Ils parlent des langues du Soudan à la différence de la population autochtone qui, elle, parle le bantou. Frustes et sans éducation, ils ne peuvent pas se comprendre. C'est bien là le but du jeu : il faut qu'ils se sentent étrangers, qu'ils soient isolés et n'appartiennent qu'à Amin. Quand ils approchent en camion, c'est la panique générale, les rues se vident, les villages sont désertés. Sauvages, déchaînés et le plus souvent ivres, les soldats pillent ce qu'ils trouvent sur leur chemin et battent ceux qui leur tombent sous la main. Sans aucune raison. Sur les marchés, les vendeurs sont dévalisés, quand ils ont quelque chose à vendre, car les années Amin se caractérisent par la pénurie. Je me souviens avoir été à cette époque à Kampala et, sur les conseils d'un ami, avoir pris avec moi des ampoules, car les hôtels en manquaient. Les soldats confisquent aux paysans leurs récoltes, leur bétail, leur volaille. On les entend sans cesse hurler : « *Chakula ! Chakula !* » (en swahili : « nourriture »). Manger, bouffer : une pièce de viande, un régime de bananes, un plat de haricots. C'est la seule chose qui peut momentanément les calmer.

Amin a l'habitude de visiter les garnisons éparpillées dans tout le pays. Sur la place il réunit ses soldats. Le maréchal fait un discours. Il aime parler pendant des heures. Comme surprise il leur a apporté un notable, civil ou militaire, qu'il soupçonne de trahison, de conspiration ou d'attentat. Attaché avec des cordes, couvert de coups et mort de peur, l'inculpé est placé sur une estrade. Excitée par le spectacle, la foule entre en transe et hurle. « *What shall I do with him ?* » hurle encore plus fort Amin. Et les cohortes de scander : « *Kill him ! Kill him now !* »

L'armée est toujours sur le qui-vive. Amin, qui depuis longtemps s'est gratifié du titre de Vainqueur de l'Empire britannique, a maintenant décidé de libérer ses frères qui languissent sous le joug colonial. Il se lance dans une série de manœuvres laborieuses et onéreuses. L'armée s'entraîne à la libération de la République d'Afrique du Sud. Ses bataillons simulent l'assaut de Pretoria et Johannesburg, l'artillerie canonne les positions de l'ennemi à Port Elizabeth et Durban. Suivant avec des jumelles les opérations de la terrasse de sa villa baptisée « poste de commandement », Amin est agacé par la lenteur du bataillon de Jinja qui aurait dû occuper depuis longtemps Le Cap. Excité et secoué, il prend une voiture et va d'un point de commandement à l'autre, réprimandant les officiers, exhortant les unités à se battre. Les obus tombent dans le lac Victoria, soulevant des colonnes d'eau, effarouchant les pêcheurs.

C'était un homme doué d'une énergie hors du commun, éternellement en action, éternellement en mouvement. S'il lui arrivait, en tant que président, de convoquer une séance du gouvernement, il était incapable de la suivre de bout en bout. Il s'ennuyait vite, se levait et sortait. Il n'avait aucune suite dans les idées, parlait de manière chaotique, ne terminait pas ses phrases. Il lisait l'anglais avec difficulté, connaissait moyennement le swahili. En revanche il maîtrisait bien son dialecte kakwa que peu de gens connaissaient. Ce sont justement tous ces défauts qui l'ont rendu populaire parmi les bayaye : il était comme eux, le sang de leur sang, les os de leurs os.

Amin ne se liait d'amitié avec personne, ne tolérait pas non plus qu'on l'approche pendant trop longtemps : il avait peur que cette connaissance débouche sur l'organisation d'un complot ou d'un attentat. Il remplaçait surtout régulièrement les chefs des deux polices secrètes qu'il avait créées afin de terroriser le pays : la *Public Safety Unit* et le *State Research Bureau*. Ce dernier comptait dans ses rangs des bayaye de peuples soudanais : des Kakwas, des Lugbaras, des Madis et leurs frères, les Nubiens. Le SRB semait la terreur en Ouganda. Sa force reposait sur le fait que chacun de ses membres avait accès à Amin.

Amin a dépouillé, ruiné le pays. Un jour, j'errais dans le marché de Kampala. C'était la disette, de nombreux étalages étaient cassés, abandonnés. Les rues étaient mortes, les magasins — qu'Amin avait auparavant confisqués aux Hindous — sentaient le renfermé ou étaient condamnés avec des planches, du contre-plaqué, une tôle. Une bande de gosses a déboulé d'une rue venant du lac en criant : « *Samaki ! Samaki !* » (en swahili : « Du poisson »). Aussitôt les gens se sont rassemblés, fous de joie d'avoir quelque chose à se mettre sous la dent. Les pêcheurs ont jeté leur proie sur une table et lorsque les gens l'ont vue, ils se sont tus et se sont figés. Le poisson était énorme et gras. Le lac n'avait jamais hébergé des espèces aussi gigantesques. Or tout le monde savait que les sbires d'Amin jetaient dans les eaux du lac les corps de leurs victimes et que les crocodiles et les poissons carnivores s'en nourrissaient. Autour de la table régnait un silence de mort lorsque, tout à fait par hasard, un camion militaire est passé par là. Ayant aperçu l'attroupement et le poisson sur la table, les soldats se sont arrêtés. Ils se sont consultés, puis ont fait marche arrière jusqu'à la table, ont sauté à terre et ouvert le hayon. Nous qui nous tenions tout près du camion, nous avons vu sur le plancher de la plate-forme le cadavre d'un homme. Nous les avons vus traîner le poisson jusqu'à la plate-forme et lancer sur la table un corps sans chaussures. Puis ils sont repartis. Nous avons entendu leur rire grossier, fou.

Le régime d'Amin a duré huit ans. Selon diverses sources, le maréchal à vie aurait assassiné entre 150 000 et 300 000 hommes. Il a ensuite lui-même provoqué sa chute : obsédé par sa haine pour le président de la Tanzanie voisine, Julius Nyerere, Amin a attaqué son pays à la fin de 1978. L'armée tanzanienne a riposté, les troupes de Nyerere sont entrées en Ouganda. Amin a fui en Libye, puis il s'est installé en Arabie Saoudite qui, en l'accueillant, l'a remercié d'avoir contribué à propager l'islam. L'armée d'Amin a été mise en déroute, une partie est rentrée à la maison, une autre s'est livrée au banditisme. Dans cette guerre, les pertes de l'armée tanzanienne se sont élevées à un tank.

L'embuscade

Nous nous dirigeons de Kampala vers le nord de l'Ouganda, vers la frontière soudanaise. La colonne de véhicules est dirigée par une jeep dont la cabine est surmontée d'une mitrailleuse lourde. Puis suit un camion de soldats, derrière encore roulent plusieurs voitures particulières. Le cortège est clos par une camionnette japonaise découverte dans laquelle nous sommes installés. Nous, c'est-à-dire trois journalistes. Cela fait longtemps que je n'ai pas voyagé dans des conditions aussi confortables, protégé par des militaires et une mitrailleuse par-dessus le marché ! Mais, évidemment, cette escorte n'est pas pour moi. Elle encadre une expédition de conciliation : trois ministres du gouvernement de Museveni se rendent chez des rebelles du Nord. Le président Yoweri Museveni, qui est au pouvoir depuis deux ans, c'est-à-dire depuis 1986, vient d'accorder l'amnistie à ceux qui se rendraient et déposeraient les armes. Il s'agit des soldats d'Idi Amin, de Milton Obote et de Tito Okello, les trois dictateurs qui se sont succédé au cours des dernières années et ont fui à l'étranger. Tous les trois ont abandonné leurs armées. Maintenant, chacune d'entre elles pille et assassine à l'envi, incendie les villages et vole le bétail, dévaste et terrorise les provinces du Nord, c'est-à-dire la moitié du pays. Les détachements de Museveni sont trop faibles pour venir à bout des rebelles. Le président a alors lancé un mot d'ordre de réconciliation. Depuis vingt-cinq ans, c'est le premier dirigeant du pays à s'adresser à ses adversaires avec des mots d'entente et de paix.

Dans notre voiture, à part les deux reporters locaux et moi-même, il y a trois soldats. Ils ont une Kalachnikov en

151

bandoulière sur leur épaule nue — comme il fait très chaud, ils ont enlevé leur chemise. Il s'appellent Onom, Semakoula et Konkoti. Le plus âgé, Onom, a dix-sept ans. Il m'arrive de lire que, en Amérique ou en Europe, un enfant a tiré sur un autre enfant, qu'un enfant a tué un enfant de son âge ou un adulte. Ce genre de fait divers suscite généralement l'effroi et l'épouvante. Or en Afrique les enfants tuent les enfants en masse, depuis des années. Sur le continent africain, les guerres contemporaines sont des guerres d'enfants.

Dans les zones où les combats durent depuis des décennies, comme en Angola ou au Soudan, la majorité des adultes a péri depuis longtemps sur les champs de bataille ou a succombé à la faim et aux épidémies. Il ne reste plus que les enfants, et ce sont eux qui font la guerre. Le chaos sanglant qui règne dans différents pays d'Afrique a vu l'apparition de dizaines de milliers d'orphelins affamés et sans domicile. Ils cherchent un adulte susceptible de les nourrir, de leur offrir un asile. Pour ce qui est de la nourriture, le mieux, c'est d'aller là où l'armée prend ses quartiers : les soldats sont en effet généralement nourris. Dans ces pays, les armes ne servent pas seulement à se battre, elles sont aussi un instrument de survie, parfois le seul.

Les enfants abandonnés et solitaires traînent là où se trouve l'armée, ses casernes, ses camps, ses cantonnements. Là ils rendent des services, travaillent et s'intègrent, devenant des « fils du régiment ». Ils se procurent une arme et passent rapidement le baptême du feu. Leurs aînés — qui sont aussi des enfants ! — sont parfois paresseux, et quand un combat éclate, ils envoient ces gosses au front, en première ligne. Ces escarmouches sont particulièrement acharnées et sanglantes, car l'enfant est dénué de tout instinct de conservation, il ne sent pas et ne comprend pas le danger de la mort, ne connaît pas la peur.

Les guerres des enfants se sont aussi développées avec les progrès de la technique. Les armes automatiques manuelles sont aujourd'hui légères et compactes, les nouvelles générations ressemblent de plus en plus à des jouets. Un vieux Mauser était trop grand, trop lourd, trop long pour un enfant. La gâchette était difficile à atteindre pour son bras, la ligne de mire était trop longue pour son œil. Les armes contemporaines résolvent ces problèmes, éliminent ces inconvénients. Leurs proportions conviennent parfaitement à la taille de l'enfant et ont paradoxalement l'air de gadgets entre les mains d'un soldat adulte costaud.

Comme l'enfant ne peut se servir que d'armes manuelles à courte portée — il serait bien incapable de diriger le feu d'une batterie d'artillerie ou de piloter un bombardier —, les escarmouches dans les guerres d'enfants prennent la forme de collisions directes, presque physiques, les gosses se tirent dessus à un pas de distance. La moisson de ces affrontements est généralement effroyable. Car ceux qui sont tués sur place ne sont pas les seules victimes. Vu les conditions dans lesquelles se déroulent ces guerres, les blessés meurent aussi : d'hémorragie, d'infection, par manque de soins.

Après une longue journée de voyage, nous arrivons à la petite ville de Soroti. Nous traversons des villages et des bourgades, pillés de fond en comble. Les soldats ont emporté tout ce qui leur tombait sous la main, non seulement ce que les habitants portaient sur eux, non seulement leurs meubles, leur matériel, leurs outils de travail, leur vaisselle, mais aussi les tuyaux, les câbles, les clous, les fenêtres, les portes et même les toits. Comme des fourmis qui rongent un os sans laisser un gramme de viande, des vagues successives de maraudeurs en fuite se sont acharnées à raser le pays. La ville de Soroti a elle aussi été détruite. La station d'essence est cassée, les pompes volées. Les bancs de l'école ont disparu. Les maisons, pour la plupart, ne sont plus que des squelettes. Certaines toutefois sont intactes. L'hôtel où nous sommes descendus pour la nuit a aussi été épargné. Un groupe de notables, de commerçants, d'instituteurs, de militaires, entouré d'une foule de curieux, nous y attend. Commencent alors les salutations, les tapes amicales et les rires.

Soroti est le chef-lieu d'une région habitée par le magnifique peuple nilo-chamitique, les Iteso. Ils sont plus d'un

million. Ils se divisent en tribus et en clans. Ils vivent surtout de l'élevage des vaches : la vache est leur plus grand
trésor. Non seulement elle est un étalon de richesse, mais
elle possède aussi des vertus mystiques. Son existence, sa
présence relient l'homme à un univers invisible et supérieur. Les Iteso donnent à leurs vaches des noms et croient
que chacune a sa personnalité, son caractère. Quand il
atteint un âge précis, l'enfant iteso a la charge d'une
vache. Au cours d'une cérémonie spéciale, il reçoit son
nom qu'il portera désormais. L'enfant s'amuse avec sa
vache, passe avec elle ses moments de liberté, il en est
responsable.

Parmi les personnes qui nous accueillent se trouve un
ami que j'ai connu dans les années soixante — il était alors
ministre —, Cuthbert Obwanor. Je suis ravi de cette rencontre. Nous nous mettons aussitôt à discuter. Je veux
qu'il me montre la région, car je m'y trouve pour la première fois. Nous allons nous promener. Aussitôt cela pose
un problème. En effet, dès qu'elles voient arriver un
homme, les femmes se mettent sur le côté, s'agenouillent
et attendent qu'il approche. La coutume veut qu'il les
salue. Quant à elles, elles demandent en réponse ce
qu'elles doivent faire pour lui. S'il répond qu'elles ne doivent rien faire, elles attendent qu'il s'en aille, se lèvent et
poursuivent leur route. Assis sur un banc devant la maison de Cuthbert, nous assistons tous deux à cette scène :
des femmes passent, s'approchent de nous, s'agenouillent
et attendent en silence. Occupé à discuter, mon hôte ne
leur prête aucune attention. Imperturbables, elles restent
à genoux. Il finit par les saluer, leur souhaite bon vent.
Alors elles se lèvent et s'éloignent sans dire un mot.
Malgré l'heure tardive, il fait toujours très chaud, l'air est
étouffant, brûlant, lourd. Cachés dans les profondeurs de
la nuit, les grillons stridulent à qui mieux mieux.

À la fin de notre séjour, nous sommes invités par les
autorités locales dans le seul bar ouvert de la ville, le *Club
2000*. À l'étage se trouve un petit salon pour les invités de
marque. On nous installe à une longue table. Des serveuses, jeunes et élancées, entrent. Chacune s'agenouille
devant son hôte en déclinant son nom. Elles sortent, puis

rapportent une grande cruche en argile fumante contenant une bière locale chaude, la *marva*, fabriquée à partir de grains de millet. La marva se boit en aspirant la boisson au moyen d'un long roseau creux appelé « épi ». Le roseau circule d'un invité à l'autre. Chacun aspire plusieurs fois et passe le roseau à son voisin. Les serveuses rajoutent de l'eau ou une nouvelle portion de marva dans la cruche : le degré d'ivresse des convives varie en fonction de la teneur en alcool du breuvage et de la vitesse de rotation de l'épi. Or la région de Siroti est l'une des zones les plus infestées par le sida. Chaque fois qu'il aspire avec le roseau, l'homme fait ses adieux à la vie, à cette époque on croit encore que le virus HIV se transmet par la salive. Mais que faire ? Refuser ? Un tel comportement serait ressenti comme une insulte, une marque de mépris.

Le matin, avant de reprendre la route, nous recevons la visite de deux missionnaires hollandais, Albert et Johan. Exténués, recouverts de poussière, ils ont à tout prix voulu venir à Siroti pour « voir des hommes du grand monde ». Pour eux qui vivent dans ce coin perdu depuis plus de dix ans, Kampala est devenue le symbole de la civilisation. Ils ne vont pas en Europe, car ils ne veulent pas abandonner leur église et les bâtiments de la mission (ils habitent à la frontière soudanaise). Ils ont peur de ne retrouver à leur retour que des murs nus ou incendiés. Le territoire dont ils ont la charge est occupé par l'immense et brûlante savane, sèche en été, verte pendant la période des pluies. Cette vaste province située au nord-est de l'Ouganda est habitée par le peuple karamajong, objet de fascination pour la plupart des ethnologues. Les habitants de Kampala parlent de leurs frères de race de Karamajong — c'est à la fois le nom d'un lieu, d'un peuple et d'un individu — à contrecœur et avec une certaine honte. Les Karamajongs vivent nus et perpétuent cette coutume, considérant que le corps humain est beau — ils sont effectivement magnifiquement bâtis, grands et élancés. Mais cet acharnement à refuser le vêtement trouve une autre justification : tous les Européens qui jadis arrivaient sur leur territoire tombaient aussitôt malades et mouraient.

Les Karamajongs en conclurent que les vêtements engendraient des maladies, que s'habiller revenait à se condamner à mort. Or le suicide étant le péché le plus grave dans leur religion, ils ont une peur panique du vêtement. Amin, qui considérait que la nudité compromettait la réputation des Africains, publia un décret leur ordonnant de porter des habits. Ceux qui étaient pris sur le fait étaient fusillés séance tenante par l'armée. Effrayés, les Karamajongs dégotaient un morceau de tissu, une chemise ou un pantalon, en faisaient un balluchon qu'ils portaient toujours avec eux. Dès qu'ils apprenaient que l'armée était dans les parages ou qu'un agent du gouvernement tournait dans le coin, ils s'habillaient, et le danger passé, se déshabillaient à nouveau avec soulagement.

Les Karamajongs sont des éleveurs de vaches et ils se nourrissent essentiellement de leur lait. Parents des Iteso, ils considèrent également les vaches comme leur plus grand trésor et comme des créatures mystiques. Ils croient que Dieu leur a donné toutes les vaches du monde et que leur mission historique consiste à les récupérer. C'est dans ce but qu'ils organisent en permanence des expéditions armées contre les peuplades voisines. Ces incursions (en anglais, *cattle-raiding*) tiennent de la rapine, de la mission patriotique et du devoir religieux. Pour obtenir le statut d'homme, les jeunes doivent prendre part à un *cattle-raiding*. Ces raids sont le thème central des légendes, récits et mythes familiaux. Ils ont leurs héros, leur histoire, leur mystique.

Le missionnaire Albert nous raconte ces expéditions. Les Karamajongs marchent à la queue leu leu, d'un pas régulier, en rang serré. Ils empruntent les sentiers de guerre qu'ils connaissent bien. Chaque détachement compte de deux à trois cents hommes. Ils chantent des chansons ou poussent des cris réguliers. Des éclaireurs leur ont préalablement indiqué l'endroit où paissent les troupeaux de vaches appartenant à une autre tribu. Leur objectif est d'enlever ces troupeaux. Lorsqu'ils arrivent au but, la bataille s'engage. Guerriers bien formés et intrépides, les Karamajongs sont généralement vainqueurs et emportent leur butin.

— Autrefois ces colonnes étaient armées de piques et d'arcs, poursuit le missionnaire Albert. Quand on en venait aux mains, il y avait quelques morts, les vaincus quant à eux se rendaient ou fuyaient. La différence, c'est qu'aujourd'hui ces colonnes d'hommes nus sont armées jusqu'aux dents de mitraillettes. Elles ouvrent le feu tout de suite, massacrent la population environnante, détruisent à coups de grenades leurs villages, sèment la mort. Les conflits ethniques ancestraux existent toujours, mais ils entraînent aujourd'hui un nombre de victimes bien plus important. La civilisation moderne n'a rien apporté ici, ni l'électricité, ni le téléphone, ni la télévision. La seule chose qu'elle ait introduite, ce sont les armes automatiques, conclut-il.

Je demande au missionnaire en quoi consiste leur travail, quels sont leurs problèmes.

— C'est un terrain très difficile, m'avoue le missionnaire Johan. Ces hommes nous demandent combien nous avons de dieux dans notre religion et si nous avons un dieu spécial pour les vaches. Nous leur expliquons que Dieu est un. Cette réponse les déçoit. « Notre religion est meilleure, disent-ils, nous avons un dieu spécial qui protège les vaches. » Les vaches sont ce qu'il y a de plus important !

Nous nous mettons en route vers le nord avant midi. Notre voiture ferme toujours le cortège. Nous avons à peine parcouru quelques kilomètres que j'entends une explosion, des coups de feu, puis des cris terrifiants. Nous nous trouvons sur une piste en latérite étroite, pleine de trous et d'ornières, qui serpente entre deux murs d'herbe à éléphant hauts de deux mètres.

Manifestement nous sommes tombés dans un guet-apens.

Recroquevillés dans la voiture, nous ne savons pas comment réagir. Rester à l'intérieur ? Sortir d'un bond ?

En Afrique, l'embuscade est la forme de combat la plus utilisée. Pour ceux qui l'organisent, elle présente de nombreux avantages. Les traqueurs profitent surtout de l'effet de surprise : les gens qui voyagent ne peuvent pas rester constamment vigilants et réceptifs. Sous ce climat, sur ces routes, ils se fatiguent vite et finissent par s'endormir. Deuxièmement, ceux qui tendent le piège sont invisibles pour ceux qui approchent, et donc à l'abri de tout danger. Troisièmement, outre la victoire sur l'ennemi, l'embuscade permet de remporter un butin précieux : des voitures, des uniformes, des vivres, des armes. Elle est aussi commode, car elle permet d'éviter les longues marches et les regroupements rapides que la chaleur, la faim et la soif — état permanent dans lequel vivent les rebelles et les soldats — rendent si pénibles. Un groupe d'hommes armés peut s'installer confortablement dans la brousse et lézarder jusqu'au moment où la victime lui tombe entre les mains.

Il existe deux tactiques différentes : la première s'appelle en anglais *hit and run* (« cogne et décampe »). Celle-ci offre à la victime surprise une chance de reprendre ses esprits et d'engager le combat. La seconde, *hit and hit*, (« cogne et cogne », c'est-à-dire « tire et achève »), qui se solde généralement par un carnage.

Finalement nous bondissons de la voiture et courons vers l'avant de la colonne. Nos agresseurs envoient une roquette sur le camion. Un soldat gît sans vie sur la plateforme, deux autres sont blessés. Le pare-brise est en morceaux, de la manche de l'uniforme de l'un des convoyeurs coule du sang. Il règne une pagaille indescriptible, les hommes courent le long de la colonne, dans tous les sens, affolés. Personne n'a idée de ce qui peut se passer dans un instant, dans une seconde. Nos agresseurs sont peut-être tout proches, embusqués dans les herbes hautes de deux mètres, à nous regarder courir avec hystérie, à nous viser comme des lapins. Nous ne savons pas à qui nous avons affaire ni ce qui nous attend. Instinctivement je scrute les herbes pour essayer d'y apercevoir un canon dirigé contre nous.

Le camion fait marche arrière en direction de Soroti, car le chemin est si étroit qu'il est impossible de faire demi-tour. Pour finir nos officiers décident d'abandonner les véhicules, et de suivre lentement les soldats qui, prêts à tirer, ouvrent la colonne.

Perspective de fête

J'ai fini par convaincre Godwin, un journaliste de Kampala, de m'emmener dans son village natal situé à une cinquantaine de kilomètres de la capitale. La moitié du trajet se fait par une grande route se dirigeant vers l'est, vers le Kenya, et longe le lac Victoria. Toute la vie du pays est concentrée sur cette route bordée par endroits de magasins, de bars, de petits hôtels ouverts jour et nuit. Généralement il y a beaucoup de monde et de bruit. Même à midi, la vie ne s'arrête pas. Sous les vérandas, les auvents ou les parasols, penchés sur leur machine, des tailleurs, des couturiers réparent chaussures et sandales, des coiffeurs tondent et peignent, des femmes écrasent le manioc pendant des heures, d'autres font griller des bananes ou vendent des poissons séchés, des papayes juteuses ou des savons maison à base de cendre et de graisse de mouton. Tous les dix kilomètres environ se trouve un atelier de réparation de voitures ou de vélos, une entreprise de vulcanisation ou un point de vente de carburant — en fonction de la conjoncture, cela peut être une pompe à essence ou tout simplement une table sur laquelle des bouteilles ou des bidons d'essence attendent le client.

Il suffit d'arrêter la voiture pour être aussitôt entouré par une nuée d'enfants et de vendeuses qui vous proposent tout ce dont peut avoir besoin un voyageur : du Coca-Cola, de la gnôle maison appelée *varagui*, des biscuits, des biscottes (en paquets ou à l'unité), du riz cuisiné, des galettes de *sorgho* (une variété de millet). Ces vendeuses sont en concurrence avec leurs camarades qui se tiennent plus loin et ne peuvent quitter leurs étalages, car les voleurs sont légion.

Cette route est aussi un lieu de diversité et de tolérance œcuménique. Nous venons par exemple de passer devant une mosquée fastueuse dont la construction a été financée par l'Arabie Saoudite, puis devant une église nettement plus modeste, enfin devant quelques tentes d'Adventistes du Septième Jour qui voyagent à travers le continent pour annoncer la fin du monde. Quant à l'édifice surmonté d'un toit conique en paille de riz, c'est le temple du dieu suprême des Gandas, Katondy.

En parcourant ces routes, nous sommes régulièrement arrêtés par un barrage — cela peut être un bout de câble ou de ficelle — tenu par la police ou l'armée. Le comportement de ces hommes est révélateur de la situation qui prévaut dans le pays, même si nous sommes loin de la capitale et que nous n'écoutons pas la radio (les journaux ne parviennent pas jusqu'ici, quant à la télévision, il n'y en a pas). Si les soldats ou les policiers crient et cognent d'emblée, cela veut dire que le pays est aux mains d'une dictature ou qu'il y a la guerre. Si en revanche ils s'approchent, sourient, tendent la main en disant aimablement : « Vous devez savoir que nous gagnons très peu d'argent », cela signifie que nous traversons un pays stabilisé, un pays démocratique où se déroulent des élections libres et où les droits de l'homme sont respectés.

Les seigneurs de ces routes, chemins et pistes sont les chauffeurs de camion. Les voitures particulières sont trop fragiles pour résister aux ornières et aux trous. La moitié tomberait en panne tout de suite — surtout pendant la période des pluies — et beaucoup ne s'en remettraient pas. Le camion en revanche peut aller presque partout. Il a un moteur puissant, des pneus larges, et une suspension aussi solide que celle du pont de Brooklyn. Conscients du trésor qu'ils possèdent, les routiers en tirent leur force. Parmi la foule qui hante le bord de la route, on les reconnaît tout de suite à leur démarche. Ils se comportent comme des rois. À l'arrêt, ils ne daignent généralement pas descendre des hauteurs de leur siège puisque de toute façon on leur apporte tout. Dès que leur camion stoppe, il est aussitôt assailli par une foule de gens épuisés, implorants, qui cherchent à se rendre quelque part mais n'en ont pas les moyens. Ces malheureux bivouaquent sur le bas-côté de la route en comptant sur une occasion, sur un camionneur qui, moyennant finances, les prendra avec lui. Personne ne mise sur leur pitié. Les routiers ignorent ce sentiment. Le long de la route qu'ils sillonnent, des femmes chargées de balluchons marchent en file indienne sous le feu des tropiques. Si un chauffeur éprouvait un brin de pitié et voulait les aider, il serait obligé de s'arrêter sans cesse et ne parviendrait jamais à destination. C'est pourquoi les relations entre les routiers et ces femmes sont d'une froideur absolue : ils ne se voient pas et se croisent dans l'indifférence.

Comme Godwin travaille jusqu'au soir, nous ne pouvons assister au spectacle qu'offre cette route pendant la journée — toutes les routes sortant de la capitale sont d'ailleurs semblables. Nous partons de nuit, à une heure où l'ambiance est différente.

Tout est plongé dans l'obscurité la plus profonde. On ne voit que les raies lumineuses formées par les petites flammes vacillantes et fragiles des lampes et des bougies posées sur les étalages de part et d'autre de la route. Souvent il n'y a même pas d'étalage ni de stand. Les marchandises ou plutôt la camelote est posée à même le sol devant les vendeurs, dans un assemblage insolite : une petite pyramide de tomates et un tube de dentifrice, des produits contre les moustiques et un paquet de cigarettes, des paquets d'allumettes et une petite boîte de thé en métal. Godwin dit qu'au temps de la dictature il valait mieux camper dehors à la lumière d'une bougie que rester dans des lieux bien éclairés. En voyant approcher l'armée, on éteignait aussitôt la bougie et on disparaissait dans les ténèbres. L'armée n'avait pas le temps d'arriver qu'il n'y avait plus personne. Une bougie, c'est commode parce qu'on voit tout sans être vu, alors que dans un lieu éclairé, c'est le contraire, et donc plus dangereux.

Au bout de la grand-route, nous avons pris un chemin de campagne accidenté. À la lumière des phares, on ne voyait qu'un tunnel étroit entre deux murs de verdure épaisse, dense, compacte. C'est l'Afrique des tropiques humides, exubérante, luxuriante, en bourgeonnement, en reproduction, en fermentation perpétuels. Ce tunnel plein de replis et de sinuosités, ce labyrinthe entortillé et chaotique débouche finalement sur le mur d'une maison. C'est la fin du chemin. Godwin coupe le moteur. Dehors on n'entend pas un bruit. Il est si tard que même les grillons sont silencieux, et il n'y a manifestement pas de chiens dans les parages. Seuls les moustiques sont actifs, mauvais et impatients comme s'ils n'en pouvaient plus de nous attendre. Godwin frappe à la porte. Elle s'ouvre, laissant échapper une douzaine de gosses aux yeux ensommeillés, à moitié nus. Derrière eux apparaît une femme grande, sérieuse, aux mouvements dignes et solennels, la mère de Godwin. Après les salutations rituelles, elle emmène tous les enfants dans une chambre, et nous installe dans une autre après avoir déployé des nattes sur le sol.

Le matin je jette un coup d'œil par la fenêtre. J'ai l'impression de me trouver dans un immense jardin tropical. La maison est noyée dans une verdure embrouillée. Des palmiers, des bananiers et des caféiers poussent pêle-mêle. Souverains, de hautes herbes et des arbustes grimpants envahissent la courette avec une telle vigueur que l'homme semble y être de trop. Bien que Godwin m'ait dit que nous allions au village, je ne vois nulle part de chemin, à part celui que nous avons emprunté pour arriver jusqu'ici, ni même de maison. Dans cette région de l'Afrique où la végétation est extrêmement dense, les maisons sont éparpillées sur un vaste espace et à une distance respectable l'une de l'autre. Elles ne sont reliées entre elles que par des sentiers noyés dans une verdure éternelle et invisibles à l'œil peu exercé. Il faut habiter le village ou bien le connaître pour s'orienter dans la topographie de ces sentiers, leur parcours et leurs correspondances.

Je vais avec des enfants chercher de l'eau. C'est en effet leur travail. À environ deux cents mètres de la maison, obstrué de bardanes et de joncs, coule un petit ruisseau au débit très faible dans lequel les enfants ont toutes les peines à remplir leurs seaux. Ils les transportent ensuite sur leur tête en veillant à ne pas faire tomber une goutte d'eau. Ils marchent concentrés, essayant de garder l'équilibre de leur petit corps frêle.

L'un des seaux est destiné à la toilette matinale. On se lave le visage, mais de manière à ne pas gaspiller une goutte : on puise une poignée, puis on l'étale sur le visage, soigneusement et pas trop énergiquement afin que l'eau ne coule pas entre les doigts. Pas besoin de serviette de toilette, car dès le matin le soleil tape et le visage sèche vite. Ensuite chacun arrache un rameau à un arbuste et en mâche l'extrémité. Cela finit par donner un pinceau en bois avec lequel on se brosse longuement et soigneusement les dents. Certains mâchent leur rameau pendant des heures, comme ils mâcheraient un chewing-gum.

Comme c'est doublement fête — on est dimanche et des invités sont arrivés de la ville —, la maman de Godwin prépare le petit déjeuner. Normalement, au village, on mange une seule fois par jour, le soir. Pendant la période sèche, on ne mange qu'une fois tous les deux jours, car on souffre moins de la faim. Au petit déjeuner, il y a du thé et un morceau de galette de farine de maïs, avec un plat de *matoke* (une bouillie de bananes vertes). Les enfants se comportent comme des oisillons dans leur nid : le bec ouvert, ils scrutent avidement le plat de matoke, et quand la maman leur donne l'autorisation de manger, ils avalent tout en une seconde.

Nous passons notre temps dans la cour. Un objet attire mon attention : une dalle rectangulaire en plein milieu, la tombe des ancêtres, le *masiro*. En Afrique, les coutumes funéraires sont très variées. Certains peuples vivant dans la forêt vierge abandonnent leurs défunts aux bêtes sauvages dans la brousse. D'autres enterrent les corps dans des endroits spéciaux, des cimetières simples, sans ornements. Il y a aussi des peuples qui les inhument sous le sol de la maison où ils habitent. Le plus souvent toutefois, on les enterre à proximité du foyer, dans la cour, dans le jardin, l'essentiel étant de les avoir à proximité, de sentir leur présence réconfortante. La croyance dans l'esprit des ancêtres, leur force protectrice, leur attention, leur aide sont vivaces et réconfortantes. Le fait de les avoir près de soi sécurise. Quand on est désemparé, ils sont toujours de bon conseil et surtout ils retiennent de faire un faux pas, de prendre une mauvaise voie. Ainsi chaque foyer a deux dimensions : l'une visible, palpable, l'autre cachée, secrète, sacrée. L'homme, quant à lui, tâche de visiter régulièrement la maison de ses ancêtres afin d'y reprendre des forces et de raffermir son identité.

Dans la cour, en plus de la tombe familiale, il y a la cuisine. C'est un renfoncement dans le sol entouré de trois murets en argile au fond duquel trois pierres noircies forment un triangle. On y pose la marmite, on y fait brûler du charbon de bois. Une installation rudimentaire et préhistorique, mais néanmoins efficace.

Comme il est encore tôt et que la chaleur est relativement supportable, Godwin décide de rendre visite à ses voisins et me demande de l'accompagner. Les gens vivent ici dans des petites maisons en argile toutes simples, couvertes d'un toit en tôle ondulée qui à midi chauffe comme un four. En guise de fenêtres, des ouvertures dans les murs. Quant aux portes, généralement en contreplaqué ou en tôle, bringuebalantes, sans chambranle, elles sont plus symboliques qu'utiles, car elles n'ont ni poignée ni serrure.

Le citadin est perçu comme un grand seigneur, un Crésus, un lord. Bien que la ville soit relativement proche, elle fait partie d'un autre univers, d'un monde meilleur, d'une planète opulente. Les deux parties le savent parfaitement. L'homme de la ville est donc conscient qu'il ne peut venir au village les mains vides. C'est pourquoi les préparatifs lui coûtent beaucoup de temps et d'argent. A l'occasion du moindre achat, il se justifie : « Il faut que j'emporte ça au village. » Il parcourt les rues, examine la marchandise, réfléchit : « Voilà un bon cadeau pour le village. »

Des cadeaux, toujours des cadeaux. C'est une culture où l'on offre sans cesse des présents. Mais comme cette fois-ci Godwin n'a pas eu le temps de faire des achats, il laisse à ses voisins des rouleaux de shillings ougandais qu'il leur glisse discrètement dans la poche.

Tout d'abord nous avons rendu visite à Stone Singewenda et à son épouse Victa. Âgé de vingt-six ans, Stone est parfois embauché sur des chantiers, mais pour le moment il est sans emploi. C'est Victa qui travaille : elle cultive un lopin de manioc dont vit toute la famille. Tous les ans, Victa met un enfant au monde. Comme ils sont mariés depuis quatre ans, ils ont quatre enfants et un cinquième est en route. Ici la coutume veut que l'on régale l'hôte, mais Victa et Stone ne nous proposent rien, car ils n'ont rien à offrir.

C'est différent chez Simon, leur voisin, qui d'emblée pose devant nous une petite assiette de cacahuètes. Simon, lui, est un homme aisé : il a un vélo et donc un travail. Simon, c'est le « *bicycle trader* ». Dans le pays, les grandes routes sont rares. Les camions aussi. Or des millions de gens vivent dans des villages inaccessibles par la route et donc inaccessibles aux camions. Ces gens sont les plus lésés, les plus pauvres. Ils vivent loin du marché, trop loin pour y transporter sur leur tête quelques bulbes de manioc ou d'ignames, un régime de matoke (les bananes vertes) ou un sac de sorgho, autrement dit les légumes, fruits et céréales de leur région. Ne pouvant les vendre, ils n'ont pas d'argent. Ils ne peuvent donc rien acheter. C'est le cercle vicieux de la pauvreté. Or voilà qu'arrive Simon avec son vélo équipé d'une multitude d'accessoires bricolés : des porte-bagages, des sacoches, des tendeurs, des béquilles. Sa bicyclette sert plus à transporter qu'à se déplacer. Ainsi, pour une somme modique, car nous baignons dans une économie de bouts de chandelles, Simon — et des gens comme lui, il y en a des milliers ici — transporte pour les femmes (car ce sont elles qui s'occupent du commerce de détail) les produits au marché. Simon explique que plus on est loin de la grand-route, d'un camion et du marché, plus la misère est grande. Le pire, c'est quand les paysans habitent au fin fond de la brousse. « Comment voulez-vous que les Européens, qui ne fréquentent que nos villes et n'empruntent que les grandes routes, se fassent une image de l'Afrique ? » fait remarquer Simon.

L'un des voisins de Simon s'appelle Apollo, un homme d'un âge indéterminé, maigre et taciturne. Debout devant sa maison, il repasse sa chemise sur une planche. Il a un fer à charbon de bois, énorme, archaïque, tout rouillé. Sa chemise est encore plus antique. Pour la décrire, il faudrait utiliser la langue excentrique des critiques d'art, des postmodernistes, des spécialistes du suprématisme, du *visual art* ou de l'expressionnisme abstrait. Car c'est un chef-d'œuvre du patchwork, de l'informel, du collage et du *pop art*, une performance de l'imagination. Fruit du travail laborieux des tailleurs que nous avons croisés sur la route de Kampala, cette chemise a été tellement rapiécée, rafistolée avec des bouts et des chutes de tissus de couleurs et de textures différentes qu'il est impossible d'en deviner la couleur et l'étoffe originelles, de s'imaginer le prototype se trouvant à l'origine de ce long processus de transformations et d'avatars, dont le résultat se trouve maintenant devant Apollo, sur sa table à repasser.

Les Bagandas sont des gens très soucieux de leur propreté et de leurs vêtements. Contrairement à leurs compatriotes Karamajongs qui dédaignent les habits et considèrent que seule la nudité est belle, les Bagandas s'habillent avec méticulosité, se couvrant les bras jusqu'aux poignets et les jambes jusqu'aux chevilles.

Apollo dit que maintenant les choses vont bien, car la guerre civile est terminée, mais qu'elles vont mal, car les prix du café ont chuté (nous sommes dans les années quatre-vingt-dix). Or ils cultivent le café, ils en vivent. Personne ne veut en acheter, personne ne vient en chercher. Le café pourrit, les caféiers deviennent sauvages, et eux restent sans le sou. Il soupire en passant son fer avec précaution entre les rapiéçages et les coutures, tel un navigateur pilotant son navire entre des récifs perfides.

Nous sommes là à discuter, quand, d'un fourré de bananiers, surgit une vache poursuivie par quelques villageois affolés. Le cortège est fermé par un vieillard tout voûté, Lule Kabbogozza. En 1942, Lule a fait la guerre en Birmanie. Il en parle comme de l'unique événement de sa vie.

Depuis il habite au village. Actuellement il vit dans la misère comme tout le monde : « *What I eat ?* se demande-t-il à lui-même. *Cassava. Day and night cassava.* » Mais il a un tempérament serein. Avec un sourire il montre la vache du doigt et m'explique : au début de chaque année, il réunit quelques familles, fait une collecte d'argent et achète à la foire une vache. La vache paît au village où l'herbe est abondante. Quand arrivent les fêtes de Noël, la bête est égorgée. À cette occasion, les familles se réunissent. Tout le monde veille à ce que le partage soit équitable. Une grosse quantité de sang est offerte aux ancêtres : le sang de vache, c'est l'offrande la plus précieuse. Le reste est aussitôt rôti et préparé. C'est la seule et unique fois dans l'année que le village mange de la viande. Puis on achète une autre vache, pour la fête de l'année suivante.

Si je repasse dans le coin, je suis le bienvenu. Il y aura de la *pombe* (une bière de bananes), de la varagui (l'eau-de-vie maison), et de la viande à volonté !

Conférence sur le Rwanda

Mesdames et Messieurs,

Le thème de notre conférence est le Rwanda. Le Rwanda est un petit pays, si petit que sur la plupart des cartes que vous trouverez dans les livres sur l'Afrique, il n'est signalé que par un point. Seule la légende vous indiquera que ce point au cœur du continent représente le Rwanda. Alors que le relief de l'Afrique se caractérise plutôt par des plaines et des hauts plateaux, celui du Rwanda est constitué de montagnes dont l'altitude atteint deux à trois mille mètres, voire plus. Aussi le Rwanda est-il souvent appelé le Tibet de l'Afrique, non seulement à cause de son relief mais également de son originalité, sa particularité, sa différence. Car cette singularité concerne aussi la société. Si la population des États africains est généralement multitribale — le Congo est habité par trois cents tribus, le Nigeria par deux cent cinquante, etc. —, celle du Rwanda n'est constituée que d'une seule tribu, les Banyaruandas, qui se divisent traditionnellement en trois castes : la caste des propriétaires de bétail, les Tutsis (14 % de la population), la caste des agriculteurs, les Hutus (85 %) et la caste des ouvriers et des domestiques, les Twas (1 %). Ce système de castes (qui présente certaines analogies avec celui prévalant en Inde) a été formé il y a des siècles. La question n'a toujours pas été tranchée de savoir s'il remontait au XIIe siècle ou seulement au XVe siècle, car il n'existe sur le sujet aucune source écrite. Tout ce que l'on sait, c'est que depuis des siècles existe ici un royaume gouverné par la monarchie mwami issue de la caste tutsi.

Prisonnier des montagnes, ce royaume n'entretient

aucune relation avec l'extérieur. Les Banyaruandas n'organisent pas de conquêtes. À l'instar des Japonais autrefois, ils n'admettent pas d'étrangers sur leur territoire. C'est la raison pour laquelle ils n'ont jamais connu le cauchemar des autres peuples africains, le trafic d'esclaves. Le premier Européen à pénétrer au Rwanda, en 1894, est un voyageur et officier allemand, le comte G. A. von Götzen. Il convient d'ajouter que huit ans auparavant, lors du partage de l'Afrique à la Conférence de Berlin, les puissances coloniales attribuent le Rwanda aux Allemands sans qu'aucun Rwandais, le roi y compris, en soit informé. Des années durant, les Banyaruandas vivent donc colonisés à leur insu. Les Allemands ne manifestent pas d'intérêt pour cette colonie, et à l'issue de la Première Guerre mondiale ils la perdent au profit de la Belgique. Pendant longtemps, les Belges ne sont guère plus actifs. Le Rwanda se trouve à plus de mille cinq cents kilomètres des côtes, mais surtout le pays ne présente à leurs yeux aucune valeur puisqu'on n'y trouve pas de matières premières. Ce délaissement va permettre au système social des Banyaruandas de perdurer sous une forme inchangée jusqu'à la seconde moitié du xxᵉ siècle. Ce système rappelle à maints égards le féodalisme européen : le pays est gouverné par un monarque entouré d'un groupe d'aristocrates et d'une foule de princes du sang. À eux tous, ils forment la caste dominante des Tutsis. Leur principale et unique richesse est le bétail : des zébus, une race de vaches à grandes cornes en forme de sabre. Ces vaches ne sont pas abattues, elles sont sacrées. Les Tutsis se nourrissent de leur lait et de leur sang (le sang, recueilli des carotides incisées avec une pique, est versé dans des récipients lavés avec de l'urine de vache). Ce rite est la prérogative des hommes, car les femmes ne sont pas autorisées à toucher les vaches.

La vache est une référence universelle : elle permet de mesurer la richesse, le prestige, le pouvoir. Plus on a de vaches, plus on est riche. Plus on est riche, plus on a de pouvoir. C'est le roi qui possède le plus grand troupeau, encadré par une garde spéciale. Le moment fort de la fête nationale annuelle est la revue des vaches devant la tribune royale. À cette occasion, un million de bêtes défilent devant le monarque. Cela dure des heures. Le troupeau soulève des nuages de poussière qui planent pendant longtemps au-dessus du royaume. L'ampleur de ces nuages illustre la prospérité de la monarchie, et la cérémonie est maintes fois chantée dans la poésie des Tutsis.

« Les Tutsis ? ai-je souvent entendu au Rwanda. Ils s'assoient devant leur case et regardent leurs troupeaux paître sur les versants de la montagne. Ce spectacle les remplit de bonheur et de fierté. »

Les Tutsis ne sont ni bergers ni nomades, ce ne sont même pas des éleveurs. Ils sont propriétaires de troupeaux, ils sont la caste dominante, l'aristocratie.

En revanche les Hutus, qui sont beaucoup plus nombreux, constituent une caste d'agriculteurs soumise aux Tutsis (en Inde on les appelle les *wajsiami*). Entre les Tutsis et les Hutus existent des rapports féodaux : le Tutsi est le seigneur, le Hutu son vassal. Les Hutus constituent une clientèle pour les Tutsis. Ce sont des agriculteurs qui vivent de la culture de la terre. Ils rendent une partie de la récolte à leur maître en échange de quoi le seigneur les protège et leur loue une vache. Les Tutsis ont le monopole des vaches. Les Hutus ont seulement le droit de les emprunter à leur seigneur pour les exploiter. Exactement comme sous la féodalité : les mêmes relations de dépendance, les mêmes coutumes, les mêmes abus.

Au milieu du XXe siècle, un conflit dramatique oppose progressivement les deux castes. Le motif en est la terre. Le Rwanda est petit, montagneux et peuplé. N'échappant pas à la règle qui domine en Afrique, le pays devient le théâtre d'une guerre entre ceux qui vivent de l'élevage du bétail et ceux qui cultivent la terre. Mais en général, les espaces sur le continent sont tellement vastes que l'une des parties peut se réfugier sur des territoires libres et le brasier du conflit s'éteint de lui-même. Au Rwanda, une telle issue est impossible, car il n'y a pas d'endroit où se replier. Les troupeaux possédés par les Tutsis continuent néanmoins de croître et leurs pâturages deviennent insuffisants. Le seul moyen de conquérir de nouveaux pâturages, c'est de confisquer la terre aux paysans, c'est-à-dire d'expulser les Hutus. Or les Hutus vivent déjà dans la promiscuité. Leur population augmente rapidement. En outre, les terres qu'ils cultivent sont très pauvres, quand elles ne sont pas stériles. En effet les montagnes du Rwanda sont couvertes d'une mince couche de terre que les averses balaient à la saison des pluies, transformant les lopins de manioc et de maïs en rochers nus et étincelants.

Ainsi d'un côté, les troupeaux de vaches puissants et envahissants, symbole de la richesse et de la force des Tutsis, de l'autre les Hutus, serrés, écrasés, refoulés : ils n'ont pas de place, il n'ont pas de terre, ils n'ont le choix que de partir ou mourir. Tel est le contexte qui se présente aux Belges dans les années cinquante quand ils entrent en scène. Ils sont maintenant très actifs, car l'Afrique vit une période agitée. Une vague d'indépendance anticoloniale est en train de déferler sur le continent. Il faut donc agir, prendre des décisions. La Belgique fait partie de ces métropoles que ce mouvement d'émancipation a le plus surprises. Elle n'a aucune idée de ce qu'elle doit faire, ses fonctionnaires sont tout aussi désemparés. Sa réaction est classique et simple : retarder le dénouement, faire traîner les choses. Jusqu'à présent, les Belges ont gouverné le Rwanda par l'intermédiaire des Tutsis, ils se sont appuyés sur eux, se sont servis d'eux. Or les Tutsis, qui représentent parmi les Banyaruandas la classe la plus éduquée et la plus ambitieuse, aspirent maintenant à l'indépendance. Une indépendance immédiate, chose à laquelle les Belges ne sont pas du tout préparés ! Alors Bruxelles change brusquement de tactique : elle laisse tomber les Tutsis et se met à soutenir les Hutus, plus dociles, plus conciliants. Elle commence à les exciter contre les Tutsis. Cette politique porte vite ses fruits. Enhardis, encouragés, les Hutus se lancent dans la bataille. En 1959, une insurrection paysanne éclate. En fait, le Rwanda est le seul pays africain où le mouvement d'indépendance a pris la forme d'une révolution sociale, antiféodale. De toute l'Afrique, il est le seul à avoir vécu sa prise de la Bastille, à avoir détrôné son roi, à avoir eu sa Gironde et sa Terreur. Armés de machettes, de serfouettes et de piques, des bandes de paysans se déchaînent comme un cyclone sur leurs maîtres et souverains, les Tutsis. Commence alors un massacre immense que l'Afrique n'a pas connu depuis longtemps. Les paysans brûlent les fermes de leurs seigneurs, ils leur tranchent la gorge et leur fendent le crâne. Le Rwanda baigne dans le sang, le Rwanda est en flammes. Le bétail est abattu massivement. Souvent pour la première fois de leur vie, les paysans peuvent se rassasier de viande. À cette époque, le pays compte 2,6 millions d'habitants, dont trois cent mille Tutsis. On estime à quelques dizaines de milliers les Tutsis qui ont été à ce moment-là massacrés, au même nombre ceux qui ont fui dans les pays voisins : le Congo, l'Ouganda, le Tanganyika et le Burundi. La monarchie et la féodalité ont disparu, et la caste des Tutsis a perdu sa position dominante. Le pouvoir a été pris par la paysannerie hutu. Lorsque le Rwanda acquiert l'indépendance en 1962, les hommes de la caste hutu viennent de former le premier gouvernement. Il est dirigé par le jeune journaliste Grégoire Kayibanda. À cette époque, je me trouve au Rwanda pour la première fois. De Kigali, la capitale du pays, je garde le souvenir d'une petite bourgade misérable. Je n'ai pas pu trouver d'hôtel, peut-être parce qu'il n'y en avait pas. Finalement des religieuses belges m'ont accueilli à la maternité de leur petit hôpital tout propre.

Les Hutus comme les Tutsis se réveillent de cette révolution comme d'un mauvais rêve. Les deux parties ont vécu un massacre, les uns comme bourreaux, les autres comme victimes. Or une telle expérience laisse en l'homme une trace douloureuse et durable. Les sentiments des Hutus sont à cette époque mélangés. D'un côté, ils ont vaincu leurs seigneurs, ont mis à terre le joug féodal et pour la première fois ont conquis le pouvoir. D'un autre côté, ils n'ont pas battu leurs maîtres de manière définitive, ils ne les ont pas anéantis totalement et le fait de savoir que leur adversaire, meurtri mais toujours vivant, cherchera à se venger, sème dans leur cœur une peur insurmontable et mortelle (n'oublions pas que la peur de la vengeance est profondément enracinée dans la mentalité des Africains, que le droit immémorial à la vengeance a de tout temps régulé leurs relations humaines, qu'elles soient privées ou tribales). Et ils ont des raisons d'avoir peur. Car bien que les Hutus aient conquis la forteresse montagneuse du Rwanda et qu'ils y aient installé leur pouvoir, une « cinquième colonne » de Tutsis — cent mille hommes environ — est toujours présente dans le pays. Par ailleurs, les Tutsis qui hier ont été chassés du pays ont encerclé cette Bastille de leurs camps. Et cet encerclement présente une menace peut-être plus grande encore.

La métaphore de la forteresse n'est pas exagérée. Si l'on entre au Rwanda par l'Ouganda, la Tanzanie ou le Zaïre, on a vraiment l'impression de franchir les portes d'un château fort. Lorsqu'il se réveille le matin dans son camp de réfugiés et qu'il sort de sa misérable tente, le Tutsi, aujourd'hui exilé et vagabond, contemple les merveilleux et immenses remparts de son pays. À cette heure matinale, c'est un tableau merveilleux. Moi-même je me suis souvent levé à l'aube pour contempler ce paysage unique. À perte de vue s'étendent des montagnes, hautes mais douces. Elles sont émeraude, violettes, vertes, toutes couronnées de soleil. Elles n'ont pas l'aspect dangereux et sombre des cimes, des escarpements, des strates fouettées par les vents, l'homme n'y est pas guetté par les avalanches ou les éboulements meurtriers. Non. Les montagnes du Rwanda rayonnent de chaleur et de douceur, elles séduisent par leur beauté et leur silence, leur air cristallin et serein, leur calme, la perfection de leurs lignes et de leurs formes. Le matin, les vallées vertes sont envahies par une brume transparente. C'est comme un rideau clair qui scintille au soleil, léger et flottant, à travers lequel on voit les eucalyptus, les bananiers et les gens qui travaillent dans les champs. Mais le Tutsi, lui, voit surtout les troupeaux qui paissent. Maintenant qu'il se trouve dans un camp de réfugiés, ces troupeaux qui désormais ne lui appartiennent plus, mais qui étaient la justification et le sens de son existence, prennent dans son imagination les proportions du mythe ou de la légende, deviennent un idéal, un rêve, une obsession.

Ainsi le drame rwandais, la tragédie du peuple banyaruanda, est dans l'impasse : exactement comme dans le drame palestinien, on se trouve devant l'impossibilité de concilier les causes de deux communautés revendiquant le même petit bout de terre, trop petit pour les accueillir toutes les deux. Au cœur de ce drame germe la tentation de l'*Endlösung*, de la « solution finale », au début faible encore et indéterminée, mais avec les années de plus en plus claire et impérieuse.

Pour le moment toutefois nous n'en sommes pas là. Nous sommes dans les années soixante, la période la plus prometteuse et optimiste de l'Afrique. L'espoir et l'euphorie qui règnent sur le continent font oublier les événements sanglants du Rwanda. Par ailleurs, les moyens de communication, les journaux n'existent pas. Le Rwanda, où est-ce au juste ? Comment s'y rendre ? Ce pays semble oublié par Dieu et les hommes. C'est un lieu calme, sans vie, et très vite ennuyeux. Aucune grande route ne le traverse, aucune grande ville ne s'y trouve, personne ou presque ne s'y rend. Lorsque je dis un jour à mon collègue Michael Field, le correspondant du *Daily Telegraph*, que je suis allé au Rwanda, il me demande : « Tu as vu le président ? — Non ! — Alors pourquoi y as-tu été ? » s'écrie-t-il stupéfait. Nombreux sont mes collègues à considérer que la seule attraction de ce pays est son président. S'il n'est pas possible de le rencontrer, alors pourquoi diable y aller ?

Il est vrai que les Rwandais se distinguent par une mentalité provinciale. Au fond, notre monde, global en apparence, est une planète où cohabitent plusieurs milliers de provinces. Voyager à travers le monde revient à aller de province en province, chacune d'entre elles étant une étoile solitaire qui ne brille que pour elle-même. Pour la majorité des hommes, le monde se termine au seuil de leur maison, à la limite de leur village, tout au plus à la frontière de leur vallée. Ce qui est situé au-delà est irréel, insignifiant et même inutile. En revanche, ce qu'ils ont sous la main, à portée de vue, prend les proportions d'un cosmos immense masquant tout le reste. Souvent l'autochtone et l'étranger ont du mal à trouver un langage commun, car chacun utilise un appareil d'optique différent pour voir le même environnement. L'étranger se sert d'un grand angle qui offre une image éloignée, réduite, mais avec une ligne d'horizon longue. En revanche son interlocuteur autochtone utilise un téléobjectif ou même un télescope qui agrandit le moindre détail.

Ceci n'empêche pas que les autochtones vivent des drames réels, douloureux et nullement exagérés. C'est le cas pour le Rwanda. La révolution de 1959 a divisé le peuple banyaruanda en deux camps opposés. Le temps ne fera que renforcer les mécanismes de discorde, exacerber le conflit, et il mènera coup sur coup à des collisions sanglantes pour aboutir en fin de compte à l'apocalypse.

Les Tutsis, qui se sont établis dans des camps le long de la frontière, complotent et contre-attaquent. En 1963, ils frappent par le sud, du Burundi voisin, où leurs frères de caste, les Tutsis burundais, exercent le pouvoir. Deux ans après, nouvelle invasion des Tutsis. L'armée hutu arrive à la contenir et se venge en organisant au Rwanda un énorme et terrible massacre. Il y a vingt mille morts, déchiquetés à la machette — cinquante mille, affirment certains. Aucun observateur étranger, aucune commission, aucun média ne pénètre dans ces contrées. Je me souviens que le groupe de correspondants que nous formions a essayé de se rendre à cette époque au Rwanda, mais les autorités ne nous ont pas laissés entrer. Nous n'avons pu recueillir que les témoignages de rescapés en Tanzanie : surtout des femmes avec leurs enfants, terrorisées, blessées, affamées. Les hommes ne revenaient pas de ces expéditions, car ils avaient, pour la plupart, été tués. De nombreuses guerres en Afrique se déroulent sans témoins, dans la clandestinité, dans des endroits inaccessibles, dans le silence, dans l'ignorance ou l'oubli du monde. C'est le cas du Rwanda. Des années durant, des combats frontaliers, des pogroms, des massacres éclatent. Les partisans tutsis (que les Hutus appellent des cancrelats) brûlent les villages et assassinent la population locale. Soutenue par sa propre armée, celle-ci organise à son tour des violences et des massacres.

Il n'est pas facile de vivre dans ce pays. De nombreux villages et petites villes sont en effet habités par une population mélangée. Les deux camps vivent côte à côte, se croisent sur les chemins, travaillent au même endroit. Et en douce, tout le monde complote. Dans ce climat de suspicion, de tension et de peur, la vieille tradition tribale des sectes clandestines, des alliances et des mafias secrètes renaît. Réelles et fictives. Comme chacun appartient clandestinement à quelque chose, il est convaincu que l'autre aussi. Évidemment cet autre ne peut appartenir qu'à une organisation opposée, ennemie.

Le jumeau du Rwanda, c'est son voisin du sud, le Burundi. Le Rwanda et le Burundi ont une géographie similaire, une structure sociale proche, une histoire séculaire commune. Leurs destins ne se sont séparés qu'en 1959 : au Rwanda, la révolution paysanne hutu a vaincu, et ses dirigeants ont pris le pouvoir dans le pays. En revanche, au Burundi, les Tutsis ont gardé et même renforcé leur domination en reconstruisant une armée et en créant une dictature militaire féodale. Toutefois le système des vases communicants qui existe depuis longtemps entre les deux pays jumeaux a continué de fonctionner et le massacre des Tutsis par les Hutus au Rwanda a entraîné en représailles le massacre des Hutus par les Tutsis au Burundi et *vice versa*. Ainsi, quand en 1972, encouragés par l'exemple de leurs frères du Rwanda, les Hutus du Burundi ont essayé de faire chez eux leur révolution en assassinant pour commencer quelques milliers de Tutsis, ceux-ci ont répondu en tuant plus de cent mille Hutus. C'est moins le massacre en lui-même — les deux pays sont en effet coutumiers du fait — que son ampleur qui a suscité l'émotion des Hutus du Rwanda. Ceux-ci ont décidé de réagir. De plus ils ont été confortés dans leur décision par le fait que, pendant ce pogrom, quelques centaines de milliers de Hutus du Burundi (certains avancent le nombre d'un million) se sont réfugiés au Rwanda, créant pour ce pays pauvre, sans cesse confronté au cauchemar de la famine, un immense problème : comment nourrir ces foules de réfugiés ?
Exploitant cette situation critique (« ils massacrent nos frères au Burundi, nous n'avons pas les moyens d'entretenir un million d'immigrés »), le chef de l'armée rwan-

daise, le général Juvénal Habyarimana, organise en 1973 un coup d'État et se proclame président. Ce putsch met à jour de profondes dissensions et conflits au sein de la communauté hutu. Vaincu (par la suite victime de la famine), le président Grégoire Kayjibanda est originaire d'un clan hutu du centre du pays connu pour ses tendances libérales et modérées. En revanche, le nouveau maître du pays vient d'un clan du nord-est du Rwanda représentant l'aile radicale et chauviniste des Hutus (pour rendre le tableau plus lisible, on peut dire que Habyarimana est le Radovan Karadzic des Hutus rwandais).

Habyarimana restera au pouvoir pendant vingt et un ans, c'est-à-dire jusqu'à sa mort en 1994. Charpenté, fort, énergique, il se consacre à l'édification d'une dictature de fer. Il introduit un système à parti unique. Le leader de ce parti n'est autre que lui-même, Habyarimana. Les membres du parti doivent tous habiter le pays depuis leur naissance. Le général modifie également le schéma simpliste opposant les Hutus aux Tutsis. Il l'enrichit d'un clivage supplémentaire entre pouvoir et opposition. Si l'on est tutsi, mais que l'on se montre loyal, on peut devenir maire de village ou de commune (mais non cependant ministre). En revanche, si l'on critique le pouvoir, on se retrouvera derrière les barreaux ou finira à l'échafaud même si l'on est un Hutu de pure souche. En agissant de la sorte, le général fait preuve de bon sens, car l'opposition ne compte pas que des Tutsis mais des foules de Hutus qui le haïssent et le combattent comme ils le peuvent. Le conflit au Rwanda n'est pas seulement une rivalité de castes, mais une lutte acharnée entre la dictature et la démocratie. C'est pourquoi parler et penser en catégories ethniques est trompeur et illusoire. Cela efface et tue toutes les valeurs profondes : celles du bien et du mal, de la vérité et du mensonge, de la démocratie et de la dictature, en réduisant la réalité à une seule dichotomie superficielle et secondaire, à un seul contraste, à une seule opposition : on aurait toutes les qualités uniquement parce que l'on est hutu, on ne vaudrait rien uniquement parce que l'on est tutsi.

La première tâche que s'assigne Habyarimana est donc

le renforcement de la dictature. Parallèlement à cette évolution, une nouvelle tendance se développe : la privatisation de l'État de plus en plus manifeste. Le Rwanda devient la propriété exclusive du clan de Gisenyi, la petite ville dont est originaire le général, plus exactement la propriété de l'épouse du président, Agathe, de ses trois frères Sagatawa, Séraphin et Zed, et de quelques cousins. Agathe et ses frères appartiennent au clan des Akazus. Ce nom devient une clef magique permettant de pénétrer les arcanes du Rwanda. Sagatawa, Séraphin et Zed ont des palais somptueux dans la région de Gisenyi d'où, avec leur sœur et son époux le général, ils dirigent l'armée, la police, les banques et l'administration. Un petit État perdu dans les montagnes au cœur du continent et gouverné par une famille vorace de caciques avides et despotiques, tel est le tableau qu'offre le Rwanda à cette période. Comment cet État a-t-il pu s'attirer une réputation aussi sinistre aux yeux de l'opinion mondiale ?

Il a déjà été question de ces dizaines de milliers de Tutsis qui, en 1959, ont fui leur pays pour échapper à la mort. Ils ont été suivis par des centaines de milliers d'autres. Ces hommes se sont installés dans des camps situés à la frontière, au Zaïre, en Ouganda, en Tanzanie et au Burundi, créant des concentrations de réfugiés malheureux, impatients et obsédés par une seule chose : rentrer chez eux, retrouver leurs troupeaux (désormais mythiques). Ils mènent dans ces camps une vie végétative, misérable et désespérée. Mais, avec le temps, il mettent au monde des enfants qui vont former une génération de jeunes désireux de réagir, de se battre. Leur but principal est bien sûr de revenir sur la terre de leurs ancêtres. La terre des ancêtres est un concept sacré en Afrique, c'est un lieu désiré, magnétique, la source de la vie. Mais il n'est pas facile de sortir d'un camp de réfugiés. C'est même interdit par les autorités locales. La seule exception est l'Ouganda, où depuis des années règnent la guerre civile et le chaos. Dans les années quatre-vingt, le militant Yoweri Museveni engage une guerre partisane contre le régime monstrueux de Milton Obote, psychopathe et bourreau. Museveni a besoin d'hommes. Il les trouve rapidement, car, outre ses frères ougandais, les jeunes des camps rwandais s'engagent dans la résistance : il s'agit de Tutsis combatifs et motivés. Museveni les accueille à bras ouverts. Dans la jungle ougandaise, sous la direction d'instructeurs professionnels, ils suivent une formation militaire. Nombreux aussi sont ceux qui terminent une école d'officiers à l'étranger. En janvier 1986, Museveni entre à Kampala et prend le pouvoir. Les officiers et les soldats de ces détachements sont souvent des jeunes Tutsis dont les pères ont été chassés du Rwanda et qui sont nés dans les camps.

Pendant longtemps personne ne prête attention à cette armée bien instruite et expérimentée de Tutsis qui ne pensent qu'à prendre leur revanche sur ceux qui ont déshonoré et outragé leurs familles. Pour le moment, ils tiennent des réunions clandestines, forment un Front patriotique du Rwanda (FPR) et se préparent à l'attaque. Dans la nuit du 30 septembre 1990, il s'éclipsent des casernes de l'armée ougandaise et des camps frontaliers et, à l'aube, pénètrent au Rwanda. À Kigali, la surprise des autorités est totale. La surprise et l'effroi. Habyarimana a une armée faible et démoralisée. De la frontière ougandaise à Kigali, il y a un peu plus de cent cinquante kilomètres. Les partisans peuvent arriver dans la capitale en un ou deux jours. C'est sans doute ce qui se serait passé, car l'armée de Habyarimana n'oppose aucune résistance. Peut-être l'hécatombe de 1994 aurait-elle été évitée, s'il n'y avait eu ce coup de téléphone : un S.O.S. adressé par le général Habyarimana au président Mitterrand.

Mitterrand subit une forte pression de la part d'un lobby proafricain. Contrairement à la majorité des métropoles européennes qui se sont radicalement débarrassées de leur héritage colonial, la France représente un cas de figure à part. Après la décolonisation, il reste un groupe important, actif et bien organisé d'hommes qui ont fait carrière dans l'administration coloniale, qui ont vécu (comme des coqs en pâte !) dans les colonies et se sentent maintenant, en Europe, étrangers, inaptes et inutiles. D'un autre côté, ils sont profondément convaincus que la France est non seulement un pays européen, mais aussi une communauté regroupant tous les peuples de culture et de langue françaises, bref, que la France, c'est aussi un espace culturel et linguistique : la *Francophonie*[1]. Traduite dans la langue simplifiée de la géopolitique, cette philosophie prône que si quelqu'un, quelque part dans le monde, attaque un pays francophone, c'est comme si la France était attaquée. Par ailleurs les fonctionnaires et les généraux du lobby proafricain souffrent d'un complexe, le complexe de Fachoda, au sujet duquel il convient de donner quelques précisions. Au XIXᵉ siècle, lorsque les pays européens se partagent l'Afrique, Londres et Paris sont obnubilés par une idée bizarre, quoique compréhensible à l'époque : ils veulent que leurs possessions sur le continent africain soit disposées en ligne droite et qu'il existe entre elles une continuité territoriale. Londres veut que cette ligne aille du nord au sud, du Caire au Cap ; Paris, d'ouest en est, de Dakar à Djibouti. Si nous prenons une carte de l'Afrique et que nous y traçons ces deux axes perpendiculaires, nous nous apercevons qu'ils se croisent dans le sud du Soudan, à un endroit où, sur les bords du Nil, est situé un petit village de pêcheurs, Fachoda. À cette époque, en Europe, on est convaincu que celui qui atteindra le premier Fachoda réalisera son rêve d'expansion longitudinale. Entre Londres et Paris s'engage alors une compétition farouche. Les deux capitales envoient en direction de Fachoda leurs expéditions militaires. Les premiers à atteindre le village sont les Français. Le 16 juillet 1898, le capitaine J.-B. Marchand part de Dakar à pied et, après une épouvantable traversée, arrive à Fachoda où il plante le drapeau français. Le détachement de Marchand est composé de cent cinquante Sénégalais, des hommes vaillants qui lui sont entièrement dévoués. Paris délire de joie. Les Français sont gonflés d'orgueil. Mais, deux mois plus tard, les Anglais atteignent à leur **tour** leur but. Lord Kitchener, le chef de l'expédition, constate avec stupéfaction que Fachoda est occupée. Sans en tenir compte, il

1. En français dans le texte. *(N.d.T.)*

180

plante le drapeau britannique. Londres délire de joie. Les Anglais sont gonflés d'orgueil. Les deux pays vivent maintenant dans une fièvre nationaliste euphorique. Au début, aucune partie ne veut céder. De nombreux indices laissent à penser que la Première Guerre mondiale va éclater cette année-là, en 1898, pour Fachoda. Finalement (mais c'est une longue histoire), les Français sont obligés de se retirer. C'est l'Angleterre qui remporte la victoire. Parmi les vieux colons français, l'épisode de Fachoda restera une blessure douloureuse, et, aujourd'hui encore, dès qu'ils apprennent que les *Anglophones*[1] s'apprêtent à aller quelque part, ils se lancent aussitôt à l'attaque.

C'est ce qui se passe quand Paris apprend que les Tutsis anglophones sont partis des territoires anglophones de l'Ouganda pour pénétrer le territoire francophone du Rwanda, qu'ils ont violé les frontières de la Francophonie.

Les colonnes du Front patriotique du Rwanda s'approchent de la frontière. Le gouvernement et le clan de Habyarimana font leurs valises. Pendant ce temps-là, à l'aéroport de Kigali, des avions débarquent des parachutistes français. Selon la version officielle, il sont deux compagnies. Mais c'est suffisant. Les partisans du FPR veulent combattre le régime de Habyarimana, mais préfèrent ne pas risquer une guerre contre la France qu'ils n'ont aucune chance de gagner. Ils suspendent donc leur offensive sur Kigali, mais restent au Rwanda, occupant définitivement les territoires situés au nord-est. Le pays se trouve *de facto* divisé, les deux parties considérant qu'il s'agit d'une situation passagère, provisoire. Habyarimana compte qu'avec le temps il sera assez fort pour chasser les partisans. Quant à ceux-ci, ils espèrent que les Français vont se retirer et que le régime du clan akazu tombera du jour au lendemain.

Il n'y a rien de pire qu'une situation sans guerre ni paix. D'un côté, les uns sont partis au combat avec l'espoir de gagner et de jouir des fruits de la victoire. Or leur rêve ne s'est pas réalisé, l'offensive a dû être suspendue. L'état

1. En français dans le texte. *(N.d.T.)*

d'esprit chez les assaillis est encore pire : ils l'ont échappé belle certes, mais il ont vu le spectre de la défaite, ils ont senti que la fin de leur règne était possible. Ils veulent donc sauver leur peau à tout prix.

Entre l'offensive d'octobre 1990 et le massacre d'avril 1994, trois ans et demi s'écoulent. Dans le camp du pouvoir se déroulent des débats violents entre, d'une part, les partisans du compromis, de la création d'un gouvernement de coalition nationale (les hommes de Habyarimana associés à ceux du FPR), d'autre part le clan fanatique et despotique akazu dirigé par Agathe et ses frères. Habyarimana use de faux-fuyants, hésite, ne sait que faire et perd de plus en plus la maîtrise des événements. Rapidement, c'est la ligne chauvine du clan akazu qui va prendre le dessus. Le camp akazu a ses idéologues : des intellectuels, des chercheurs, des professeurs de départements d'histoire et de philosophie de l'université de Butare : Ferdinand Nahimana, Casimir Bizimungu, Léon Mugesira et quelques autres. C'est à eux que l'on doit l'idéologie justifiant le génocide comme solution unique, comme seul moyen de survie. Selon la théorie de Nahimana et de ses collègues, les Tutsis appartiennent à une race étrangère. Ce sont des peuples nilotiques qui, une fois arrivés au Rwanda, ont vaincu la population indigène hutu, l'ont exploitée, asservie et désorganisée. Les Tutsis ont pris possession de tout ce qui avait de la valeur au Rwanda : la terre, le bétail, les marchés et, finalement, l'État. Les Hutus ont été réduits à un rôle de peuple vaincu qui pendant des siècles a vécu dans la misère, la faim et l'humiliation. Or le peuple hutu doit retrouver son identité et sa dignité, et se retrouver sur un pied d'égalité avec les autres peuples du monde parmi lesquels il doit trouver une place.

Mais que nous enseigne l'histoire ? demande Nahimana dans des dizaines de discours, d'articles et de brochures. Son expérience est tragique, elle est empreinte d'un pessimisme déprimant. Toute l'histoire des rapports entre les Hutus et les Tutsis n'est qu'une suite noire de pogroms et de massacres, de destructions réciproques, de migrations forcées et de haine déchaînée. Le Rwanda étant un pays minuscule, il n'y a pas de place pour deux peuples brouillés à mort et étrangers l'un à l'autre. De plus, la population au Rwanda s'accroît à un rythme vertigineux. Au milieu du siècle, le pays comptait 2 millions d'habitants ; cinquante ans après, il en compte près de 9 millions. Comment sortir de cette spirale infernale, de cette terrible fatalité dont sont du reste coupables les Hutus, avoue Mugesira en personne : « En 1959, nous avons commis une erreur fatale en permettant aux Tutsis de s'enfuir. Nous aurions dû agir à ce moment-là en les éliminant de la surface de la terre. » Le professeur considère qu'il leur reste une chance de réparer cette erreur. Les Tutsis doivent regagner leur véritable patrie sur les bords du Nil. « Nous les y enverrons, morts ou vifs ! » s'écrie-t-il. Ainsi les chercheurs de Butare estiment que la seule issue, la « solution finale », c'est la mort, l'extermination d'un peuple.

Commencent alors les préparatifs. L'armée, qui comptait 5 000 hommes, atteint un effectif de 35 000 soldats. La garde présidentielle, composée d'unités d'élite sophistiquées, devient la deuxième force de frappe (c'est la France qui envoie les instructeurs, quant aux armes et au matériel, ils sont fournis par la France, la République d'Afrique du Sud et l'Égypte). Mais l'effort le plus grand est concentré sur la création d'une organisation de masse paramilitaire portant le nom de *Interhamwe* (ce qui signifie « Frappons ensemble »), à laquelle se rallient des hommes venus de villages et de bourgs, des jeunes chômeurs et des paysans pauvres, des écoliers, des étudiants et des fonctionnaires. Cette foule immense, ce mouvement réellement populaire chargé d'instaurer l'apocalypse suit une instruction militaire et idéologique au sein de cette organisation. Simultanément le gouvernement donne aux sous-préfets et aux préfets la consigne de préparer et de livrer des listes d'opposants : tous les individus suspects, peu sûrs, ambigus, mécontents, pessimistes, sceptiques ou libéraux. L'organe théorique du clan akazu est le journal *Kangura*. Mais la principale source de propagande et de directives qui s'adresse à une société analphabète dans sa majorité est Radio Mille Collines. Par la suite, au moment

du massacre, elle lancera à plusieurs reprises l'appel :
« À mort ! À mort ! Les tombes des Tutsis ne sont pleines
qu'à moitié. Dépêchez-vous de les remplir jusqu'au
bord ! »

Au milieu de l'année 1993, les États africains contrai-
gnent Habyarimana à conclure un accord avec le Front
patriotique du Rwanda (FPR). Les partisans FPR sont
censés faire partie du gouvernement et du Parlement. Par
ailleurs, ils doivent représenter quarante pour cent des
effectifs de l'armée. Mais ce compromis est inacceptable
pour le clan akazu qui perdrait alors le monopole du pouvoir. Pour lui, il n'en est pas question, l'heure de la « solution finale » a sonné.

À Kigali le 6 avril 1994, des « personnes non identi-
fiées » abattent d'une roquette un avion prêt à atterrir. À
son bord se trouvait le président Habyarimana qui, de
retour de l'étranger, est marqué du sceau de l'infamie
pour avoir signé un compromis avec l'ennemi. C'est le
signal de départ du massacre des opposants au régime,
Tutsis avant tout, mais Hutus pour nombre d'entre eux.
Dirigé par le régime, le massacre d'une population sans
armes dure trois mois, jusqu'à ce que les troupes du FPR
maîtrisent le pays tout entier, contraignant l'adversaire à
s'enfuir.

Le nombre des victimes varie selon les sources. Certains
avancent un total d'un demi-million, d'autres de un million. On ne pourra jamais l'évaluer avec précision. Le plus
effroyable, c'est que des hommes hier innocents ont assassiné d'autres hommes totalement innocents, sans raison
aucune, inutilement. Mais il suffit d'un innocent pour
témoigner de la présence du diable, et on peut dire qu'au
printemps 1994 le diable est passé au Rwanda.

Un demi-million ou un million de morts, c'est évidemment tragique et énorme. Cependant, compte tenu de la
force de frappe de l'armée de Habyarimana, ses hélicoptères, ses mitrailleuses lourdes, son artillerie et ses tanks,
trois mois de bombardement systématique auraient dû
faire un nombre de victimes beaucoup plus important.

Cela n'a pourtant pas été le cas. La majorité n'a pas péri sous les bombes ni les balles des mitrailleuses, mais a été déchiquetée ou abattue avec les armes les plus primitives : des machettes, des marteaux, des piques et des bâtons. Les dirigeants tenaient, certes, à réaliser leur objectif, la « solution finale ». Mais la manière d'atteindre ce but était tout aussi importante. Il fallait que la voie de « l'Idéal Suprême », consistant en l'extermination d'un peuple, implique une communauté criminelle, que la participation massive au crime fasse émerger un sentiment de culpabilité fédérateur. Désormais, chaque individu ayant sur la conscience une mort sait qu'il est à la merci de l'implacable loi du talion à travers laquelle il voit le spectre de sa propre mort.

Dans les sytèmes hitlérien et stalinien, la mort était donnée par des bourreaux œuvrant pour le compte d'organes spécialisés (les SS ou le NKVD) ; le crime était le fait de formations spéciales agissant dans des lieux secrets. Au Rwanda, le système fait en sorte que la mort soit donnée par chacun afin que le crime devienne une œuvre collective, populaire et déchaînée. Une œuvre dans laquelle toutes les mains trempent. Une œuvre faisant couler le sang d'innocents considérés par le régime comme des ennemis.

Plus tard, terrorisés et vaincus, les Hutus ont fui au Zaïre et, arrivés là-bas, se sont mis à errer, portant sur leur tête leur misérable bien. En regardant à la télévision ces colonnes interminables, les Européens ne pouvaient comprendre ce qui poussait ces vagabonds exténués à marcher ainsi, à avancer sans cesse, en bataillons disciplinaires, sans halte ni repos, sans manger ni boire, sans parler ni sourire, humblement, docilement, le regard vide ; ils ne pouvaient comprendre ce qui forçait ces squelettes à parcourir leur effroyable et douloureux chemin de croix.

Les cristaux noirs de la nuit

Au bout de la route une boule de feu s'abîme derrière l'horizon, s'éteint puis disparaît. Il fait aussitôt nuit. Nous nous retrouvons seul à seul avec les ténèbres. Du coin de l'œil, j'épie Sebuya qui conduit la Toyota. Il est devenu nerveux. En Afrique, les chauffeurs évitent de voyager après le coucher du soleil, l'obscurité les inquiète. J'ai observé leur comportement alors que, contraints et forcés, ils roulaient de nuit. Au lieu de regarder devant eux, ils jettent des coups d'œil à droite et à gauche avec nervosité. Les traits de leur visage sont tirés et tendus. Leurs tempes se couvrent de gouttes de sueur. Bien que les routes soient défoncées, pleines de trous, d'ornières et de bosses, au lieu de ralentir, ils accélèrent, foncent comme des fous pour arriver au plus vite dans un lieu habité, bruyant et éclairé. Quand ils roulent de nuit, ils sont brusquement gagnés par une terrible panique, ils se tortillent, se recroquevillent derrière le volant comme si leur voiture était bombardée.

« *Kuna nini ?* » demandé-je en swahili. « Ça va mal ? » Ils ne répondent jamais, continuent de foncer dans des nuages de poussière, dans un tintamarre de ferraille.

« *Hatari ?* » insisté-je. « Il y a un danger ? » Ils se taisent toujours, ne prêtent pas attention à mes questions.

Ils ont peur de quelque chose, luttent contre un démon que je ne vois ni ne connais. Pour moi, ces ténèbres ont des caractéristiques définies et précises : elles sont obscures, presque noires, torrides, étouffantes ; si nous nous arrêtons et que Sebuya coupe le moteur, elles sont silencieuses. Mais je suis convaincu que, pour Sebuya, j'ignore tout de ces ténèbres, notamment que le jour et la nuit sont deux réalités, deux univers différents. Pendant la journée, l'homme peut s'adapter à son environnement, il peut exister, vivre même tranquillement. La nuit en revanche le rend vulnérable, le livre à l'ennemi, camoufle en son sein des forces qui le guettent. C'est pourquoi la peur, latente, cachée et étouffée pendant la journée dans le cœur de l'homme, se transforme pendant la nuit en une frayeur violente, en un cauchemar qui le harcèle et l'agresse. C'est tellement important d'être alors en groupe ! La présence des autres soulage, calme les nerfs, fait baisser la tension.

« *Hapa ?* » (« Ici ? ») me demande Sebuya quand nous apercevons au bord de la route un petit village en argile. Nous sommes dans l'ouest de l'Ouganda, près du Nil, et nous nous dirigeons vers le Congo. La nuit tombe, Sebuya est très nerveux. Conscient que je ne pourrai pas le faire aller plus loin, j'accepte de passer la nuit ici.

Les paysans nous accueillent sans enthousiasme, de mauvaise grâce même, ce qui dans la région est curieux et étonnant. Sebuya sort une liasse de shillings. La vue de l'argent, pour eux inhabituelle et séduisante, les décide à nous préparer une case qu'ils balaient et tapissent d'herbe. Nous nous endormons, mais je suis très vite réveillé par des bestioles grouillantes et horripilantes : des araignées, des cafards, des scarabées et des fourmis, une foule de minuscules créatures, silencieuses et affairées, souvent invisibles mais qu'on sent ramper, gratter, chatouiller, piquer. Impossible de dormir. Je me retourne d'un côté, de l'autre. Finalement, épuisé et vaincu, je sors et m'assieds, le dos contre le mur de la case. La lumière de la lune est vive, la nuit claire et argentée. Il règne un calme imperturbable, car dans cette région les voitures sont rares et la faune a depuis longtemps été exterminée ou dévorée.

Soudain j'entends des murmures, un bruit de pas suivi d'un trottinement de pieds nus. Et le silence. Je regarde autour de moi, mais au début je ne vois rien. Peu après, les murmures et les bruits de pas se répètent. Et de nouveau le silence. Je scrute un fourré de buissons clairsemés, des acacias en forme de parasol qui poussent au loin, des rochers épars qui émergent de la brousse. Finalement je vois passer comme un éclair un groupe de huit personnes transportant sur une civière de branches un homme recouvert d'une bâche. Leur manière de se déplacer m'intrigue. Ces hommes ne marchent pas normalement : ils se faufilent, se glissent, manœuvrent. Ils s'accroupissent derrière un arbuste, regardent autour d'eux et de nouveau foncent à la cachette suivante. Ils tournent, rusent, avancent furtivement, comme s'ils jouaient à *un-deux-trois-soleil*. J'observe leurs silhouettes ratatinées, à moitié nues, leurs mouvements nerveux, leur comportement étrange et mystérieux. En fin de compte ils disparaissent derrière un talus, et autour de moi la nuit redevient silencieuse, claire et immobile.

À l'aube, nous reprenons la route. Je demande à Sebuya s'il sait comment s'appellent les gens du village où nous avons passé la nuit. « Les Ambas », me répond-il. Puis il ajoute : « *Kabila mbaya* » (ce qui veut plus ou moins dire « des hommes mauvais »). Il n'en dit pas plus. Ici les gens évitent le mal, même comme sujet de conversation. Ils préfèrent ne pas s'engager sur ce terrain, ne pas faire sortir le loup du bois. Tandis que nous roulons, je pense à l'incident de la nuit dont j'ai été témoin par hasard. Les zigzags et les détours mystérieux des porteurs, leur anxiété et leur hâte. Tout ce mystère nocturne renferme un secret pour moi inaccessible. Il doit bien y avoir quelque chose là-dessous. Mais quoi ?

Les Ambas et leurs frères croient fermement que le monde est gouverné par des forces surnaturelles, mais néanmoins concrètes. Ces esprits portent des noms, jettent des sorts. Ce sont eux qui donnent aux événements leur cours et leur sens, qui déterminent notre destin, qui décident de tout. Par conséquent, il n'y a rien de fortuit dans notre destin, le hasard n'existe pas. Prenons un exemple. Sebuya conduit sa voiture, a un accident et meurt. Pourquoi justement Sebuya a-t-il eu un accident ? Ce jour-là, dans le monde entier, des millions de voitures ont roulé, sont arrivées à destination sans accroc, mais Sebuya, lui, a eu un accident et a péri. Les hommes blancs chercheront diverses explications. Par exemple que les freins ont cédé.

Mais ce raisonnement est stérile, il n'élucide rien. Car pourquoi justement les freins de Sebuya ? Le jour même, dans le monde entier, des millions de voitures ont roulé, elles avaient de bons freins, mais Sebuya, lui, en avait de mauvais. Pourquoi ? Les hommes blancs, dont la pensée brille d'ailleurs par la naïveté, diront que les freins de Sebuya ont lâché parce qu'il avait oublié de les vérifier et de les réparer. Mais pourquoi Sebuya aurait-il dû spéciale-ment y penser ? Le jour même, dans le monde entier, etc.

Nous voyons bien que le mode de pensée de l'homme blanc ne conduit à rien. Pire encore ! Il décide que la cause de l'accident et de la mort de Sebuya sont ses freins défec-tueux. Point final ! Il dresse un constat et clôt l'affaire. Alors que c'est là que tout commence ! En fait Sebuya est mort parce qu'on lui avait jeté un sort. C'est clair comme de l'eau de roche. Nous ne savons pas en revanche qui en est l'auteur et c'est précisément ce que nous devons maintenant nous employer à trouver.

Dans la plupart des cas, c'est l'œuvre d'un sorcier. Le sorcier est un homme mauvais qui agit toujours dans une intention mauvaise. Il existe deux types de sorciers (mais notre langue ne les distingue pas). Le premier est plus dangereux, car c'est le diable dans la peau de l'homme. Les Anglais l'appellent *witch*. Le *witch* est dangereux. Ni son apparence ni son comportement ne trahissent sa nature satanique. Il ne porte pas d'habits spéciaux ni ne possède d'instruments magiques. Il ne fait pas bouillir de mixtures, ne prépare pas de poison, n'entre pas en transe et ne fait pas d'exorcisme. Ce type de sorcier est doté d'un pouvoir psychique inné. C'est un trait de sa personnalité. Le fait qu'il cause le mal et apporte le malheur ne découle pas de ses choix. Cela ne lui procure aucune satisfaction. Il est tout simplement comme ça.

Si nous nous trouvons à proximité, il lui suffit de nous regarder. Parfois quelqu'un nous fixe avec insistance, pen-dant longtemps. Il est fort possible que cela soit un sorcier en train de nous lancer une sort. L'éloignement ne consti-tue pas pour autant un obstacle. Il peut agir à distance, de l'autre bout de l'Afrique ou même de plus loin.

L'autre type de sorcier est une variété plus douce, plus

faible, moins démoniaque. Si le *witch* est le mal personnifié, le diable incarné, le *sorcerer* (puisque c'est ainsi que ce type plus doux se nomme en anglais) est un sorcier professionnel pour qui jeter un sort est un art qu'il a appris, une source de revenus.

Pour nous condamner à une maladie, nous envoyer un malheur ou nous donner la mort, le *witch* n'a besoin d'aucun accessoire. Il lui suffit de diriger sur nous son infernale volonté destructrice et ravageuse pour que la maladie nous terrasse et que la mort nous fauche aussi sec. Le *sorcerer* n'est pas doué de ce pouvoir de destruction. Pour nous anéantir, il doit recourir à diverses manipulations magiques, à des cérémonies mystérieuses, à des gestes rituels. Par exemple, si nous marchons de nuit dans une brousse dense et que nous perdons un œil, ce n'est parce que nous nous sommes heurtés, par hasard, à une branche qui dépassait. Car rien n'est dû au hasard ! C'est que tout simplement l'un de nos ennemis a voulu se venger et est allé voir le sorcier pour qu'il s'en charge. Celui-ci a sculpté dans l'argile une statuette à notre image et, avec une épine de genévrier trempée dans du sang de poule, y a creusé une orbite. Ainsi, il a condamné notre œil, il lui a lancé un sort. Il ne nous reste plus qu'à pénétrer par une nuit profonde dans la brousse épaisse et à nous enfoncer une branche dans l'œil pour avoir la preuve que l'un de nos ennemis a voulu se venger en allant dans ce but voir un sorcier, etc. À nous maintenant d'identifier cet ennemi, en allant voir un sorcier pour lui commander à notre tour notre vengeance.

Si Sebuya a péri dans un accident de voiture, le plus important pour sa famille sera non pas de vérifier si les freins étaient en bon état, car cela n'a en fait aucun sens, mais de déterminer si le sort qui a causé sa mort a été lancé par un sorcier diabolique (*witch*) ou par un sorcier professionnel ordinaire (*sorcerer*). C'est la question fondamentale. C'est dans cette direction que se poursuivra l'enquête longue et complexe dans laquelle seront engagés des devins, des vieillards, des rebouteux, etc. Les conclusions de cette enquête auront une signification capitale ! Car si Sebuya a péri à cause des sortilèges d'un sorcier diabolique, c'est une tragédie pour la famille et le clan, cette malédiction englobe toute une communauté et la mort de Sebuya n'en est qu'un signe annonciateur. C'est la partie émergée de l'iceberg : la famille n'a plus qu'à attendre les maladies et les décès suivants. Si en revanche Sebuya a péri parce que telle était la volonté d'un sorcier professionnel, ce n'est pas un drame, car le *sorcerer* ne peut blesser et détruire que des individus, ne peut toucher que des objectifs isolés. Aussi la famille et le clan peuvent-ils dormir en paix !

Le mal est une malédiction. Mon clan et moi, nous devons nous tenir aussi loin que possible des sorciers qui font le mal, le portent en eux, le diffusent, parce que leur présence empoisonne l'atmosphère, sème l'épidémie, rend la vie impossible, la transforme en son contraire : la mort. Si un proche est décédé, si une maison a brûlé, si une vache a péri, si je me tords de douleur ou si je suis terrassé par une crise du paludisme, je sais bien ce qui s'est passé : on m'a jeté un sort. C'est pourquoi, si j'en ai la force, je me mets à chercher le sorcier responsable. Si je suis trop faible, c'est mon village ou mon clan qui s'en chargeront. Ce sorcier, par définition, doit vivre et agir parmi d'autres, dans un autre village, dans un autre clan ou dans une autre tribu. Notre suspicion et notre rejet de l'Autre, de l'Étranger, proviennent aussi d'une terreur ancestrale et tribale : nos ancêtres voyaient dans l'Autre, dans le membre d'une tribu étrangère, une source de malheur. En effet, la douleur, l'incendie, l'épidémie, la sécheresse et la famine ne naissent pas *ex nihilo*. Ces maux ont bien dû être apportés, donnés, propagés par quelqu'un ! Mais par qui ? Pas par les miens, mes proches, les nôtres, car ils sont bons : la vie n'est possible que parmi des gens bons. La preuve, c'est que je suis vivant. Les coupables sont donc les Autres, les Étrangers. C'est pourquoi, voulant nous venger, nous entrons en conflit, nous nous disputons avec eux, nous leur faisons la guerre. Bref, s'il nous arrive un malheur, sa source n'est pas en nous, elle est ailleurs, à l'extérieur, en dehors de nous, de ma communauté, loin, parmi les Autres.

J'avais depuis longtemps oublié Sebuya, notre expédition au Congo et la nuit passée dans le petit village des Ambas, quand, des années après, à Maputo, je suis tombé sur un livre traitant de l'univers des sortilèges en Afrique orientale, et plus précisément sur un rapport de l'anthropologue E. H. Winter. Le savant rendait compte de ses recherches menées parmi les Ambas.

Selon Winter, les Ambas constituent une communauté particulière. Certes, à l'instar des autres peuples du continent, ils prennent au sérieux l'existence du mal et du danger que représentent les sortilèges. Par conséquent ils craignent et haïssent les sorciers. Mais contrairement à la croyance généralement répandue selon laquelle les sorciers vivent chez les autres, agissent de l'extérieur, à distance, les Ambas sont persuadés que les sorciers vivent parmi eux, dans leurs familles, dans leurs villages, qu'ils font partie intégrante de leur peuple. Cette croyance est à l'origine de la désintégration de leur communauté, qui est dévorée par la haine, détruite par une suspicion réciproque, anéantie par une peur généralisée : le frère a peur du frère, le fils du père, la mère de ses propres enfants, puisque tous peuvent être des sorciers. Les Ambas refusent l'idée commode et apaisante selon laquelle l'ennemi est un autre, un étranger, un homme ayant une autre croyance ou une autre couleur de peau. Non ! Les Ambas, qui ont des tendances masochistes, vivent dans le tourment et l'humiliation permanents, convaincus que l'ennemi peut en ce moment se trouver sous leur toit, dormir avec eux, manger dans le même plat. Par ailleurs, il est impossible de déterminer à quoi ressemble un sorcier et c'est bien là le problème. Personne ne l'a jamais vu. Nous savons qu'il existe parce que nous voyons les conséquences de ses méfaits : sécheresse et famine, incendies permanents, maladies, morts. Bref, les sorciers n'ont point de cesse que des malheurs, des catastrophes, des tragédies nous tombent sur la tête.

Les Ambas sont analphabètes et il est peu probable qu'ils aient lu le livre, dont l'auteur soutient qu'avec le temps la lutte s'intensifiera et que les ennemis seront de

plus en plus nombreux. Mais, forts de leur propre expérience, ils sont arrivés tout seuls à la même conclusion. Ils
n'ont guère pu lire non plus que dans un autre point du
monde, un environnement hostile tentera de lâcher ses
agents et de faire mourir de l'intérieur une communauté
saine. C'est pourtant ce qui s'est passé pour les Ambas.

Les Ambas, qui forment une société homogène et solidaire, vivent dans de petits villages éparpillés dans une
brousse peu boisée et, tout en estimant que les sorciers
font partie intégrante de leur communauté, ils soupçon-
nent souvent le village d'à côté, où vivent leurs frères,
d'abriter en cachette le sorcier qui leur a envoyé un malheur. Ils déclarent alors la guerre à ce village. Le village
agressé se défend, et au bout de quelque temps riposte
à son tour par une guerre de représailles, à laquelle eux
réagissent, et ainsi de suite. En fin de compte, les Ambas
se font constamment la guerre entre eux, et sont tellement
affaiblis qu'ils deviennent vulnérables face aux agresseurs
extérieurs. Ils sont toutefois tellement préoccupés d'eux-
mêmes qu'ils sont incapables de percevoir ce danger.
Tétanisés par le spectre de l'ennemi intérieur, ils sont inéluctablement précipités dans l'abîme.

Bien qu'ils soient divisés par la suspicion et l'hostilité,
la fatalité qui les accable resserre les rangs de leur communauté, les rend solidaires. Si par exemple je suis convaincu
qu'un sorcier caché dans mon village m'empêche de vivre,
je déménage dans un autre village, qui, bien qu'en guerre
avec mon village d'origine, m'accueillera à bras ouverts.
Ce sorcier peut en effet me faire mourir à petit feu. Ne
serait-ce qu'en semant des cailloux, des petites feuilles,
des plumes, des bouts de bois, des mouches mortes, des
poils de singe ou des peaux de mangues sur les sentiers
que j'emprunte. Il me suffira de les fouler pour tomber
malade ou mourir aussitôt. Or on peut trouver ce genre
de petites choses sur tous les sentiers. Ne peut-on donc
plus bouger ? Exactement. L'homme a peur même de
sortir de sa case, car sur le seuil il peut tomber sur un
morceau d'écorce de baobab ou une épine d'acacia empoisonnée.

Le sorcier veut nous faire mourir à petit feu, tel est son

objectif. De surcroît il n'existe pas de remèdes contre lui, on ne sait pas comment se protéger. Le seul salut, c'est la fuite. Ainsi, les hommes que j'ai vus cette nuit-là transporter en cachette un malade sur une civière étaient en train de fuir. Un sorcier avait jeté un sort à cet homme et la maladie était le signal de sa mort. Aussi ses proches essayaient-ils de le cacher à la faveur de la nuit, de le dérober au regard du sorcier pour lui sauver la vie.

Bien que personne ne sache à quoi ressemble un sorcier, nous savons beaucoup de choses sur lui. Il ne se déplace que la nuit. Ils participe à des sabbats au cours desquels il prononce des verdicts. Pendant notre sommeil, à notre insu, il décide de notre malheur. Il peut se déplacer où bon lui semble à une vitesse supérieure à celle de l'éclair. Il adore la chair humaine, raffole du sang humain. Il ne parle pas. Nous ne connaissons ni le son de sa voix ni les traits de son visage ni la forme de sa tête.

Mais peut-être un jour naîtra un homme dont le regard et la volonté scruteront si intensément les ténèbres qu'elles finiront par s'épaissir, se solidifier, s'agréger en cristaux noirs et composer avec une netteté croissante le visage silencieux et sombre du sorcier.

Mais où sont-ils passés ?

Mais où sont-ils passés ? Il pleut, il fait froid. Les nuages sont bas, épais, sombres, immobiles. À perte de vue, des marécages, des terrains inondés. La seule route qui mène ici est elle-même submergée. Nos voitures, des véhicules tout-terrain pourtant, se sont embourbées dans une pâte noire et collante. Elles sont là, curieusement penchées, chacune à sa manière, coincées dans des ornières, des flaques, des ravines. Nous avons dû sortir et continuer à pied sous une pluie torrentielle. Nous passons à côté d'un rocher qui surplombe la route et au sommet duquel un groupe de babouins nous scrute avec attention et inquiétude. Sur l'herbe du bas-côté, je vois un homme : assis, recroquevillé, replié sur lui-même, il tremble, en proie à une crise de paludisme. Il ne tend pas la main, ne fait pas l'aumône, il nous observe d'un regard dénué de toute imploration, de toute curiosité.

Au loin, on aperçoit quelques baraquements détruits. Mais à part eux, il n'y a rien. Il fait très humide, car c'est la saison des pluies.

L'endroit où nous nous trouvons s'appelle Itang. Il est situé à l'ouest de l'Éthiopie, près de la frontière soudanaise. Pendant des années, il y avait ici un camp de 150 000 Nuers, des réfugiés de la guerre soudanaise. Ils étaient là encore tout récemment. Aujourd'hui il n'y a plus personne. Où sont-ils allés ? Que leur est-il arrivé ? La seule chose qui vienne troubler la torpeur de ces marécages, le seul bruit que l'on puisse entendre, c'est le coassement des grenouilles, des crapauds, déchaîné, sonore, tapageur, assourdissant.

L'été 1991, le haut-commissaire aux réfugiés de l'ONU,

195

madame Sadako Ogata, s'est rendue en Éthiopie pour visiter le camp d'Itang. On m'a proposé de l'accompagner. Abandonnant tout, j'y suis allé, car c'était pour moi une occasion unique. Pour différentes raisons, les camps se trouvent en général dans des lieux éloignés, isolés, difficiles d'accès, et leur entrée est la plupart du temps interdite. La vie y est éprouvante, triste, végétative, sans cesse menacée par la mort. En dehors des médecins et des employés de diverses organisations caritatives, personne ne sait rien de ces camps, car le monde isole soigneusement ces lieux de souffrance collective. Personne ne veut en entendre parler.

J'ai toujours pensé que la visite d'Itang était pour moi impossible. Pour s'y rendre, il faudrait en premier lieu se trouver à Addis-Abeba. Là-bas il faudrait louer (on se demande bien à qui) et donc payer (on se demande bien avec quoi) un avion pour gagner Gambela, la seule petite ville proche d'Itang ayant un aéroport, à cinq cents kilomètres de la capitale. Arrivés à la frontière avec le Soudan, il serait incroyablement difficile d'obtenir une autorisation d'atterrissage. Mais supposons que nous ayons un avion et même une autorisation. Nous atterrissons à Gambela. Où se rendre ? Chez qui aller dans cette pauvre bourgade où, sur la place du marché, sous une pluie torrentielle, quelques Éthiopiens nu-pieds sont plantés sans bouger ? À quoi peuvent-ils penser ? Que peuvent-ils bien attendre ? Et nous, à Gambela, où allons-nous trouver une voiture, un chauffeur, des hommes pour nous aider à désembourber notre véhicule, des cordes et des pelles ? Où allons-nous trouver des vivres ? Mais admettons que nous ayons tout cela. Quand arriverions-nous à destination ? Un jour suffirait-il ? Combien de postes devrions-nous franchir, combien de sentinelles devrions-nous supplier, corrompre pour pouvoir poursuivre notre route ? Tout cela pour finalement arriver au but, aux portes du camp, et être sommés par le factionnaire de faire demi-tour, car comme par hasard une épidémie de choléra ou de dyssenterie sévit dans le camp, ou bien parce qu'il n'y a pas de commandant pour donner l'autorisation d'entrer ou d'interprète pour traduire les entretiens avec les Nuers, les réfugiés du camp. Il peut arriver aussi, comme c'est le cas aujourd'hui, que derrière les portes il n'y ait plus personne.

Le Soudan est le premier pays d'Afrique à avoir obtenu l'indépendance au lendemain de la Seconde Guerre mondiale. Avant, c'était une colonie britannique, un collage artificiel et bureaucratique de deux parties : le Nord arabo-musulman et le Sud noir et chrétien (et aussi animiste). Depuis toujours, ces deux communautés sont divisées par la rivalité, l'hostilité et la haine, car pendant des années les Arabes du Nord ont fait des incursions dans le Sud pour y enlever ses habitants et les vendre comme esclaves.

Comment deux univers aussi antagonistes pouvaient-ils vivre dans un même État indépendant ? C'était impossible. C'est bien ce que comprirent les Anglais. À cette époque, les vieilles métropoles européennes étaient persuadées que même si elles avaient formellement renoncé aux colonies, elles continueraient dans les faits à y régner, comme par exemple au Soudan, en tentant sans relâche de réconcilier les musulmans du Nord avec les chrétiens et les animistes du Sud. Ces illusions impérialistes ont toutefois fait long feu. Dès 1962 éclate au Soudan la première guerre civile entre le Nord et le Sud, précédée d'une série de révoltes et de soulèvements dans le Sud. Lorsqu'en 1960 je me suis rendu dans le Sud pour la première fois, outre le visa soudanais, je devais être muni d'un visa spécial, faisant l'objet d'un document à part. À Juba, la plus grande ville du Sud, un officier des garde-frontières me l'a confisqué. « Mais comment vais-je faire pour passer la frontière du Congo qui est à deux cents kilomètres d'ici ! » me suis-je indigné. Pointant non sans fierté son doigt sur sa poitrine, l'officier a répondu : « La frontière, ici, c'est moi ! » En effet, au-delà des barrières de la ville s'étendait un territoire que Khartoum ne maîtrisait plus. C'est encore le cas aujourd'hui : Juba est protégée par une garnison arabe de Khartoum, mais la province est aux mains des rebelles.

La première guerre soudanaise a duré dix ans, jusqu'en

1972. Puis, au cours des dix années suivantes, le pays a connu une paix aussi précaire que brève. En 1983, à l'issue de cette trêve, lorsque le pouvoir islamique en place à Khartoum a essayé d'imposer à tout le pays la loi islamique, la charia, une nouvelle phase de cette guerre, la plus terrible, a commencé. Elle dure encore aujourd'hui. C'est la guerre la plus longue et la plus meurtrière de l'histoire de l'Afrique et sans doute du monde, mais comme elle a lieu dans une province perdue de notre planète et qu'elle ne menace personne directement, notamment en Europe ou en Amérique, elle ne suscite guère d'intérêt. Par ailleurs, le théâtre de cette guerre, ses vastes et tragiques champs de mort sont pratiquement inaccessibles aux médias pour des raisons de communications et à cause des restrictions drastiques de Khartoum. Aussi pratiquement personne dans le monde ne sait qu'au Soudan en ce moment se déroule une guerre effroyable.

En fait cette guerre se déroule sur plusieurs fronts et à plusieurs niveaux, parmi lesquels le conflit Nord-Sud n'est plus aujourd'hui dominant, et peut en outre donner une image faussée de la réalité.

Commençons par le Nord de ce pays gigantesque (2,5 millions de kilomètres carrés). Le Nord, c'est en grande partie le Sahara et le Sahel, que nous associons dans notre esprit à un immense désert de sable et d'éboulis de pierres décomposées. En réalité le nord du Soudan, c'est du sable, ce sont des pierres, mais pas seulement. Lorsque nous allons en avion d'Addis-Abeba en Europe et que nous survolons cette partie de l'Afrique, nous avons sous les yeux une vue extraordinaire : la surface dorée du Sahara s'étendant à perte de vue. Mais cette étendue est étrangement parcourue en son milieu par une grande bande d'un vert intense : ce sont des champs et des plantations qui bordent les doux et larges méandres du Nil. La limite entre l'ocre intense du Sahara et l'émeraude de ces champs semble coupée au couteau, il n'y a pas la moindre bande intermédiaire, pas la moindre gradation, les plantations cèdent brutalement la place au sable du désert.

Or jadis les rives du Nil nourrissaient des millions de fellahs arabes, ainsi que des peuples nomades. Puis, notamment à partir de la moitié du xxe siècle, juste après l'indépendance, a commencé le processus d'expulsion des fellahs par leurs riches frères de Khartoum qui, de concert avec les généraux et avec l'aide de l'armée et de la police, ont pris possession de ces terres fertiles, y créant de vastes plantations pour l'exportation : coton, caoutchouc, sésame. C'est ainsi qu'en 1956 est née une classe puissante de grands propriétaires arabes. S'alliant aux généraux et à l'élite bureaucratique, cette classe a pris le pouvoir qu'elle exerce encore à ce jour, en faisant la guerre au Sud « nègre » qu'elle traite comme une colonie, et en opprimant en même temps ses frères ethniques, les Arabes du Nord.

Dépossédés, refoulés, privés de leurs terres et de leurs troupeaux, les Arabes soudanais doivent trouver un endroit pour vivre, une place dans la société, une source de subsistance. Khartoum en incorpore une partie dans son armée de plus en plus nombreuse, en recrute une autre partie dans les rangs de sa tentaculaire police et de sa gigantesque bureaucratie. Mais le reste ? Ces foules de paysans sans terre, ces foules de déracinés ? Le régime s'emploiera à les diriger vers le Sud.

Les habitants du Nord sont environ 20 millions, ceux du Sud 6 millions. Ces derniers se divisent en dizaines de tribus parlant différentes langues et pratiquant des religions et des cultes divers. Dans cet océan de tribus, on distingue cependant deux grandes communautés, deux peuples qui ensemble constituent la moitié de la population de cette partie du pays. Ce sont les Dinkas et leurs frères de sang — même s'ils sont parfois en conflit — les Nuers. Vous reconnaîtrez les uns et les autres de loin : ils sont immenses, puisqu'ils mesurent jusqu'à deux mètres, minces et ont la carnation très sombre. C'est une race superbe, imposante, pleine de dignité, un peu altière même. Depuis des années, les anthropologues sont intrigués par leur haute taille et leur minceur. Ils ne se nourrissent en effet que de lait, et parfois du sang des vaches qu'ils élèvent, vénèrent et aiment. Il est interdit de

tuer ces bêtes et les femmes ne peuvent pas les toucher.
Les Dinkas et les Nuers ont subordonné leur existence aux
exigences et aux besoins de leurs bêtes. Ils passent la
période de sécheresse avec elles au bord des fleuves : le
Nil, le Ghazal et le Sobat essentiellement. Pendant la
période des pluies, quand l'herbe des hauts plateaux
commence à verdir au loin, ils abandonnent leurs rivières
et s'en vont avec leur bétail dans ces régions. C'est dans
ce rythme ancestral, cette transhumance rituelle entre les
rives du fleuve et les pâturages des hauts plateaux du
haut Nil que se déroule la vie des Dinkas et des Nuers.
Pour vivre, ils ont besoin d'espace, de terre sans limites,
d'un horizon large et ouvert. Enfermés, ils tombent
malades, se transforment en squelettes, s'éteignent et
meurent.

J'ignore comment cette guerre a commencé. Cela s'est
passé il y a si longtemps ! Des soldats de l'armée du gouvernement ont-ils volé une vache aux Dinkas ? Les Dinkas
sont-ils allés la récupérer, déclenchant une fusillade ? Y a-
t-il eu des morts ? C'est sans doute ainsi que les choses se
sont déroulées. La vache était évidemment un prétexte.
Les seigneurs arabes de Khartoum ne pouvaient accepter
que des bergers du Sud aient les mêmes droits qu'eux.
Les hommes du Sud ne voulaient pas être gouvernés dans
un Soudan indépendant par des fils de trafiquants d'esclaves. Le Sud a exigé la sécession, et un État à eux. Le
Nord a décidé d'anéantir les rebelles. Les massacres ont
alors commencé. À ce jour, on estime le nombre de victimes de cette guerre à un million et demi. Pendant les
dix premières années, l'Anya-Nya, un mouvement rebelle
spontané et peu organisé, a agi dans le Sud. Puis, en 1983,
le colonel John Garang, un Dinka, a mis sur pied l'Armée
populaire de libération du Soudan (SPLA), qui contrôle la
majeure partie des territoires du Sud.
C'est une guerre longue, qui prend de l'ampleur,
s'étiole et de nouveau éclate. Bien qu'elle dure depuis de
nombreuses années, personne, à ma connaissance, n'a
jamais essayé d'en écrire l'histoire. En Europe, la moindre
guerre fait couler des flots d'encre, gonfle les archives de

milliers de documents, suscite des expositions dans les musées. Rien de tel en Afrique ! La guerre, même la plus longue et la plus terrible, sombre vite dans l'oubli. Ses traces disparaissent dès qu'elle est finie : les morts doivent être enterrés tout de suite, les cases brûlées sont aussitôt remplacées par des cases neuves.

Quant aux documents, il n'y en a jamais eu. Ni ordres écrits, ni cartes d'état-major, ni chiffres, ni tracts, ni manifestes, ni journaux, ni correspondance. La tradition d'écrire des souvenirs, ou mémoires, n'existe pas (le plus souvent par manque de papier). Il n'existe pas de tradition historiographique. Et surtout, qui s'en chargerait ? Il n'y a personne pour recueillir les témoignages, il n'y a pas de muséologues, d'archivistes, d'historiens, d'archéologues. D'ailleurs mieux vaut ne pas se promener sur un champ de bataille ! La police aurait vite fait de vous repérer, de vous envoyer en prison et, vous suspectant d'espionnage, de vous fusiller. Ici, l'histoire surgit de but en blanc, tombe comme un *deus ex machina*, récolte sa moisson de sang, ravit ses victimes et disparaît. Ni vu ni connu ! Qui est-elle, cette histoire ? Pourquoi nous a-t-elle jeté un mauvais sort à nous ? Il n'est pas bon d'y penser. Mieux vaut ne pas entrer dans ces considérations.

Revenons au Soudan. Inaugurant la naissance d'un jeune État avec de nobles slogans (au Nord : « Nous devons maintenir l'unité du pays », au Sud : « Nous luttons pour l'indépendance »), la guerre dégénère et devient une guerre de castes militaires contre leur propre peuple, une guerre d'hommes armés contre des hommes sans armes. Car tout cela se passe dans un pays pauvre, un pays où les gens sont affamés, dans un pays où, si l'on s'empare d'une arme, d'une machette ou d'une mitraillette automatique, c'est avant tout pour faire main basse sur des vivres, pour manger. C'est une guerre pour une poignée de maïs, pour un plat de riz. Tout pillage y est d'autant plus facile que nous nous trouvons dans un pays immense, sans structures routières, un pays où les moyens de communication et de liaison sont faibles, où la population est peu intense et dispersée, bref dans un contexte où le brigandage, la rapine, le banditisme échappent à la loi, ne serait-ce que par manque de contrôle ou de surveillance.

Cette guerre est menée par trois forces militaires. Il y a d'abord l'armée du gouvernement, un instrument entre les mains de l'élite de Khartoum et dirigé par le président, le général Omar al-Bashir. De nombreuses polices, publiques et secrètes, des confréries musulmanes, des services privés de grands propriétaires collaborent avec cette armée.

Contre cette force gouvernementale se dressent les rebelles de la SPLA du colonel John Garang ainsi que diverses formations du Sud qui se sont désolidarisées de la SPLA.

Et il y a enfin une troisième catégorie de gens armés : les milices, ces fameux groupes paramilitaires de jeunes gens — souvent des enfants —, originaires de différentes tribus et conduits par des chefs de bandes qui, en fonction de la situation et de leur intérêt, collaborent soit avec l'armée, soit avec la SPLA (les milices sont un phénomène nouveau en Afrique ; il s'agit d'une force anarchique et agressive en plein essor qui fait exploser les États, les armées, les mouvements rebelles et politiques organisés).

Contre qui se battent toutes ces armées, ces détachements, ces fronts, ces patrouilles, ces sections, ces colonnes ? Leur nombre est impressionnant et leur combat dure : depuis des années, ils se battent. Parfois entre eux, le plus souvent contre leur propre peuple, autrement dit contre les gens sans armes, plus précisément contre les femmes et les enfants. Mais pourquoi justement les femmes et les enfants ? Est-il possible que ces hommes armés soient animés par une mysogynie bestiale ? Évidemment non. Ils attaquent et pillent les femmes et les enfants parce que ceux-ci sont les destinataires de l'aide humanitaire, des sacs de farine et de riz, des paquets de biscuits et des boîtes de lait en poudre en provenance du monde entier. En Europe, personne ne prêterait attention à ces denrées mais ici, entre le sixième et le douzième degré de latitude, elles valent leur pesant d'or. On peut même se passer de piller les femmes : au moment où l'avion débarque les vivres, il suffit d'entourer l'appareil, de s'emparer des sacs et des cartons et de les emporter vers son détachement.

Depuis des années, le régime de Khartoum utilise l'arme de la faim pour anéantir la population du Sud. Il applique aujourd'hui aux Dinkas et aux Nuers la méthode que Staline a appliquée aux Ukrainiens en 1932 : il les fait mourir de faim.

Les hommes ne sont pas affamés parce qu'il y a pénurie de vivres. En fait, le monde croule sous la nourriture. Mais entre ceux qui veulent manger et les magasins remplis se dresse un obstacle majeur : le jeu politique. Khartoum limite l'aide internationale destinée aux affamés. De nombreux avions arrivant à destination sont raflés par des chefs de bandes locales. Celui qui a une arme a des vivres. Celui qui a des vivres a le pouvoir. Nous sommes en présence d'hommes peu préoccupés de la transcendance ou de l'essence de l'âme, du sens de la vie et de la nature de l'existence. Nous sommes dans un monde où l'homme rampe pour tenter de racler dans la boue quelques grains de blé pour survivre jusqu'au lendemain.

Itang. Nous avons marché jusqu'aux baraquements, sans doute l'ancien hôpital. Il est maintenant dévasté, transformé en ruines. Par qui ? Les lits sont renversés, les tables brisées, les armoires éventrées. L'appareil de radiographie flambant neuf a été cassé par des pierres, tordu, les manettes arrachées, les boutons et les horloges du tableau écrasés. C'était sans doute le seul appareil radiographique sur un secteur de cinq cents kilomètres. Il a été réduit en un tas de ferraille, il est bon pour le rebut. Qui a fait cela ? Pourquoi ? À côté il y a un groupe électrogène, également tordu, démoli. Les seuls outils technologiques existant sur cet immense espace, à part les armes évidemment, ne fonctionnent plus, sont bons pour la casse.

Nous gagnons l'unique terrain sec du camp en marchant sur une passerelle. Des deux côtés, il y a de l'eau, cela pue la pourriture, les moustiques s'en donnent à cœur joie. Des marais et encore des marais, avec çà et là des huttes, vides pour la plupart, mais dans certaines d'entre elles des gens sont assis ou couchés. Dans l'eau ? Oui, dans l'eau, je les vois de mes propres yeux. Finalement on réunit de cent à deux cents hommes. Quelqu'un leur donne l'ordre de se mettre en demi-cercle. Ils sont debout sans rien dire, sans bouger. Où sont allés les autres, les cent cinquante mille autres ? Où ont-ils disparu, comme un seul homme, en une seule nuit ? Ils sont partis au Soudan. Pourquoi ? C'était un ordre de leurs dirigeants. Les hommes qui restent crèvent la faim depuis des années, ne comprennent plus rien, sont totalement désorientés, n'ont plus aucune volonté. Encore heureux qu'il y ait quelqu'un pour leur donner des ordres, pour savoir qu'ils existent, pour vouloir quelque chose d'eux. Pourquoi n'ont-ils pas quitté le camp avec les autres ? Impossible de le savoir. Demandent-ils quelque chose ? Non, rien. Tant qu'ils recevront de l'aide, ils vivront. Quand l'aide viendra à manquer, ils mourront. Hier ils ont reçu de l'aide. Et avant-hier aussi. Cela ne va donc pas si mal. Ils n'ont besoin de rien.

Un homme d'un certain âge leur fait signe de se disperser. Je demande s'il est possible de faire une photo. Bien sûr que c'est possible. Ici tout est permis.

Le puits

On me réveille. Je sens qu'on me touche avec prudence, délicatesse. Un visage se penche au-dessus de moi. Sombre, il est surmonté d'un turban blanc éclatant, presque phosphorescent. Il fait encore nuit, pourtant il y a de l'animation. Les femmes démontent les huttes, les garçons mettent du petit bois dans le feu. On sent de la précipitation dans ces allées et venues, dans cette course contre la montre : en faire le plus possible avant que le soleil n'apparaisse, que la chaleur ne s'installe. Il faut vite lever le camp et se mettre en route. Ces hommes ne s'attachent pas à l'endroit où ils se trouvent. Ils le quittent tout d'un coup, sans laisser de trace. Dans les complaintes qu'ils chantent à la veillée, un refrain revient sans cesse : « Ma patrie ? Ma patrie est là où il pleut. »

La journée va être longue. D'abord il faut se préparer pour la route. Le plus important, c'est d'abreuver les chamelles. Cette opération dure longtemps, car ces bêtes sont capables d'absorber d'énormes quantités d'eau qu'elles vont en quelque sorte stocker. Ni l'homme ni aucune autre créature ne peuvent en faire autant. Puis les garçons les traient en remplissant d'un lait acide et amer des outres plates en peau. C'est ensuite au tour des brebis et des chèvres de s'abreuver au puits. Elles sont peut-être deux cents. Le troupeau est gardé par les femmes. Puis c'est le tour des hommes, enfin celui des femmes et des enfants.

À l'horizon apparaît la première lueur, prélude du jour qui se lève, appel à la prière matinale. Ce sont les hommes qui prient après s'être passé le visage à l'eau, geste qui exige autant de concentration que la prière elle-même :

pas une goutte d'eau ni aucune parole divine ne doivent être perdues.

Puis les femmes distribuent aux hommes une coupelle de thé. Infusé avec du sucre et de la menthe, il est épais et nutritif, comme le miel. En période sèche, quand il n'y a rien à manger, il tient lieu de nourriture, jusqu'à la coupelle suivante, au dîner.

Le soleil apparaît, il fait clair, il est grand temps de se mettre en route. En tête marche le troupeau de chamelles, guidé par les hommes et les garçons. Puis, dans des nuages de poussière, se bousculent les brebis et les chèvres. Et directement après, les femmes et les enfants. C'est d'habitude dans cet ordre que se déplace cette foule d'homme et de bêtes, mais cette fois-ci, tout au bout de la caravane, il y a Hamed, son âne et moi. Hamed est un petit commerçant de Berbera qui m'a logé dans son hôtel. Lorsqu'il m'a dit qu'il partait avec ses cousins rendre visite à son frère à Las Anod, je lui ai demandé de me prendre avec lui.

Où se trouve Berbera ? Où se trouve Las Anod ? Les deux villes sont situées au nord de la Somalie ; Berbera sur le golfe d'Aden, Las Anod sur le plateau du Haud. Ce matin, mes compagnons de route ont fait leur prière tournés vers le nord, c'est-à-dire vers la Mecque, avec le soleil sur leur droite. Maintenant nous avançons avec le soleil sur notre gauche. La géographie de cet univers est compliquée, confuse, mais Dieu vous garde de l'erreur, car ici, dans le désert, elle peut être fatale. Celui qui a eu l'occasion de parcourir ces lieux sait que ce sont les plus chauds du monde. Oui, seul celui qui les a connus sait ce que cela veut dire. Car en période sèche, la journée, plus particulièrement la mi-journée, se transforme en un enfer insupportable. Nous grillons au soleil, littéralement. Autour de nous tout brûle. Même l'ombre est torride, même le vent est incandescent. On a l'impression qu'une météorite brûlante est passée tout près et que son rayonnement thermique a tout réduit en cendres. À cette heure, les hommes, les animaux et les plantes s'immobilisent, s'engourdissent. Un silence, un calme mort et saisissant s'écrase sur la terre comme une chape de plomb.

Nous progressons sur des chemins impraticables et déserts, en luttant contre l'heure la plus torride de la journée, contre un monstre qui nous aveugle, contre une fournaise éprouvante et épuisante dont on ne peut se protéger ni fuir. Personne ne parle, comme si la marche, qui est pourtant une occupation quotidienne, une routine, un mode de vie, absorbait toute notre attention et notre énergie. De temps à autre seulement résonnent des coups de bâton s'abattant sur le dos d'une chamelle paresseuse ou des cris de femmes rappelant à l'ordre des chèvres indisciplinées.

Il est bientôt onze heures. La colonne ralentit, puis s'arrête et se disperse. Chacun essaie de se protéger du soleil. Le seul moyen est de se réfugier sous les acacias branchus et fourchus qui poussent çà et là et dont les ramures plates et effilochées imitent le parasol : on peut y trouver un brin d'ombre et de fraîcheur. Mais à part ces arbres, ce n'est que du sable, encore du sable. De-ci de-là poussent bien quelques arbustes isolés aux branches épineuses et déployées, des touffes d'herbe brûlée et rêche, des brins de mousse grise et cassante. Par endroits se dressent des pierres, des rocs décomposés, des amas de roche.

— Ne valait-il pas mieux rester là-bas, près du puits ? demandé-je exténué à Hamed.

Notre caravane est en route depuis trois jours à peine et je suis déjà épuisé. Nous sommes adossés à la souche noueuse d'un arbre, dans le cercle réduit de son ombre, juste assez étendue pour y loger la tête d'un petit âne, trop courte pour abriter son corps qui grille au soleil.

— Non, rétorque-t-il, car de l'ouest arrivent les Ogadens, nous ne sommes pas assez forts pour leur résister.

Je me rends compte alors que notre voyage n'est pas un simple déplacement d'un lieu à un autre : notre progression est un combat, une suite de manœuvres incessantes et dangereuses, de luttes et d'escarmouches dont l'issue peut être funeste.

Les Somalis sont un peuple de quelques millions d'habitants. Ils ont une langue, une histoire et une culture communes, un seul territoire et une même religion, l'islam. Près d'un quart de la population vit au sud, de la culture du sorgho, du maïs, des haricots et des bananes. Mais ce sont en majorité des propriétaires de troupeaux, des nomades. Je me trouve justement parmi eux, sur un immense territoire à moitié désertique, quelque part entre Berbera et Las Anod. Les Somalis se divisent en une petite dizaine de clans (les Issaqs, les Daarods, les Dirs, les Hawiyes, etc.). Ceux-ci se divisent à leur tour en dizaines de clans plus petits. Ces derniers en des centaines ou même des milliers de groupes apparentés. Les accords, les alliances et les conflits au sein de ces unions et constellations familiales constituent l'histoire de la société somalie.

Le Somali naît sur la route, sous une hutte, une yourte ou tout simplement à la belle étoile. Il ne connaît pas son lieu de naissance qui n'est inscrit nulle part. Comme ses parents, il n'est originaire d'aucun village ni d'aucune ville. Son identité est uniquement déterminée par son lien avec sa famille, son groupe, son clan. Quand deux inconnus se rencontrent, ils commencent par répondre à la question : « Qui suis-je ? » : « Je suis Soba, de la famille d'Ahmad Abdoullah, du groupe de Moussa Araye, du clan d'Hasean Said, de l'union clanique Issaq, etc. » Après cette entrée en matière, l'autre interlocuteur décline à son tour les détails de sa filiation, définit ses racines. L'échange de ces informations est long, et il est essentiel, car les deux inconnus tentent ainsi de déterminer s'ils sont unis ou divisés, s'ils vont tomber dans les bras l'un de l'autre ou s'ils vont s'agresser à coups de couteau. Lors de ces présentations, la relation personnelle, la sympathie ou l'antipathie individuelles n'ont aucun sens, leur relation, amicale ou hostile, dépend des accords existant entre les deux clans. L'individu n'existe pas, il ne compte qu'en tant qu'élément d'une tribu.

À l'âge de huit ans, le garçon accède à un grand honneur, car il peut désormais garder avec ses camarades le troupeau, le plus grand trésor des nomades somalis. Entre eux tout se mesure à l'aune du chameau : la richesse, le pouvoir, la vie. La vie avant tout. Si Ahmed tue un membre d'une autre tribu, la tribu d'Ahmed doit payer un dédommagement. S'il a tué un homme, cela fait cent chameaux, si c'est une femme, cinquante. Autrement, c'est la guerre ! Sans chameau, l'homme ne peut vivre. Il se nourrit du lait de la chamelle, transporte sa maison sur son dos, fonde une famille en échange de chameaux : pour acquérir une épouse, il faut indemniser en chameaux la tribu de la promise. En somme, le chameau lui sauve la vie.

Le troupeau que possède chaque tribu est composé de chameaux, de brebis et de chèvres. La terre ici n'est pas arable. C'est du sable sec, brûlant et stérile. Seul le troupeau constitue une source de subsistance et de vie. Or les bêtes ont besoin d'eau et de pâturages, qui même pendant la saison des pluies sont rares et pendant la saison sèche disparaissent presque complètement. Le niveau des mares et des puits baisse parfois jusqu'à l'assèchement total. La sécheresse et la famine s'installent, le bétail meurt et beaucoup d'hommes périssent.

Désormais le petit Somali commence à connaître son univers. Il en fait l'apprentissage. Ces acacias épars, ces herbages misérables, ces baobabs éléphantesques sont autant de signes lui indiquant où il est et par où il doit passer. Ces rocs élevés, ces parois verticales, ces masses saillantes sont pour lui des indices lui indiquant infailliblement la direction à prendre. Mais ce paysage, qui lui semble d'abord lisible et familier, sème bientôt le trouble dans son esprit. Car les mêmes lieux, les mêmes labyrinthes et les mêmes compositions n'ont guère le même aspect lorsqu'ils sont brûlés par la sécheresse que pendant la saison des pluies où ils se couvrent d'une végétation luxuriante. Les mêmes crevasses et les mêmes arêtes rocheuses n'auront pas la même forme, la même profondeur, la même couleur dans les rayons horizontaux du soleil levant que dans les rayons verticaux du soleil de midi. Alors le petit Somali comprend qu'un même paysage peut avoir des facettes diverses et changeantes. À lui de savoir quand et dans quel ordre elles interviennent, ce qu'elles signifient, ce qu'elles lui indiquent, contre quoi elles le mettent en garde.

C'est là sa première leçon : le monde parle, et il s'exprime dans des langues différentes qu'il lui faut constamment apprendre. Au fur et à mesure que le temps passe, l'enfant s'initie à la géographie de son univers dont il étudie les pistes et les chemins avec leur parcours, leur dessin et leurs directions. Car bien que son environnement ressemble à un désert nu et dépeuplé, il est en réalité criblé de sentiers et de routes qui, pour être invisibles sur le sable et la roche, n'en sont pas moins profondément gravés dans la mémoire de ceux qui les parcourent depuis des siècles. C'est là que commence le grand jeu somali, le jeu pour la survie, le jeu pour la vie. Car ces pistes mènent d'un puits à l'autre, d'un pâturage à l'autre. C'est au prix de guerres, de conflits et de négociations séculaires que chaque tribu, chaque union, chaque clan s'est approprié ses chemins, ses puits et ses pâturages traditionnels. La situation est plus ou moins idéale quand on est dans une année de pluies abondantes et de pâturages luxuriants, que les troupeaux ne sont pas nombreux et que les naissances n'ont pas trop augmenté. Mais pour peu que la sécheresse s'installe, ce qui est fréquent, que l'herbe disparaisse et que les puits s'assèchent, tout ce réseau de sentiers et de chemins tissé et étudié avec art des années durant de manière à ce que les clans s'évitent, ne soient pas en contact et ne se gênent pas, perd aussitôt toute signification, se brouille, se relâche et éclate. Les hommes se lancent alors dans une quête désespérée, cherchent à atteindre à tout prix un puits où il reste de l'eau. Venant de toutes parts, ils dirigent leurs troupeaux vers les rares endroits où persiste encore un peu d'herbe. La saison sèche devient une période de fièvre, de tension, de furie et de guerres. Les pires côtés de l'homme se manifestent alors : la méfiance, la ruse, l'avidité, la haine.

Hamed me dit que leur poésie évoque souvent le drame et la disparition de clans qui, dans la traversée du désert, n'ont pas réussi à atteindre un puits. Ce voyage tragique dure des journées, voire des semaines. Les brebis et les chèvres sont les premières à mourir. Elles ne peuvent tenir sans eau que quelques jours. Vient le tour des enfants. « Puis les enfants », dit-il, sans rien ajouter. Pas un mot sur la manière dont réagissent les mères et les pères, ni sur la manière dont les enfants sont enterrés. « Puis les enfants », répète-t-il et il se tait de nouveau. Il fait si chaud qu'on a du mal à parler. Il est tout juste midi passé et il n'y a pas un brin d'air. « Puis ce sont les femmes qui périssent, poursuit-il après un long silence. Les survivants ne peuvent s'attarder. » S'ils devaient faire une halte à chaque décès, ils n'atteindraient jamais le puits. Chaque arrêt entraînerait un cortège de morts. La caravane disparaîtrait en chemin. Personne ne pourrait dire ce qu'est devenu le clan. J'essaie d'imaginer cette piste qui n'existe pas, ou plutôt que l'on ne voit pas, et sur elle une caravane de plus en plus clairsemée. « Les hommes et les chameaux tiennent encore le coup. » Sobre, le chameau est capable de parcourir des distances considérables sans boire : cinq cents kilomètres ou même plus. La chamelle garde un petit peu de lait. Désormais seuls sur terre, l'homme et le chameau peuvent résister au maximum trois semaines. « Seuls sur terre ! » s'écrie Hamed dont la voix trahit l'épouvante. Car s'il y a une seule chose que le Somali ne peut se représenter, c'est bien de se retrouver seul sur terre. L'homme et le chameau poursuivent leur route à la recherche d'un puits. Ils avancent de plus en plus lentement, de plus en plus péniblement, car la terre qu'ils foulent est en proie aux flammes du soleil, elle s'est transformée en une fournaise qui cogne de partout, brûle tout autour d'elle. Tout est incandescent : les pierres, le sable, l'air. « L'homme et le chameau meurent en même temps », dit Hamed. Cela arrive lorsque les pis de la chamelle sont taris, secs, gercés. Habituellement le nomade et la bête ont encore la force de se traîner à l'abri du soleil. C'est là qu'on les retrouvera, sans vie, à l'ombre, ou dans un endroit où l'homme a cru voir de l'ombre.

— Je sais, dis-je, interrompant Hamed, j'ai vu tout cela de mes propres yeux dans la région de l'Ogaden. Nous parcourions alors le désert en camion pour trouver les nomades en détresse et les transporter au camp de Gode.

Ce qui m'a choqué, c'est que chaque fois que nous trouvions des Somalis mourant avec leurs chameaux, ils refusaient catégoriquement de se séparer de leurs bêtes en dépit de la mort certaine qui les attendait. Je travaillais avec un groupe de jeunes de l'organisation humanitaire *Save*. Ils séparaient de force le berger de son chameau, tous deux de vrais squelettes, et évacuaient l'homme qui les maudissait vers le camp. Les nomades ne se résignaient toutefois pas à leur situation de réfugié. Ces hommes recevaient en tout et pour tout trois litres d'eau par jour : pour la boisson, la cuisine et la lessive. Comme nourriture quotidienne, un demi-kilo de maïs. Ils recevaient aussi un sachet de sucre et un morceau de savon par semaine. Ils ne pouvaient néanmoins s'empêcher de faire des économies, de vendre le maïs et le sucre à des spéculateurs tournant dans le camp, de mettre l'argent de côté pour racheter un nouveau chameau et de s'enfuir dans le désert.

Ils ne savent pas vivre autrement.

Hamed trouve cela normal. « C'est notre nature », dit-il un brin rebelle et même fier. La nature, c'est quelque chose contre quoi on ne peut pas lutter, que l'on ne peut ni corriger ni transformer. La nature est donnée par Dieu, elle est donc parfaite. La sécheresse, la canicule, le puits vide et la mort sur la route sont parfaits eux aussi. Sans eux l'homme serait incapable de ressentir la volupté de la pluie, le goût divin de l'eau et la suavité vivifiante du lait. La bête serait incapable d'apprécier l'herbe juteuse, de s'enivrer de l'odeur du pré. L'homme ignorerait les délices d'un torrent glacé et cristallin. Il ne lui viendrait même pas à l'esprit que c'est le paradis.

Il est trois heures, la chaleur est moins torride. Hamed se lève, essuie la sueur de son front, arrange son turban. Il va prendre part à la réunion des adultes. Cette assemblée porte le nom de *chir*. Les Somalis ignorent l'autorité hiérarchique. Chez eux, le pouvoir est exclusivement exercé par une assemblée où tout le monde peut prendre la parole. On y écoute les rapports des enfants, leur service de renseignements : les enfants en effet ne chôment pas. Dès le matin, ils furètent, s'infiltrent partout : n'y a-t-il pas à proximité un clan puissant et dangereux ? Où trouver le puits le plus proche où nous aurions une chance d'arriver les premiers ? Pouvons-nous poursuivre notre route en toute sécurité ? Tous ces problèmes sont tour à tour discutés. Le chir, c'est une immense pagaille, des disputes, des cris, le bazar. Mais on finit toujours par se mettre d'accord sur le plus important : l'itinéraire. L'ordre séculaire reprend le dessus. Et tout le monde en route !

Une journée au village d'Abdallah Wallo

Dans le village d'Abdallah Wallo, les jeunes filles sont les premières à se lever. Dès l'aube, elles vont chercher de l'eau. C'est un village heureux, car l'eau est proche. Il suffit de descendre un talus escarpé et sablonneux pour arriver au fleuve, le Sénégal. Sa rive septentrionale est située en Mauritanie, sa rive méridionale dans un pays qui porte le même nom, le Sénégal. Nous sommes à la limite du Sahara et d'une large zone de savane aride, semi-désertique et brûlante : le Sahel. À quelques centaines de kilomètres en direction du sud vers l'équateur, la savane cède la place à un espace humide et palustre, la forêt tropicale.

Une fois descendues au fleuve, les jeunes filles remplissent d'eau de hauts baquets en métal et des seaux en plastique qu'elles se posent ensuite mutuellement sur la tête. Puis elles escaladent le talus friable tout en causant et rentrent au village. Le soleil se lève et ses rayons scintillent à la surface des récipients. L'eau tremble, tangue et miroite comme de l'argenterie.

Elles regagnent maintenant leur maison, leur cour. Avant de gagner le fleuve, elles se sont habillées avec soin et minutie, toujours de la même façon : une robe en percale brodée, ample, qui descend jusqu'au sol et leur recouvre soigneusement tout le corps. Comme c'est un village islamique, rien dans le vêtement de la femme ne doit trahir un désir de séduction.

La résonance des récipients posés à terre et le clapotis de l'eau font l'effet de la cloche dans une petite église campagnarde : ils réveillent tout le monde. Des cases, car ici il n'y a que des cases, sortent des nuées d'enfants. Les gamins, il y en a ici en pagaille, comme si le village était

214

un immense jardin d'enfants. À peine ont-ils franchi le seuil qu'ils font leur pipi du matin, instinctivement, n'importe où, à droite et à gauche, insouciants et joyeux, ou endormis et bougons. Soulagés, ils se précipitent sur les seaux et les baquets pour boire. Au passage, les fillettes, et seulement elles, se débarbouillent le visage. Cela ne viendrait pas à l'esprit des garçons. Puis les enfants cherchent des yeux un petit déjeuner. C'est du moins ce que je me dis, mais en réalité la notion de petit déjeuner ici n'existe pas. Si l'un des gamins a de quoi manger, il mange. Cela peut être un morceau de pain ou de biscuit, un bout de manioc ou de banane. Jamais il ne mangera sa portion tout seul, car les enfants partagent tout. Généralement l'aîné du groupe s'efforce de faire un partage équitable, même si chacun ne récupère que des miettes. Le reste de la journée ne sera plus qu'une quête permanente de nourriture. Car ces enfants sont constamment affamés. À tout moment, à chaque instant, ils engloutissent tout ce qu'on leur donne et se remettent aussitôt à chercher des yeux l'occasion suivante.

Aujourd'hui, quand je me rappelle les matins à Abdallah Wallo, je me rends compte qu'ils ne résonnaient ni d'aboiements de chiens, ni de gloussements de poules, ni de meuglements de vaches. En effet, au village, il n'y a pas une bête, ce que nous appelons le cheptel vif ici n'existe pas : bétail, volaille, cochons... Aussi n'y a-t-il pas non plus d'étable, ni d'écurie, ni de porcherie, ni de poulailler.

À Abdallah Wallo, il n'y a pas non plus de plantes, ni de verdure, de fleurs, ou d'arbustes. Il n'y a ni jardins ni vergers. L'homme y vit absolument seul sur une terre nue, un sable friable, une argile cassante. Il est l'unique créature vivante au cœur d'un espace torride, d'une fournaise, en lutte permanente pour survivre, se maintenir à la surface. Il y a donc l'homme, mais il y a aussi l'eau. Car ici l'eau remplace tout. Faute de bêtes, c'est elle qui nourrit et maintient en vie. Faute de plantes qui ombragent, c'est elle qui rafraîchit, et son clapotement est comme le bruissement du feuillage, le murmure des arbustes et des arbres.

Je suis l'invité de Thiam et de son frère Yamar. Tous deux travaillent à Dakar où je les ai connus. Que font-ils ? Toutes sortes de petits boulots. La moitié de la population urbaine en Afrique n'a pas d'emploi défini, d'occupation fixe. Les gens trafiquent, travaillent comme débardeurs, comme gardiens. Ils sont à tous les coins de rue, à tout moment disponibles, prêts à l'embauche. Ils exécutent leur mission, empochent la paie et disparaissent sans laisser de trace. Mais ils peuvent aussi rester avec vous pendant des années. Cela dépend de vous, de vos moyens. Leurs récits les plus riches sont ceux qui racontent leurs expériences. C'est incroyable ce qu'ils ont pu faire dans leur vie ! Des milliers de choses, à vrai dire tout ! Ils se raccrochent à la ville parce qu'on peut y survivre plus facilement, plus légèrement. On peut parfois même y gagner quelques sous. Alors, on achète des cadeaux et on va au village, à la maison, chez sa femme, ses enfants, ses cousins.

Je les rencontre à Dakar au moment où ils partent à Abdallah Wallo. Ils me proposent de les accompagner. Mais je dois rester en ville pour mon travail encore une semaine. Ils me proposent d'attendre mon arrivée au village. Je n'ai qu'à les rejoindre en autocar. Au bout d'une semaine, je me rends donc à la gare à l'aube pour être sûr d'avoir un billet. La gare routière se trouve sur une grande place plane, vide à cette heure matinale. J'ai à peine le temps d'y poser un pied qu'une poignée d'adolescents m'assaille pour me demander où je veux aller. Je dis que je veux aller à Podor, puisque tel est le nom du département où se trouve le village. Ils me guident plus ou moins au centre de la place et là m'abandonnent sans dire un mot. Comme je suis seul dans cet endroit désert, une foule de vendeurs transis de froid — la nuit a été glaciale — s'attroupe autour de moi, chacun essayant de me fourguer sa marchandise : du chewing-gum, des biscuits, des hochets pour bébé, des cigarettes à l'unité ou en paquet. Je ne veux rien, mais cela ne les empêche pas de rester plantés là, puisqu'ils n'ont de toute façon rien

d'autre à faire. Pour eux, un homme blanc, c'est un phénomène, un extraterrestre que l'on peut dévisager indéfiniment. Un deuxième voyageur arrive, puis un troisième.
Les marchands se ruent dans leur direction.

Pour finir un minibus Toyota s'avance sur la place. Bien
que ce véhicule n'ait que douze places, il prend plus de
trente passagers. Le nombre de pièces utilisées, de sou-
dures effectuées et de bancs rafistolés à l'intérieur du
minibus est inimaginable. Quand il est bourré et qu'un
passager veut entrer ou sortir, il faut que tout le monde
sorte, car les places ont été calculées avec la cohérence et
la précision que l'on trouve dans une montre suisse.
Chaque voyageur sait désormais qu'au cours des pro-
chaines heures il ne pourra pas remuer un orteil. Le pire,
ce sont les heures d'attente dans le minibus surchauffé et
étouffant, jusqu'à ce que le chauffeur ait fait le plein de
passagers. Pour notre Toyota, l'attente dure quatre heures.
Mais voilà qu'en s'installant au volant, Traoré, le chauffeur, un gars costaud, baraqué, jeune et fougueux, déclare
qu'on a volé sur son siège un paquet avec une robe destinée à une jeune fille. Traoré entre dans une telle colère,
une telle furie, une telle folie même que nous nous recro-
quevillons tous de crainte qu'il ne nous étripe, tout innocents que nous soyons. Une fois de plus, je constate qu'en
Afrique les gens réagissent aux vols, si fréquents soient-
ils, de manière irrationnelle, démente. Il est vrai que dérober un pauvre qui souvent ne possède qu'une écuelle ou
une chemise déchirée est un acte inhumain. Voilà pourquoi la réaction de la victime d'un vol est elle aussi inhu-
maine. Si la foule attrape un voleur au marché, sur une
place, dans la rue, elle est capable de le tuer séance
tenante. Paradoxalement, le rôle de la police ici consiste
moins à poursuivre le voleur qu'à le protéger ou le sauver.

La route longe au début l'Atlantique par une allée de
baobabs si puissants, gigantesques, impressionnants et
monumentaux qu'on a l'impression de se déplacer parmi
les gratte-ciel de Manhattan. Le baobab est à la flore ce
que l'éléphant est à la faune. Il est unique. Il provient
d'une autre ère géologique, d'un autre contexte, il est

d'une autre nature. Il ne peut être comparé à rien. Il vit pour lui-même, il a son propre programme biologique.

Au-delà de cette forêt de baobabs qui s'étire sur plusieurs kilomètres, la route tourne à l'est, en direction du Mali et du Burkina Faso. Dans la localité de Dagan, Traoré arrête son véhicule. Nous allons déjeuner dans un petit restaurant. Les gens se divisent en groupes de six à huit personnes et s'assoient à même le sol, en rond. Au milieu, un garçon pose une bassine garnie à moitié de riz copieusement arrosé d'une sauce brune épicée. Nous nous mettons à manger, selon la coutume locale : chacun à son tour tend la main droite vers la bassine, prend une poignée de riz, la presse au-dessus de la bassine afin d'en extraire la sauce et met à la bouche la boulette ainsi obtenue. On mange lentement, avec gravité, en respectant le tour de chacun afin que personne ne soit lésé. Il y a beaucoup de tact et de mesure dans ce rite. Car bien que tout le monde ait faim, et que la quantité de riz soit limitée, personne ne déroge à la règle, ne se précipite, ne triche. Quand la bassine est vide, le garçon apporte un seau d'eau dans lequel chacun, à tour de rôle encore, vient puiser un grand gobelet. Puis on se lave les mains, on paie, on sort et on s'installe dans le minibus.

Nous voilà de nouveau en route. L'après-midi, nous arrivons dans une localité qui s'appelle Mboumba. Je descends. J'ai devant moi dix kilomètres de chemin vicinal à parcourir à travers la savane desséchée, calcinée, dans le sable brûlant et friable, sous une chaleur crépitante et dense.

Revenons à notre matinée à Abdallah Wallo. Les enfants se sont égaillés dans le village. C'est au tour des adultes de sortir des cases. Les hommes étendent sur le sable des petits tapis et récitent leur prière matinale. Concentrés, coupés du monde, ils prient au milieu de l'agitation générale : les enfants courent, les femmes s'affairent. À cette heure de la journée, le soleil occupe l'horizon pour de bon, éclaire la terre, pénètre le village. Sa présence est d'emblée sensible, il fait chaud tout de suite.

Commence alors le rituel des visites et des salutations

matinales. Tout le monde rend visite à tout le monde. Cela se passe dans la cour, personne n'entre dans les habitations. Les cases ne servent en effet qu'à dormir. Après la prière, Thiam commence sa tournée par les voisins les plus proches. Au début, on échange des questions et réponses : « Comment as-tu dormi ? — Bien. — Et ta femme ? — Bien aussi. — Et les enfants ? — Bien. — Et les cousins ? — Bien. — Et ton invité ? — Bien. — As-tu fait de beaux rêves ? — Oui... »

Cela dure très longtemps. Je dirais même que la longueur des questions et le détail des amabilités est proportionnel au respect que l'on porte à son interlocuteur. À cette heure de la journée, il n'y a pas moyen de traverser tranquillement le village. Cet interminable échange de questions et de salutations est incontournable. Il se pratique de surcroît en tête à tête, il est impossible de saluer en bloc : ce serait discourtois.

J'accompagne Thiam du début à la fin. Le circuit est long. Chaque habitant parcourt son orbite matinale, le village est très animé, de toutes parts proviennent les questions rituelles : « Comment as-tu dormi ? », suivies des réponses apaisantes et positives : « Bien. — Bien. » À l'occasion de cette ronde, on s'aperçoit que dans la tradition et l'imaginaire des habitants du village, la notion d'espace divisé, différencié, segmenté n'existe pas. Dans le village, il n'y a pas une clôture, pas une palissade, pas un barbelé, pas un enclos, pas un grillage, pas un fossé, pas une borne. L'espace est un, commun, ouvert, transparent même : aucun rideau n'est accroché, aucune barrière, aucun obstacle, aucun mur ne sont érigés.

Une partie des habitants s'en va maintenant travailler aux champs. Les champs sont loin, on ne peut même pas les voir. Les terres proches du village sont depuis longtemps épuisées, stériles. Ce n'est plus que du sable et de la poussière. On ne peut planter qu'à des kilomètres, avec l'espoir que s'il pleut, la terre produira en abondance. L'homme possède autant de terre qu'il peut en cultiver, en fait il en cultive peu. La binette est l'unique outil utilisé. Point de charrue, de bêtes de trait. Je regarde ceux qui s'en vont dans les champs. Pour toute la journée, chacun n'emporte qu'une petite bouteille d'eau. Avant d'arriver au champ, ils doivent affronter une chaleur terrible. Que cultivent-ils ? Du manioc, du maïs, du riz sec. La sagesse et l'expérience leur ont appris à travailler peu et lentement, à faire de longues pauses, s'épargner, se reposer. Car ce sont des hommes faibles, mal nourris, sans énergie. Si l'un d'eux se mettait à travailler comme un fou, il ne ferait que s'affaiblir davantage : épuisé et sans forces, il attraperait le paludisme, la tuberculose ou l'une des cent maladies tropicales qui le guettent et dont la moitié est mortelle. La vie ici est un effort permanent, une tentative constamment renouvelée de trouver un équilibre instable, fragile et vacillant, entre la survie et la destruction.

De leur côté, les femmes préparent le repas dès le matin. Je dis bien « le repas », car on se nourrit une fois par jour. On ne peut pas utiliser les mots « petit déjeuner », « déjeuner » ou « dîner », puisqu'on ne mange jamais à heure fixe. On mange quand le repas est prêt, le plus souvent en fin d'après-midi. On mange une fois par jour et toujours la même chose. À Abdallah Wallo et dans les environs, c'est du riz arrosé d'une sauce épicée et brûlante. Au village, il y a des pauvres et des riches, mais c'est la quantité de riz, et non pas la variété des plats, qui marque la différence. Le pauvre en aura à peine, le riche un plat qui déborde. Cela bien sûr quand la récolte a été bonne. Une sécheresse durable plonge tout le monde dans l'abîme : riches et pauvres mangent des miettes, quand ils ne meurent pas de faim.

La préparation du repas prend à la femme la majeure partie, pour ne pas dire la totalité de son temps. Dès le matin, elle doit aller chercher du bois. Or il n'y en a nulle part, il a été ramassé depuis longtemps. La recherche dans la savane de bûchettes, de brindilles et de bâtons est une occupation longue et pénible. Une fois qu'elle a enfin réuni et rapporté un fagot, la femme repart puiser de l'eau. À Abdallah Wallo, l'eau est proche, mais ailleurs il faut marcher des kilomètres, et pendant la saison sèche attendre des heures l'arrivée de la citerne. Une fois qu'elle a le bois et l'eau, elle peut commencer à préparer le riz. À moins qu'elle ne soit obligée d'aller l'acheter au marché, car il est rare qu'il y ait assez d'argent à la maison pour en faire des réserves. Là-dessus arrive midi, l'heure où la chaleur est tellement intense que tout s'arrête, s'engourdit, se meurt. Le va-et-vient autour du feu et des marmites se fige aussi. À cette heure, le village tout entier se vide, s'éteint.

Un jour, j'ai fait un effort sur moi-même et, en plein milieu de la journée, je suis allé de case en case. Il était midi. Dans toutes les huttes, sur les sols d'argile, sur des nattes, sur des grabats, les gens étaient étendus en silence, immobiles. Ils avaient le visage couvert de sueur. Tel un sous-marin au fond de l'océan, le village existait sans donner le moindre signe, sans émettre le moindre son, sans faire le moindre mouvement.

Dans l'après-midi, Thiam et moi allons au bord du fleuve. Trouble, sombre comme l'acier, il coule entre de hautes rives sablonneuses. Pas de verdure, de plantations, d'arbustes. On pourrait pourtant construire ici des canaux, irriguer le désert. Mais qui s'en chargerait ? Avec quel argent ? Pour quoi ? Le fleuve coule comme pour lui-même, discret, peu utile. Nous nous enfonçons dans le désert et quand nous revenons, la nuit est tombée. Dans le village aucune lumière ne brille. Il n'y a pas de feu non plus, car le bois est rare. Personne n'a de lampe. Personne n'a de torche. Par une nuit sans lune comme aujourd'hui, on n'y voit rien. On entend seulement des voix, çà et là, des conversations et des cris, des récits que je ne comprends pas, des mots qui se font de plus en plus rares. Profitant d'un brin de fraîcheur, le village sombre dans le silence et s'endort pour quelques heures.

Réveil au cœur des ténèbres

L'aube et le crépuscule sont les heures les plus agréables en Afrique. Le soleil ne brûle pas encore ou ne tourmente plus. Il vous laisse en paix.

La cascade Sabeta se trouve à vingt-cinq kilomètres d'Addis-Abeba. Se déplacer en voiture à travers l'Éthiopie revient à faire de perpétuels compromis : tout le monde sait que la route est étroite, vieille, bourrée de monde, encombrée de véhicules, mais tout le monde sait aussi que pour atteindre son but il faut y trouver sa place en avançant, se faufilant, jouant des coudes. À chaque instant, devant chaque chauffeur, devant chaque berger et son troupeau, devant chaque passant se dresse un obstacle, un casse-tête, un problème : comment passer sans accrocher le véhicule qui vient en face, comment faire avancer ses vaches, ses moutons et ses chameaux sans écraser des enfants ou des invalides qui se déplacent en rampant, comment traverser sans tomber sous les roues d'un camion, sans se faire encorner par un taureau, sans renverser des femmes portant un poids de vingt kilos sur la tête, etc. Pourtant personne ne se fâche, personne ne se met en colère, personne ne jure, ne maudit, ne menace. Tout le monde exécute son slalom avec patience et en silence, tout le monde fait des pirouettes, des esquives et des feintes, tout le monde manœuvre, use de faux-fuyants, se contorsionne et, surtout, tout le monde va de l'avant. S'il y a un bouchon, on le dégage en chœur, dans le calme, s'il y a un engorgement, on dénoue la situation, millimètre après millimètre.

La rivière coule dans un lit pierreux et fissuré. Rapide

et peu profonde, elle ne cesse de descendre jusqu'à atteindre un pas abrupt d'où elle s'abîme dans un préci- pice. C'est la cascade Sabeta. Là haut, en amont de la chute, un petit Éthiopien d'une huitaine d'années se fait quelques sous en proposant aux touristes un numéro ori- ginal : il se déshabille complètement, s'assoit sur son der- rière nu et se laisse emporter par le courant rapide jusqu'au seuil de la cascade. Quand il s'arrête pile au-des- sus des grondements, les gens attroupés poussent deux cris : le premier d'effroi, le second... de soulagement. Dressé sur ses petites jambes, le dos tourné, le gosse pointe son arrière-train vers les touristes. Son geste n'ex- prime ni mépris ni insulte. Au contraire, il traduit une certaine fierté et un désir de rassurer, de dire aux specta- teurs : « Regardez ! Avec une peau des fesses bien tannée, on peut descendre sur des rochers pointus sans se faire mal. » Effectivement, on a l'impression que sa peau est aussi dure que la semelle d'une chaussure de montagne.

Le lendemain, à la prison d'Addis-Abeba : à l'entrée, sous un toit en tôle, des gens font la queue pour la visite. Des hommes jeunes, à moitié nus, sans chaussures, vont et viennent devant la porte de la prison. Ce sont des gar- diens. Le gouvernement est trop pauvre pour payer des uniformes à sa police comme à son personnel de surveil- lance. Nous avons du mal à admettre que ce sont eux qui ont le pouvoir, qui décident ou non de nous laisser entrer. Nous nous forçons à y croire, dans l'attente qu'ils termi- nent de discuter, probablement au sujet de notre laissez- passer. Construite par les Italiens, cette ancienne prison a été par la suite utilisée par le régime promoscovite de Mengistu pour incarcérer et torturer les membres de l'op- position. Aujourd'hui le pouvoir en place y enferme les proches de Mengistu : des anciens membres du comité central, des anciens ministres, des anciens généraux de l'armée et de la police.

Sur le portail construit sous Mengistu, une énorme étoile avec une faucille et un marteau, et à l'intérieur de la prison, dans la cour, le buste de Marx. C'est une coutume soviétique : à l'entrée des goulags, il y avait des portraits de Staline, à l'intérieur des monuments de Lénine.

Le régime de Mengistu est tombé, en 1991, au bout de dix-sept ans d'existence, Mengistu lui-même a fui à la dernière minute, en avion, au Zimbabwe. Le destin de son armée est peu ordinaire. Aidé par Moscou, Mengistu avait construit l'armée la plus puissante de l'Afrique subsaharienne. Ses effectifs s'élevaient à 400 000 hommes, elle avait des roquettes et des armes chimiques. Elle a été combattue par des rebelles des montagnes du Nord (l'Érythrée et le Tigré) et du Sud (l'Oromo) qui, durant l'été 1991, ont refoulé l'armée gouvernementale à Addis-Abeba. Qui étaient ces rebelles ? Des jeunes sans chaussures, souvent des enfants, déguenillés, affamés, mal armés. Les Européens ont alors fui la capitale, pensant que l'entrée des partisans entraînerait un terrible massacre. Les événements ont en fait pris une autre tournure dont on pourrait tirer un film original intitulé : « Extermination d'une grande armée ». Ayant appris que son dirigeant avait pris la fuite, cette armée puissante, redoutable, s'est écroulée comme un château de cartes en l'espace de quelques heures. Affamés, démoralisés, sous les yeux des habitants de la ville sidérés, ses soldats se sont transformés en un instant en mendiants, tenant leur Kalachnikov d'une main, demandant l'aumône de l'autre. Les rebelles ont occupé Addis-Abeba sans vraiment se battre. Abandonnant leurs chars, leurs lance-roquettes, leurs avions et leurs canons, les soldats de Mengistu ont regagné leurs villages et leurs maisons dans un sauve-qui-peut général : à pied, sur des mules, en autobus. Si l'on traverse l'Éthiopie, l'on peut voir, dans de nombreux villages et petites villes, des jeunes gens forts et sains, désœuvrés, assis sur le pas de leur porte ou dans de misérables troquets en bord de route : ce sont des soldats de la grande armée du général Mengistu, celle qui devait conquérir l'Afrique et qui s'est écroulée par un bel été de 1991.

Le prisonnier avec lequel je m'entretiens s'appelle Shimelis Mazengia. Il a été l'un des idéologues du régime de

Mengistu, membre du bureau politique et secrétaire du Comité central aux affaires idéologiques, un Souslov éthiopien en quelque sorte. Mazengia a quarante-cinq ans, c'est un homme intelligent. Il répond en pesant ses mots, avec circonspection. Il porte un jogging de couleur claire. Ici tous les prisonniers sont « en civil », le gouvernement n'ayant pas d'argent pour leur fournir un uniforme de prisonnier. Les gardiens, les prisonniers, les hommes de la rue, tous sont habillés de la même façon. J'ai demandé à l'un des gardiens si les prisonniers n'en profitaient pas pour tenter de s'évader. Il m'a regardé d'un air étonné : « S'enfuir ? Ici au moins, ils ont une gamelle de soupe, alors qu'en liberté ils mourraient de faim comme tout le monde. Ce sont des ennemis, pas des fous ! » a-t-il souligné.

Les yeux sombres de Mazengia expriment l'inquiétude, la peur même. Ils sont en perpétuel mouvement, vifs comme l'éclair, comme s'il avait été pris au piège et cherchait désespérément à s'échapper. Il dit que la fuite de Mengistu a été une surprise dans l'entourage proche du dirigeant. Mengistu travaillait jour et nuit. Il n'était pas intéressé par les biens matériels. Seul le pouvoir absolu le motivait. Il voulait régner, un point c'est tout. Il avait un esprit figé, incapable du moindre compromis. Pour Mazengia, les massacres de la terreur rouge qui ont ravagé le pays pendant plusieurs années relèvent de « la lutte pour le pouvoir ». Il soutient qu'« on tuait des deux côtés ». Comment juge-t-il sa participation au pouvoir suprême d'un régime qui a entraîné dans sa chute tout un cortège de malheurs, de destructions, de morts ? Sur l'ordre de Mengistu plus de 30 000 hommes ont été fusillés, certaines sources avancent même le nombre de 300 000). Je me souviens des rues d'Addis-Abeba à la fin des années soixante-dix, jonchées au petit matin de cadavres : la moisson de la nuit. Mazengia explique avec philosophie : l'histoire est un processus complexe, elle commet des erreurs, fait des détours, tâtonne, parfois s'enlise. Seul l'avenir appréciera, trouvera les bonnes mesures.

Ils sont quarante-sept hommes de l'ancien régime (la nomenklatura éthiopienne) à croupir ici depuis trois ans sans savoir ce qui va leur arriver. Resteront-ils en prison ? Seront-ils jugés ? exécutés ? libérés ? Le gouvernement lui-même ne sait que faire d'eux.

Nous sommes assis dans une petite pièce, sans doute la salle de garde. Personne n'épie notre conversation, personne ne nous harcèle pour que nous la terminions. Comme partout en Afrique, c'est la pagaille : les gens entrent et sortent, sur une petite table un téléphone, que personne ne décroche, sonne sans cesse.

À la fin de notre entretien, j'exprime le désir de voir le lieu de leur détention. On m'emmène dans une cour entourée d'un bâtiment à deux étages avec des galeries. Le long des galeries se succèdent des cellules, toutes les portes donnent sur une cour bondée où une foule de prisonniers tourne en rond. Je scrute les visages. Barbus, à lunettes, ce sont des visages d'intellectuels : professeurs, assistants, étudiants. Le régime de Mengistu comptait de nombreux partisans dans le milieu universitaire. C'étaient pour la plupart des adeptes du socialisme albanais dans la version d'Enver Hodja. Au moment de la rupture entre Tirana et Pékin, les Éthiopiens hodjistes tiraient sur les Éthiopiens maoïstes. Pendant des mois, les rues d'Addis-Abeba ont ruisselé de sang. Après la fuite de Mengistu, l'armée est rentrée chez elle. Il ne restait plus que les universitaires. Ils ont été attrapés sans mal et enfermés dans cette cour surpeuplée.

Quelqu'un a rapporté de Londres un numéro de la revue somalie *Hal-Abuur* (*Journal of Somali Literature and Culture*), datant de l'été 1993. J'ai fait le compte : parmi les dix-sept auteurs de la revue, des chercheurs et des écrivains somalis éminents, au moins quinze vivent à l'étranger. C'est l'un des problèmes de l'Afrique : ses intellectuels vivent pour la plupart en dehors du continent — aux États-Unis, à Londres, à Paris, à Rome. Sur le terrain, au pays, il ne reste que deux classes : à la base, les masses paysannes, obscures, abruties, sucées jusqu'au sang ; au sommet, la bureaucratie corrompue ou la soldatesque arrogante (le *Lumpenmilitariat*, pour reprendre l'expression de l'historien ougandais Ali Mazrui). Comment l'Afrique peut-elle se développer, participer aux grandes mutations mondiales sans ses intellectuels ? En outre, si un universitaire ou un écrivain africain est persécuté dans son pays, il ne cherchera pas asile dans un autre pays africain, mais gagnera directement Boston, Los Angeles, Stockholm ou Genève.

À Addis-Abeba, je me rends à l'université, la seule du pays. Je jette un œil à la librairie universitaire, également la seule du pays. Les rayonnages sont vides. Il n'y a rien, ni livres, ni journaux, rien. Le tableau est le même dans la plupart des États africains. Naguère, je m'en souviens encore, il y avait une bonne librairie à Kampala, il y en avait trois à Dar es-Salaam. Maintenant, il n'y a rien nulle part. L'Éthiopie est un pays dont la superficie équivaut à celles de la France, de l'Allemagne et de la Pologne réunies. En Éthiopie vivent plus de 50 millions d'habitants, dans quelques années il y en aura plus de 60 millions, dans moins de vingt ans il y en aura 80 millions, etc.
Peut-être alors se trouvera-t-il quelqu'un pour ouvrir une librairie, ne fût-ce qu'une seule !

À mes moments de liberté, je me rends à Africa Hall, un grand bâtiment magnifique sur l'une des collines de la ville. C'est ici qu'en mai 1963 s'est déroulée la première conférence africaine au sommet. J'y ai vu Nasser, Nkrumah, Hailé Sélassié, Ben Bella, Modibo Keita. Des grands noms de l'époque. Dans le hall où ils se rencontraient, des garçons jouent maintenant au ping-pong, une femme vend des vestes en cuir.
Africa Hall, c'est une prolifération triomphante et débridée de constructions diverses. Durant des années se dressait ici un seul immeuble, maintenant il y en a une petite dizaine. Chaque fois que je reviens à Addis-Abeba, je constate qu'un nouvel immeuble est en construction autour d'Africa Hall. Toujours plus impressionnant, plus luxueux que le précédent. En Éthiopie, les systèmes se succèdent : d'abord féodal et autocratique, puis marxiste-léniniste, maintenant fédéral-démocratique. L'Afrique elle aussi change, elle ne cesse de s'appauvrir, mais tout cela

n'a aucune importance : soumise à une loi inébranlable et triomphante, la reconstruction permanente du siège du pouvoir central africain, Africa Hall, se poursuit imperturbablement, en toute indépendance.

À l'intérieur, des corridors, des pièces, des salles de débat, des bureaux envahis de papiers du sol au plafond. Des papiers qui bourrent les dossiers et les armoires, qui débordent des tiroirs, qui tombent des étagères. Partout des bureaux serrés les uns contre les autres, derrière lesquels sont assises des jeunes filles superbes venus des quatre coins de l'Afrique : les secrétaires.

Je cherche un document intitulé « *Lagos Plan of Action for the Economic Development of Africa 1980-2000* ». En 1980, les dirigeants de l'Afrique se sont réunis à Lagos afin de réfléchir aux moyens de sortir le continent de la crise. Comment sauver l'Afrique ? Ils ont arrêté un plan d'action, une bible, une panacée, une stratégie ambitieuse de développement.

Je cherche et demande, en vain. La plupart des secrétaires n'ont jamais entendu parler de ce plan. Quelques-unes connaissent bien son existence, mais elles n'en savent pas plus. D'autres en ont entendu parler, en savent davantage, mais elles n'ont pas le texte. Elles peuvent me donner la résolution permettant d'augmenter la culture des cacahuètes au Sénégal, celle permettant d'exterminer la mouche tsé-tsé en Tanzanie, celle permettant de limiter la sécheresse au Sahel. Mais comment sauver l'Afrique ? Elles n'ont aucun plan de ce genre.

Toujours dans l'Africa Hall, quelques conversations. L'une avec Babashola Chinsman, le vice-directeur de l'Agence de développement de l'ONU. Jeune, énergique, originaire de Sierra Leone. L'un de ces Africains à qui la vie a souri. Un représentant de la nouvelle classe mondiale : le tiers monde s'installant dans les organisations internationales. Une villa à Addis-Abeba (logement de fonction), une villa à Freetown (privée, louée à l'ambassade d'Allemagne), un appartement privé à Manhattan (car les hôtels, ce n'est pas sa tasse de thé). Une limousine, un chauffeur, des domestiques. Demain une conférence à Madrid, dans trois jours à New York, dans une semaine

à Sydney. Toujours le même thème, le même leitmotiv :
« Comment soulager les Africains souffrant de la faim ? »
L'entretien est sympathique, intéressant.

Babạshola Chinsman :

— ce n'est pas vrai qu'en Afrique règne la stagnation,
l'Afrique se développe, ce n'est pas seulement le continent
de la faim ;

— le problème est plus large, il est planétaire : cent-
cinquante pays faiblement développés font pression sur
vingt-cinq pays développés où règne par ailleurs la réces-
sion et où la population n'augmente pas ;

— il est primordial de promouvoir le développement
régional en Afrique. Malheureusement une infrastructure
obsolète entrave ce développement : pénurie de moyens
de transport, mauvaises routes, pénurie de camions, d'autocars, communications lamentables ;

— le mauvais état des communications fait que quatre-
vingt-dix pour cent des villages et petites villes du continent vivent dans l'isolement, sans avoir accès au marché
et donc à l'argent ;

— les paradoxes de notre monde : en comptant le coût
du transport, des services, du stockage et de la conservation, le prix d'un plat (en général une poignée de maïs)
pour un réfugié dans un camp au Soudan par exemple est
supérieur au prix d'un dîner dans un restaurant chic à
Paris ;

— après trente ans d'indépendance, nous commençons
enfin à comprendre que l'instruction est importante pour
le développement. L'exploitation d'un paysan lettré est de
dix à quinze fois plus rentable que celle d'un paysan analphabète. À elle seule, l'éducation, sans aucun investisse-
ment, apporte des bénéfices matériels ;

— le plus important pour avoir une *multidimensionnal
approach to development* : développer les régions, développer les communautés locales, développer l'*interdependence*
plutôt que l'*intercompetition* !

John Menru, de Tanzanie :

— l'Afrique a besoin d'une nouvelle génération
d'hommes politiques capable de penser autrement. Ceux

229

qui sont en place actuellement doivent partir. Au lieu de penser au développement, ils pensent au moyen de rester au pouvoir ;

— l'issue pour l'Afrique ? Créer un nouveau climat politique :

a) accepter le dialogue comme principe obligatoire,

b) garantir la participation de la société à la vie publique,

c) respecter les droits fondamentaux de l'homme,

d) engager la démocratisation.

Si toutes ces conditions sont réunies, une nouvelle classe politique émergera d'elle-même. Une nouvelle classe politique avec une vision claire et nette. Une vision nette, voilà ce qui nous manque aujourd'hui ;

— ce qui est dangereux ? Le fanatisme ethnique. Le facteur ethnique peut prendre une dimension religieuse, devenir une religion de remplacement. Voilà ce qui est dangereux !

Sadig Rasheed, soudanais, l'un des directeurs de la Commission économique pour les affaires africaines :

— l'Afrique doit se réveiller, elle doit sortir de son sommeil ;

— il faut arrêter le processus de marginalisation de l'Afrique actuellement en cours. Cela réussira-t-il ? Je l'ignore ;

— je crains que les sociétés africaines ne soient guère capables d'avoir un regard autocritique. Or beaucoup de choses dépendent de ce regard.

C'est justement ce dont nous avons parlé un jour avec A., un vieil Anglais établi ici de longue date. Contrairement aux autres civilisations, la force de l'Europe, de sa culture, réside notamment dans sa capacité de critiquer, et surtout de s'autocritiquer, dans son art d'analyser et de rechercher, dans ses investigations constantes, son inquiétude. L'esprit européen est conscient de ses limites, il accepte son imperfection, il est sceptique, il doute, il se pose des questions. Dans les autres cultures, cet esprit critique n'existe pas. Pire, les autres cultures ont tendance à manifester de l'orgueil, à considérer tout ce qui leur est propre comme parfait. Bref, elles sont dénuées de sens critique à l'égard d'elles-mêmes. Les responsables de tous les maux, ce sont exclusivement les autres, les forces extérieures — les complots, les agents, la domination étrangère sous diverses formes. Elles considèrent tout jugement critique comme une attaque, comme une discrimination, comme du racisme. Les représentants de ces cultures tiennent la critique pour une offense personnelle, une tentative préméditée de les humilier, voire pour une forme de cruauté. Si on leur dit que leur ville est sale, ils réagissent comme si on leur avait dit qu'ils étaient eux-mêmes sales, oreilles, cou, ongles, etc. Plutôt qu'un esprit critique, ils cultivent en eux de la rancœur, des complexes, de la haine, de l'aigreur, du dépit, des phobies. Or cela les rend incapables, culturellement, structurellement et durablement de progresser, incapables de créer en eux une volonté profonde de changement et de développement.

Peut-on dire que toutes les cultures africaines (elles sont en effet nombreuses, aussi nombreuses que les religions africaines) appartiennent-elles à cette catégorie intouchable et dénuée de tout esprit critique ? Des Africains comme Sadig Rasheed se sont penchés sur la question, ont réfléchi au problème du retard de l'Afrique dans la course entre les continents.

L'image que se fait l'Europe de l'Afrique se présente ainsi : famine, enfants squelettiques, terre sèche et crevassée, bidonvilles, massacres, sida, foules de réfugiés sans toit, sans vêtements, sans médicaments, sans eau et sans pain.

Le monde vole donc à son secours.

L'Afrique a toujours été perçue, et elle continue de l'être, comme un objet, comme le reflet d'une autre étoile, comme un terrain d'action pour les colonisateurs, les marchands, les missionnaires, les ethnographes, toutes sortes d'organisations caritatives (en Éthiopie seulement il y en a plus de quatre-vingt).

Néanmoins elle existe, en dépit de tout, pour elle-même, en elle-même : continent éternel, fermé et isolé, terre de bananeraies, de petits champs irréguliers de manioc, jungle, Sahara immense, fleuves qui se dessèchent lentement, forêts qui s'éclaircissent, villes malades et monstrueuses, espaces chargés d'une électricité nerveuse et violente.

Deux mille kilomètres à travers l'Éthiopie : les routes sont désertes, dépeuplées. Des montagnes, encore des montagnes. À cette période de l'année — c'est l'hiver en Europe —, les montagnes sont vertes. Elles sont gigantesques et splendides sous le soleil. Le silence est partout immense. Mais il suffit de faire un arrêt, de s'asseoir sur le bord de la route et de tendre l'oreille pour entendre au loin des voix monotones et aiguës. Ce sont les chants des enfants qui, sur les versants environnants, ramassent du petit bois, surveillent des troupeaux, ou coupent de l'herbe pour le bétail. On n'entend pas une voix d'adulte, comme si on était dans un monde d'enfants.

C'est effectivement le cas. La moitié de la population de l'Afrique n'a pas encore quinze ans. Les enfants sont nombreux dans toutes les armées, ils sont majoritaires dans les camps de réfugiés, ils cultivent les champs, vendent sur le marché. À la maison, l'enfant a le rôle le plus important : il est responsable de l'eau. Quand tout le monde dort encore, les petits garçons se lèvent dans les ténèbres et filent à la source, à l'étang ou au fleuve. La technologie leur a donné un sacré coup de pouce en leur offrant le jerrican en plastique, bon marché et léger. Il y a quelques années, ce bidon a révolutionné la vie en Afrique. Sous les tropiques, pour survivre, il faut de l'eau. Comme les canalisations sont pratiquement inexistantes et que l'eau est rare, il faut la transporter sur de grandes distances, parfois sur des dizaines de kilomètres. Pendant des siècles et des siècles, ce sont les cuves en argile ou en pierre qui ont servi à transporter l'eau. La culture africaine ne connaissant pas la roue, c'est l'homme, ou plus exactement la femme, puisque telle était la répartition des tâches domestiques, qui transportait tout, le plus souvent sur la tête. L'enfant n'aurait d'ailleurs guère pu soulever une telle cuve. En outre, dans cet univers de pauvreté, il n'y en avait probablement qu'une par foyer.

Or voilà qu'est apparu le jerrican en plastique. Miracle ! C'est une véritable révolution ! En premier lieu, il est relativement bon marché (même si c'est le seul objet de valeur dans certaines maisons), puisqu'il coûte environ deux dollars. Mais le plus important, c'est qu'il est léger ! Et en plus, il peut avoir diverses tailles, si bien que même un gosse peut transporter quelques litres d'eau.

Tous les enfants portent l'eau ! Aujourd'hui on peut voir des bandes de gamins qui, tout en s'amusant et en se taquinant, vont chercher de l'eau à une source lointaine. Quel soulagement pour la femme africaine, éreintée et à bout de forces ! Quel changement dans sa vie ! Cela lui dégage un temps précieux pour elle-même, pour sa maison !

Le jerrican en plastique présente bien des avantages. Il a avant tout le privilège de remplacer l'homme dans la file d'attente. Il arrive en effet qu'on attende l'eau (l'arrivée des citernes) pendant des journées entières. Faire la queue sous le soleil des tropiques est une véritable torture. Naguère on ne pouvait pas laisser sa cruche et aller se mettre à l'ombre, car on risquait de se la faire voler. Aujourd'hui, au lieu de faire la queue, les gens placent leurs jerricans à la queue leu leu et se mettent au frais, vont au marché, rendent visite à des amis. En traversant l'Afrique, on peut voir des files colorées de jerricans, longues de plusieurs kilomètres, qui attendent l'arrivée de l'eau.

Mais revenons aux enfants. Il suffit de s'arrêter dans un village, une petite ville ou tout simplement un champ pour voir surgir une nuée de gosses. Tous sont complètement dépenaillés. Leurs chemises, leurs pantalons en lambeaux sont indescriptibles. Leur seul bien, c'est une petite calebasse avec un fond d'eau. Le moindre morceau de pain ou de banane est englouti en une fraction de seconde. Ces enfants souffrent de la faim en permanence. La faim est devenue une forme de vie, une seconde nature. Pourtant ce qu'ils demandent, ce n'est ni du pain ni des fruits, ni même de l'argent.

Ils demandent un crayon.

Un stylo à bille coûte dix *cents*. D'accord, mais où prendre ces dix *cents* ?

Tous voudraient aller à l'école, pour apprendre. Parfois d'ailleurs ils y vont : l'école du village, c'est tout simplement une place à l'ombre d'un grand manguier. Mais ils ne peuvent pas apprendre à écrire, car il leur manque le matériel, ils n'ont pas de crayons.

Dans les environs de Gondar (pour aller dans cette ville des rois et des empereurs d'Éthiopie à partir du golfe d'Aden et de Djibouti, il faut suivre la direction d'El Obeid, Tersaf, N'Djamena et du lac Tchad), j'ai rencontré un homme qui allait du nord vers le sud. C'est tout ce que je peux dire à son sujet : il allait du nord vers le sud. En fait, non, je peux encore ajouter qu'il était à la recherche de son frère.

Pieds nus, portant un pantalon court tout rapiécé et sur le dos une chose qui naguère a dû porter le nom de chemise. À part cela, il a trois objets : un bâton de voyageur, un morceau de toile qui le matin lui sert de serviette, aux heures de grande chaleur de couvre-chef et pendant son sommeil de couverture, et enfin, en bandoulière, un gobelet en bois fermé. Il n'a pas un sou. Si les gens qu'il rencontre sur la route lui donnent à manger, il mange ; sinon, il poursuit son chemin le ventre creux. Mais il a faim depuis toujours, cela n'a pour lui rien d'extraordinaire. Il va vers le sud parce qu'un jour son frère a quitté la maison et est parti vers le sud. Quand ? Il y a longtemps (je discute avec lui par l'intermédiaire du chauffeur qui connaît quelques mots d'anglais et qui, pour parler du passé, utilise toujours l'expression « il y a lontemps »). Cet homme est en route depuis longtemps. Il vient des montagnes de l'Érythrée, de la région de Keren.

Il sait comment aller vers le sud : le matin, il faut se diriger tout droit vers le soleil. Quand il rencontre quelqu'un, il lui demande s'il ne connaît pas Solomon — c'est le prénom de son frère —, et s'il ne l'a pas vu. Les gens ne sont pas étonnés par ces questions. Toute l'Afrique est en mouvement, en route, toute l'Afrique est égarée. Les uns fuient la guerre, d'autres la sécheresse, d'autres encore la famine. Ils fuient, ils errent, et ils se perdent. L'homme qui va du nord vers le sud n'est qu'une goutte anonyme parmi l'océan humain déferlant sur les routes du continent noir, chassé tantôt par la peur de la mort, tantôt par l'espoir de trouver une place au soleil.

Pourquoi veut-il retrouver son frère ?

Pourquoi ? Il ne comprend pas la question. La raison est pourtant évidente, elle va de soi, n'exige aucune explication. Il hausse les épaules. Sans doute éprouve-t-il de la pitié pour cet homme qui se trouve en face de lui et qui, malgré ses beaux habits, semble plus démuni que lui.

Sait-il au moins où il est ? Sait-il que l'endroit où nous sommes assis n'est plus l'Érythrée, mais un autre pays, l'Éthiopie ? Il sourit, du sourire d'un homme qui en sait long et qui est certain au moins d'une chose : ici en Afrique il n'y a pas de frontières ni d'États. Il n'y a que des terres brûlées où un frère cherche un frère.

En suivant la route qui descend au fond d'une gorge profonde entre les deux versants escarpés de la montagne, on arrive au monastère de Debre Libanos. À l'intérieur de l'église, il fait froid et sombre. Après des heures de route sous un soleil aveuglant, les yeux mettent du temps à s'accoutumer à cet endroit qui semble plongé dans des ténèbres impénétrables. Au bout de quelque temps, on finit par distinguer des fresques sur les murs et, sur le sol recouvert de nattes, des pèlerins éthiopiens vêtus de blanc, face contre terre. Dans un coin, un vieux moine chante d'une voix de plus en plus somnolente et languissante un psaume en guèze, une langue morte aujourd'hui. Dans cette atmosphère de recueillement mystique et de silence, on a l'impression d'être hors du temps, hors de toute mesure et de toute pesanteur, hors de l'existence.

Combien de temps ces pèlerins vont-ils rester prosternés ? Je suis sorti plusieurs fois de l'église et chaque fois que j'y suis rentré, ils étaient toujours sur leurs nattes, immobiles.

Une journée ? Un mois ? Une année ? L'éternité ?

Un enfer pétrifié

Les pilotes ont à peine coupé les gaz qu'une foule se précipite vers l'avion. La passerelle est avancée. Nous sommes alors assaillis par un groupe compact de gens essoufflés qui jouent des coudes, nous tirent par la chemise, nous compriment : « *Passport ? Passport ?* » s'écrient-ils avec insistance. Puis, sur le même ton agressif : « *Return ticket ?* » Ou encore avec sévérité : « *Vaccination ? Vaccination ?* » Cet assaut est si violent et déstabilisant que, bousculé, étouffé et débraillé, j'enchaîne gaffe sur gaffe. Je commence par sortir docilement mon passeport, puisqu'on me l'a demandé. Aussitôt quelqu'un me l'arrache et disparaît. Harcelé à propos du billet de retour, je montre que j'en ai bien un. Il disparaît aussi sec. Même scénario pour le livret de vaccinations : quelqu'un me l'arrache des mains et il s'évapore dans la nature. Je me retrouve sans un papier ! Que faire ? Porter plainte ? Mais à qui s'adresser ? La foule qui s'est précipitée pour m'accueillir au pied de la passerelle a disparu. Je suis tout seul. Peu après, deux jeunes gens viennent vers moi. Ils se présentent : « Zado et John. Nous allons te protéger. Sans nous, tu es perdu. »

Je ne pose aucune question. La seule chose qui me préoccupe, c'est la chaleur abominable qui règne ici. C'est le début de l'après-midi, l'air est tellement imprégné de moiteur, d'humidité, il est tellement pesant et chaud que je suffoque littéralement. Déguerpir d'ici à tout prix, trouver un endroit un peu plus frais ! « Où sont passés mes papiers ? » m'écrié-je à bout de nerfs, désespéré. Je perds mon sang froid. La chaleur rend nerveux et agressif. « Calme-toi, me dit John une fois que nous nous retrouvons dans sa voiture devant le baraquement de l'aéroport, tu vas comprendre tout de suite. »

Nous parcourons les rues de Monrovia. Les deux côtés de la chaussée sont hérissés de ruines noires et calcinées. Ici il ne reste pratiquement rien d'un bâtiment détruit, car tout ce qui est récupérable — briques, tôles, poutres — est aussitôt démonté et dérobé. La ville compte des dizaines de milliers de sans-abri venus de la brousse qui attendent qu'une grenade ou une bombe démolisse une maison pour se ruer aussitôt sur leur proie. Avec les matériaux emportés, ils vont se construire une hutte, une cabane, ou tout simplement un toit pour se protéger du soleil ou de la pluie. La ville, dont les maisons devaient à l'origine être simples et basses, est maintenant encombrée de constructions provisoires faites de bric et de broc. Elle s'est ratatinée, ressemble à une structure d'urgence : un camp de voyageurs qui auraient fait une halte pour se protéger du soleil torride de midi et seraient prêts à repartir pour une destination inconnue.

Je demande à John et à Zado de me conduire à un hôtel. J'ignore s'il y en a plusieurs dans la ville. Sans dire un mot, ils m'emmènent dans une rue où se dresse un bâtiment à étages tout décrépit avec une enseigne : « *El Mason Hotel* ». On y accède par le bar. John ouvre la porte, mais semble arrêté. À l'intérieur, dans une semi-obscurité artificielle et colorée, dans une atmosphère étouffante et viciée, se tiennent des prostituées. Ma phrase ne reflète toutefois pas la réalité : dans un local minuscule, une centaine de filles sont agglutinées, dégoulinantes de sueur, exténuées, si serrées, comprimées que non seulement on ne peut y entrer, mais qu'on ne pourrait même pas y glisser une main. Le mécanisme est simple : dès qu'un client ouvre la porte, une fille est catapultée dans les bras du candidat ébahi sous l'effet de la pression régnant à l'intérieur du bar. Sa place est aussitôt occupée par la fille suivante.

John recule et cherche un autre accès. Dans un petit bureau est assis le propriétaire, un jeune Libanais au regard serein et débonnaire. C'est à lui qu'appartiennent les filles et l'immeuble délabré aux murs visqueux et moisis sur lesquels des coulées d'eau noires forment une procession muette de fantômes, de chimères, d'esprits oblongs, maigres et mystérieux.

— Je n'ai pas de papiers, dis-je au Libanais qui se contente de sourire.

— Ce n'est pas grave, dit-il. Qui a des papiers ici ! Des papiers ! reprend-il en riant, et il regarde John et Zado d'un air entendu.

Visiblement je suis pour lui un extraterrestre. Les habitants de la planète Monrovia n'ont qu'un seul souci : survivre jusqu'au lendemain. Qui s'intéresse ici aux papiers ?

— Quarante dollars la nuit, dit-il. Mais sans les repas. On peut manger au coin de la rue. Chez la Syrienne.

J'invite immédiatement John et Zado à déjeuner. La patronne est une femme d'un certain âge, méfiante, qui regarde constamment la porte. Elle sert un plat unique : des chachliks avec du riz. Elle fixe l'entrée, car elle ne sait jamais qui va se présenter : des clients, pour manger un plat, ou des voleurs, pour tout lui emporter. « Qu'est-ce que je dois faire ? » demande-t-elle en mettant le couvert. Elle n'a plus d'énergie, plus d'argent. « J'ai tout perdu », dit-elle résignée, comme si nous étions au courant. Le local est désert. Un ventilateur est suspendu au plafond, les mouches volent, à la porte les mendiants se bousculent, la main tendue. Agglomérés à la fenêtre crasseuse, d'autres miséreux contemplent nos assiettes. Des hommes déguenillés, des femmes avec des béquilles, des enfants avec un bras ou une jambe arrachés par une mine. Nous ne savons pas comment nous tenir, où nous mettre.

Nous restons silencieux. Finalement j'aborde le problème de mes papiers. Zado m'explique que j'ai déçu les services à l'aéroport du fait que j'étais en règle et que j'avais tous mes papiers. J'aurais mieux fait de ne rien avoir. Des compagnies aériennes sauvages débarquent ici toutes sortes de gens louches. Il ne faut pas oublier que c'est le pays de l'or, des diamants et de la drogue. Pour la plupart, ces gens n'ont ni visa ni livret de vaccinations. C'est sur leur dos que le personnel de l'aéroport peut se faire de l'argent, car ces trafiquants paient pour qu'on les laisse entrer. C'est grâce à eux qu'il vit, car le gouvernement n'a pas les moyens de payer leurs salaires. Non pas qu'ils soient corrompus, ils sont tout simplement affamés. Moi aussi je vais devoir racheter mes papiers. Zado et John savent où et à qui. Ils vont arranger l'affaire.

Le Libanais nous rejoint et me laisse une clé. Comme la nuit tombe, il rentre chez lui. Il me conseille aussi de regagner l'hôtel. D'après lui, je ne pourrai pas me promener tout seul en ville le soir. Je retourne donc à l'hôtel, monte dans ma chambre par une porte latérale. En bas, près de l'entrée et dans les escaliers, des gueux s'accrochent à moi, m'assurant qu'ils me protégeront pendant la nuit. Tout en me parlant, ils tendent la main. Leur regard insistant laisse entendre que si je ne leur donne rien, ils viendront la nuit pendant mon sommeil et me trancheront la gorge.

Ma chambre, le n° 107, n'a qu'une fenêtre donnant sur un puits intérieur, sinistre et nauséabond. J'allume la lumière. Les murs, le lit, la petite table et le plancher sont noirs. Noirs de cafards. J'ai déjà eu l'occasion de vivre avec toute sorte de vermine, j'ai même appris à y être indifférent, à m'accommoder à l'idée de vivre parmi des millions de mouches, de cousins, de blattes et de punaises, au cœur d'innombrables nuées, d'essaims de guêpes, d'araignées, de carabes, de scarabées, de taons, de moustiques et de sauterelles voraces. Mais, cette fois-ci, je suis frappé moins par leur nombre, pourtant en lui-même choquant, que par la dimension des cafards, la taille de chaque insecte séparément. Ce sont des bestioles énormes, larges comme des tortues, sombres, luisantes, velues et moustachues. D'où peuvent bien venir ces proportions énormes ? De quoi ces insectes se nourrissent-ils ? Leur taille monstrueuse me tétanise. Depuis des années, sans réfléchir, j'ai écrasé toutes sortes de moustiques, mouches, puces et araignées, mais là je me trouve en présence d'un problème nouveau : comment venir à bout de pareils colosses ? Que faire d'eux ? Comment les traiter ? Les tuer ? Avec quoi ? Comment ? Rien que d'y penser, mes mains en tremblent. Ils sont trop gros. Je sens que je ne n'y arriverai pas, que je n'oserai même pas essayer. Intrigué, je me penche au-dessus d'eux et tends l'oreille pour tenter de capter une voix. Beaucoup de créatures de cette taille s'expriment en effet à leur façon : elles piaulent, coassent, ronronnent ou grognent. Pourquoi le cafard n'aurait-il pas lui aussi son langage ? Un cafard ordinaire est trop petit pour qu'on l'entende, mais les géants parmi lesquels je me trouve ? Vont-ils émettre un son ? Un silence absolu règne dans la chambre, ils sont tous muets, fermés, sans voix, mystérieux.

Je constate toutefois que, chaque fois que je me penche au-dessus d'eux dans l'espoir de les entendre, ils reculent avec vivacité et se regroupent en tas. Dès que je renouvelle mon geste, la réaction est la même. Manifestement les cafards sont dégoûtés par l'homme, le fuient avec répugnance, le perçoivent comme une créature désagréable et repoussante.

Je pourrais dramatiser la scène et raconter que les cafards, irrités par ma présence, se sont jetés sur moi, m'ont attaqué et submergé, tandis que, pris de tremblements, en proie à l'hystérie, j'ai été frappé d'apoplexie. Ce ne serait pas la vérité. En fait, quand je ne m'approche pas d'eux, ils restent indifférents, font leur bonhomme de chemin avec indolence et nonchalance. Tantôt ils vont d'un endroit à l'autre en trottinant, tantôt se glissent hors des fissures et y retournent. Mais à part cela, il ne se passe rien.

Conscient qu'une rude nuit d'insomnie m'attend, car par-dessus le marché il fait chaud à mourir, je sors de mon sac mes notes sur le Liberia.

En 1821, un navire venant d'Amérique, à bord duquel se trouvait un agent de l'*American Colonisation Society*, Robert Stockton, accosta à proximité de l'endroit où se trouve mon hôtel (Monrovia est situé sur la côte Atlantique, sur une presqu'île dont la forme ressemble à la presqu'île polonaise de Hel). Appliquant son pistolet sur la tempe du chef de la tribu locale, le roi Peter, Stockton le contraignit à lui vendre des terres en échange de six mousquets et d'un coffre de perles. La société américaine projetait d'y installer des esclaves affranchis, originaires essentiellement de plantations cotonnières de Virginie, de Georgie et du Maryland. Cette société américaine avait un caractère libéral et philanthropique. Ses militants estimaient que le meilleur moyen de réparer les préjudices causés aux esclaves était de les renvoyer sur leurs terres ancestrales d'Afrique.

Dès lors, des navires en provenance des États-Unis ont débarqué chaque année des groupes d'esclaves libérés qui se sont installés dans la région où se trouve aujourd'hui Monrovia. Ils ne constituaient pas une société très importante. Lorsque, en 1847, fut proclamée la République du Liberia, ils étaient six mille. Il est possible que leur nombre n'ait jamais dépassé quelques dizaines de milliers : moins de un pour cent de la population du pays.

L'histoire de ces colons, qui se sont donné le nom d'Américano-Libériens, est fascinante. Hier encore c'étaient des parias noirs, des esclaves privés de tout droit travaillant dans les plantations des États du Sud de l'Amérique. Pour la plupart, ils ne savaient ni lire ni écrire, et n'avaient pas non plus de métier. Des années auparavant, leurs pères avaient été arrachés à l'Afrique, enchaînés et transportés en Amérique puis vendus sur des marchés d'esclaves. Or voilà que, maintenant, les descendants de ces malheureux, ces esclaves noirs tout juste émancipés, se retrouvent sur la terre de leurs ancêtres, dans leur univers, parmi leurs frères de sang dont ils partagent les racines et la couleur de la peau. Par la volonté de Blancs américains libéraux, ils ont été transportés ici et livrés à eux-mêmes, à leur propre sort. Comment vont-ils se comporter ? Que vont-ils faire ?

Contrairement aux attentes de leurs bienfaiteurs, les colons ne baisent pas la terre promise ni ne se jettent dans les bras de leurs frères africains.

Ces Américano-Libériens ont l'expérience d'un seul type de société : l'esclavage, en vigueur alors dans les États du Sud de l'Amérique. Aussi, dès leur arrivée, la première chose qu'ils font, c'est de recréer une société similaire. À la différence que désormais ce sont eux, les esclaves d'hier, qui seront les maîtres et que les nouveaux esclaves seront les communautés indigènes qu'ils conquièrent et dominent.

Le Liberia, c'est la prolongation de l'esclavagisme par

des esclaves qui refusent de détruire un système injuste et s'emploient à le maintenir, le développer et l'exploiter dans leur propre intérêt. Il semble qu'un esprit opprimé, dénaturé par l'expérience de l'esclavage, « né dans la servitude et enchaîné dès le berceau », soit incapable de penser, d'imaginer un monde affranchi, un monde où chacun serait libre.

Le Liberia est en grande partie couvert par la jungle, une forêt épaisse, tropicale, humide, palustre. Quelques tribus pauvres et faiblement organisées y habitent (les peuples aux structures militaires et étatiques puissantes vivent généralement sur les espaces larges et ouverts de la savane : ils ne peuvent se développer dans la jungle africaine à cause des problèmes sanitaires et des difficultés de communication). Désormais, ces territoires traditionnellement habités par la population indigène sont peu à peu occupés par des colons venus d'outre-mer. D'emblée, les relations sont mauvaises, hostiles. Les Américano-Libériens déclarent qu'ils sont les seuls citoyens du pays. Ce statut, ils le refusent à tous les autres, c'est-à-dire à quatre-vingt-dix-neuf pour cent de la population. D'après les lois qu'ils votent, ces autres ne sont que des *tribesmen* (des « hommes de tribus »), sans culture, des sauvages et des païens.

Généralement, les deux communautés vivent éloignées l'une de l'autre, et n'entrent en contact que rarement, sporadiquement. Les nouveaux maîtres restent sur la côte et dans les bourgades qu'ils y ont construites, la plus importante étant Monrovia. Il faudra attendre cent ans après la naissance du Liberia pour que son président, à l'époque William Tubman, se rende pour la première fois à l'intérieur du pays. Ne pouvant se distinguer des indigènes par la couleur de leur peau ni par leur apparence physique, les colons d'Amérique essaient de souligner leur différence et leur supériorité d'une autre manière. Malgré le climat torride et humide qui règne au Liberia, les hommes, même en semaine, portent des habits et des redingotes, des chapeaux melons et des gants blancs. Les dames restent généralement à la maison, mais quand elles sortent — jusqu'au milieu du XXe siècle Monrovia ne

connaît ni asphalte ni trottoirs —, elles se parent de crino-
lines raides, d'épaisses perruques et de chapeaux décorés
de fleurs artificielles. Toute cette classe supérieure, exclusive, vit dans des maisons qui sont une copie fidèle des
manoirs et des petits palais que se contruisaient les Blancs
propriétaires de plantations dans les États du Sud de
l'Amérique. Les Américano-Libériens s'enferment également dans un univers religieux inaccessible aux Africains
indigènes. Ce sont des baptistes et des méthodistes fer-
vents. Ils érigent sur leurs nouvelles terres des églises
simples, où ils passent tout leur temps libre à chanter des
hymnes pieux et à écouter des sermons de circonstance.
Avec le temps, ces temples deviennent aussi des lieux de
rencontres amicales, des espèces de clubs privés.

Bien avant que les Afrikaners blancs n'instaurent l'apartheid comme système de ségrégation et de domination en
Afrique du Sud, les nouveaux maîtres du Liberia, descendants d'esclaves noirs, inventent et expérimentent ce système dès la seconde moitié du XIXᵉ siècle. Les conditions
naturelles et la densité de la jungle créent entre les indigènes et les colons une frontière naturelle, un *no man's
land* qui favorise la ségrégation. Mais cela ne suffit pas.
Dans l'univers étroit et bigot de Monrovia, les contacts
avec la population locale sont interdits, notamment les
mariages. Tout est fait pour que « les sauvages connaissent leur place ». C'est dans ce but que le gouvernement
de Monrovia assigne à chaque tribu — il y en a seize — un
territoire où elle est tenue de résider, comme les fameux
homelands créés pour les Africains des dizaines d'années
plus tard par les racistes blancs de Pretoria. Tous ceux qui
enfreignent la loi sont sévèrement punis. Monrovia envoie
sur les lieux de rébellion et de résistance des expéditions
punitives militaires et policières. Les chefs des tribus
insurgées sont décapités sur place, la population rebelle
massacrée ou emprisonnée, ses villages détruits, ses
récoltes réduites en cendres. Ne dérogeant pas à la règle
universelle, ces expéditions, campagnes et guerres locales
ont un seul et unique objectif : capturer des prisonniers.
Les Américano-Libériens ont en effet besoin de main-
d'œuvre. Dès la seconde moitié du XIXᵉ siècle, ils font tra-

vailler les indigènes dans leurs exploitations et leurs ateliers. Ils se lancent aussi dans le trafic d'esclaves, vendant
leurs prisonniers à d'autres colonies, notamment à Fernando Po et à la Guyane. À la fin des années vingt du
xxᵉ siècle, la presse mondiale dénonce ces pratiques
menées officiellement par le gouvernement du Liberia. La
Société des Nations intervient. Sous sa pression, le président en exercice, Charles King, est contraint de céder.
Mais le trafic continue, dans la clandestinité toutefois.

Dès les premiers jours de leur installation au Liberia,
les colons noirs d'Amérique ont réfléchi à la manière de
garder et de renforcer leur position dominante dans leur
nouvelle patrie. Ils commencent par exclure les indigènes
du pouvoir en leur déniant tout droit civique. Ils les auto-
risent à vivre, mais seulement sur les territoires réservés
à leur tribu. Puis ils vont plus loin : ils inventent un système de pouvoir à parti unique. Un an avant la naissance
de Lénine, en 1869, est créé à Monrovia le *True Whig Party*,
qui conservera le monopole du pouvoir pendant cent onze
ans, c'est-à-dire jusqu'en 1980. La direction de ce parti,
son bureau politique — *The National Executive* — dès le
début décide de tout : qui sera président, qui siège au
gouvernement, quelle sera la politique menée par ce gouvernement, quelle société étrangère obtiendra des concessions, qui sera nommé chef de la police, directeur des
postes, etc., jusqu'au moindre détail, jusqu'aux échelons
les plus bas. Le chef du parti est président de la République et inversement, car ces postes sont interchan-
geables. Pour obtenir quelque chose, il faut être membre
du Parti. Ses adversaires croupissent en prison ou émi-
grent.

Dans les années soixante, j'ai rencontré le leader du
parti et président du Liberia, William Tubman.

C'était au printemps 1963, à Addis-Abeba, lors de la
première Conférence des chefs d'État africains. Tubman
avait à l'époque près de soixante-dix ans. Il n'avait jamais
pris l'avion de sa vie, il en avait peur. Un mois avant la
conférence, il avait levé l'ancre de Monrovia, avait accosté
à Djibouti, et de là avait gagné Addis-Abeba en train. Il
était petit, fin, d'humeur joviale et avait toujours un cigare

à la bouche. Aux questions embarrassantes, il répondait par un éclat de rire sonore et prolongé qui se terminait par un hoquet bruyant suivi d'une crise d'étouffement accompagnée de sifflements et de convulsions. Il tremblait, écarquillait ses yeux noyés de larmes. Décontenancé et effrayé, son interlocuteur se taisait et n'osait plus insister. Tubman époussetait d'une chiquenaude la cendre sur ses vêtements et, apaisé, disparaissait de nouveau derrière un gros nuage de fumée.

Il a été président du Liberia pendant vingt-huit ans. Il appartenait à cette catégorie de caciques, rare aujourd'hui, qui gèrent leur pays comme un propriétaire son domaine : ils savent tout, décident de tout. Leonidas Trujillo, qui appartient à la même génération que Tubman, a été le président-dictateur de la république Dominicaine pendant trente ans. Sous son règne l'Église organisait des baptêmes collectifs, et Trujillo en personne présentait les nouveaunés au prêtre. Puis il devint le parrain de tous ses sujets. La CIA n'a jamais réussi à trouver un volontaire pour attenter à la vie du dictateur, personne ne voulant lever la main sur son parrain.

Chaque jour Tubman recevait près de soixante personnes. Il nommait lui-même les gens à tous les postes dans le pays, décidait à qui il fallait accorder des concessions, quels missionnaires il fallait laisser entrer. Il envoyait ses hommes partout, il avait une police privée qui lui faisait des rapports sur ce qui se passait dans tel ou tel village. Il ne s'y passait d'ailleurs pas grand-chose. Le pays était une petite province d'Afrique oubliée du monde entier. Dans les rues sablonneuses de Monrovia, à l'ombre de masures délabrées, des vendeuses bien en chair somnolaient derrière leurs étalages. Partout traînaient des chiens atteints de paludisme. Parfois devant la porte du palais gouvernemental passait un groupe avec une énorme banderole sur laquelle on pouvait lire : « Gigantesque manifestation de reconnaissance pour les progrès réalisés dans le pays grâce à l'Incomparable Administration du Président du Liberia, Dr. W. V. S. Tubman. » Devant la même porte s'arrêtaient aussi des ensembles musicaux venus de province pour chanter la grandeur du président : « Tubman est notre père à tous / le père du peuple tout entier / Il nous construit des routes / fait venir l'eau / Tubman nous donne à manger /nous donne à manger/ yé, yé ! » Les gardes, de leur guérite où ils se protégeaient du soleil, applaudissaient ces bardes enthousiastes.

Mais le respect général qu'inspirait le président était dû surtout à la protection des bons esprits qui le dotaient de forces exceptionnelles. Si quelqu'un voulait lui servir une boisson empoisonnée, le verre contenant le breuvage se désagrégeait dans les airs. La balle d'un terroriste ne pouvait l'atteindre, car elle aurait fondu sur sa trajectoire avant de l'atteindre. Le président utilisait des herbes qui lui permettaient de gagner toutes les élections. Il avait aussi un appareil à travers lequel il pouvait voir tout ce qui se passait partout. Aussi l'opposition n'avait-elle aucune raison d'exister, puisqu'elle elle aurait été découverte avant même d'être créée.

Tubman est mort en 1971. Il a été remplacé par son ami, le vice-président William Tolbert. Mais autant le pouvoir amusait Tubman, autant l'argent fascinait Tolbert. Il avait la corruption dans le sang. Il marchandait tout : l'or, les voitures. À ses moments de liberté, il vendait des passeports. Toute l'élite, les descendants des esclaves noirs américains, suivait son exemple. Tolbert ordonnait de tirer sur les gens qui descendaient dans la rue pour demander du pain et de l'eau. Sa police assassina des centaines d'hommes.

Le 12 avril 1980, au petit matin, un groupe de soldats fait irruption dans la résidence du président et le tue dans son lit. Ils le vident de ses entrailles, qu'ils jettent aux chiens et aux vautours. Les soldats sont au nombre de dix-sept. Ils sont conduits par un sergent de vingt-huit ans, à peine lettré, Samuel Doe. Originaire de la petite tribu krahn qui vit au fin fond de la jungle, il fait partie de ces hommes que la misère a chassés du village et qui depuis des années affluent en masse à Monrovia pour y trouver un emploi et quelques sous. En l'espace de trente ans, de 1956 à 1986, la population de la capitale du Liberia a été multipliée par dix, passant de 42 000 à 425 000 habitants.

Ce bond démographique a eu lieu dans une ville sans industries ni moyens de communications, dans une ville où peu de maisons ont l'électricité et encore moins l'eau courante.

Pour aller de la jungle à Monrovia, il faut des journées de marche à travers des régions tropicales impraticables. Seuls des hommes jeunes et forts peuvent venir à bout de cette expédition. Ce sont justement eux qui arrivent à la ville. Mais une fois sur place, ils ne trouvent rien, ni travail, ni toit. Dès le premier jour, ils rejoignent les rangs des bayayes, cette armée de jeunes chômeurs qui errent sans rien faire dans toutes les grandes rues et sur toutes les places des villes africaines. Cette foule est à l'origine des troubles dont souffre le continent : c'est dans ses rangs, contre quelques sous, souvent contre une promesse de pain, que les chefs de bande locaux recrutent leur armée pour prendre le pouvoir, organiser des coups d'État et déchaîner des guerres civiles.

À l'instar d'Amin en Ouganda, Doe est l'un de ces bayayes. Et comme Amin, il a gagné au loto : il a été recruté. On pourrait penser qu'il a atteint le sommet de sa carrière. Ses ambitions se révèlent toutefois plus grandes.

Le coup d'État de Doe n'est pas le simple remplacement d'un bureaucrate, d'un cacique corrompu par un semi-analphabète en uniforme. C'est aussi une révolution sanglante, cruelle et caricaturale des masses opprimées et à moitié asservies de la jungle africaine contre leurs maîtres honnis, les descendants d'esclaves des plantations américaines. C'est donc en quelque sorte un coup d'État dans un univers d'esclaves : les esclaves d'aujourd'hui s'insurgent contre les esclaves d'hier qui les ont asservis. Tous ces événements semblent étayer la thèse la plus pessimiste et la plus tragique selon laquelle on ne sort pas de la servitude, tout au moins sur le plan mental ou culturel. Ou alors c'est un processus extrêmement laborieux et long.

Doe se proclame immédiatement président et fait aussitôt massacrer treize ministres du gouvernement Tolbert. L'exécution dure longtemps et se déroule sous les yeux d'une populace nombreuse et avide de sensations.

Le nouveau président ne cesse de dénoncer des attentats dirigés contre lui. Il prétend en avoir dénombré trente-quatre. Les terroristes sont fusillés. S'il reste en vie et continue de gouverner, c'est bien la preuve qu'il est protégé par des sortilèges et des forces invincibles, œuvre des sorciers de son village. On a beau lui tirer dessus, les balles se figent dans les airs et retombent à terre.

Il n'y a pas grand-chose à dire au sujet de son règne. Il dirige le pays pendant dix ans, dix ans de stagnation. Il n'y a pas de lumière, les magasins sont fermés, la circulation sur les innombrables routes du Liberia s'est figée.

En fait il ne sait pas comment gérer son rôle de président. Comme il a un visage puéril et joufflu, il s'achète de grandes lunettes avec une monture en or afin d'avoir l'air sérieux et riche. De tempérament plutôt paresseux, il passe des journées entières dans sa résidence à jouer aux dames avec ses sujets. Il passe aussi beaucoup de temps dans la cour où les épouses de sa garde présidentielle préparent à manger sur des feux et font la lessive. Il leur fait la conversation, plaisante, de temps en temps en prend une dans son lit. Perdu, ne sachant pas comment échapper à la vengeance des victimes de ses massacres, il ne trouve qu'une issue : s'entourer d'hommes de sa tribu, les Krahns qu'il fait venir en masse à Monrovia. Ainsi, des mains des Américano-Libériens riches, bien enracinés, mondains, et qui entre-temps ont réussi à fuir le pays, le pouvoir passe dans celles d'une misérable tribu de la jungle, analphabète et effarouchée par son nouveau statut. Brusquement arrachés à leurs huttes tressées d'écorce et de feuilles, les Krahns voient pour la première fois de leur vie une ville, une voiture ou des chaussures. Ils comprennent que le seul moyen de survivre est de terroriser, voire de liquider les ennemis réels ou potentiels, c'est-à-dire tous les non-Krahns. C'est ainsi qu'une poignée d'entre eux, hier encore miséreux, obscurs et perdus, s'accrochant à un pouvoir lucratif qui leur est tombé du ciel comme un œuf en or, sème la terreur parmi le peuple. Ils frappent, maltraitent, pendent, sans raison. « Mais pourquoi t'ont-ils torturé ? demandent des voisins à un homme tout couvert d'ecchymoses. — Parce que je ne faisais pas partie de la tribu krahn », répond le malheureux.

On comprend que dans cette situation, le pays ne rêve que de se débarrasser de Doe et de ses hommes. Un dénommé Charles Taylor vole au secours du peuple. C'est un ancien proche de Doe qui, comme l'affirme le président, lui a volé un million de dollars, s'est enfui aux États-Unis, s'est fait pincer dans un trafic louche, s'est retrouvé derrière les barreaux, s'est évadé et a atterri en Côte-d'Ivoire. De là, en décembre 1989, il engage une guerre contre Doe, entouré d'une soixantaine d'hommes. Doe aurait pu en venir à bout aisément, mais il envoie contre son rival une armée de va-nu-pieds qui, à peine sortis de Monrovia, font main basse sur tout ce qui leur tombe sous la main. La nouvelle qu'une armée de brigands est en marche se répand comme une traînée de poudre dans la jungle. Dans un sauve-qui-peut général, la population effrayée rallie Taylor. L'armée de celui-ci gonfle à la vitesse de l'éclair et en six mois à peine se trouve aux portes de Monrovia. Dans le camp de Taylor éclate alors une querelle pour déterminer qui doit conquérir la ville et à qui reviendra la butin. Le chef d'état-major, Prince Johnson, un ancien fidèle de Doe également, se sépare de Taylor et crée sa propre armée. Il y a maintenant trois armées : celle de Doe, celle de Taylor et celle de Johnson, qui se battent entre elles, dans la ville et pour la ville. Monrovia se transforme en ruines, des quartiers entiers flambent, des cadavres jonchent les rues.

Finalement les pays d'Afrique occidentale interviennent. Le Nigeria envoie par la mer des troupes qui, l'été, débarquent dans le port de Monrovia. Informé, Doe décide d'aller accueillir les Nigérians. Protégé par ses gardes du corps, il gagne en Mercedes le port. Nous sommes le 9 septembre 1990. Le président traverse une ville martyrisée, dévastée, pillée, déserte. Il arrive au port où les hommes de Johnson l'attendent. Ils ouvrent le feu. Toute la garde du président tombe sous les balles. Lui-même est touché aux jambes, il ne peut pas s'enfuir. Ils est capturé, ligoté et entraîné au supplice.

Johnson, qui est très sensible à la médiatisation,

ordonne de filmer la scène de torture d'un bout à l'autre. Sur l'écran on peut le voir assis, sirotant une bière. À ses côtés se tient une femme qui joue de l'éventail et lui éponge son front en sueur, il fait très chaud. Doe est assis par terre, les mains attachées derrière le dos, dégoulinant de sang. Il a le visage tuméfié, on ne voit presque plus ses yeux. Les hommes de Johnson sont agglutinés autour de lui, fascinés par le spectacle du dictateur torturé. C'est le fameux détachement qui, depuis plus de six mois, sillonne le pays, pille et tue. Pourtant le spectacle du sang le met toujours en transe, le rend toujours fou. De jeunes garçons jouent des coudes, chacun veut voir, se rassasier la vue. Doe est assis dans une mare rouge, nu, ruisselant de sang, de sueur et d'eau dont on l'arrose pour qu'il ne s'évanouisse pas, la tête gonflée par les coups. « Prince ! bredouille Doe à Johnson — il l'appelle par son prénom car Doe, Taylor et Johnson, ces frères ennemis qui ravagent le pays, sont de vieux camarades —, je ne te demande qu'une chose, fais desserrer les liens. Je te dirai tout, mais fais desserrer les liens ! » On lui a manifestement si bien ligoté les mains que cela lui fait plus mal que les blessures de balles dans les jambes. Mais Johnson hurle, il hurle dans un créole incompréhensible dont il ressort seulement qu'il veut le numéro de compte bancaire de Doe. Chaque fois qu'un dictateur est renversé en Afrique, l'enquête, les coups, les tortures tournent toujours autour du même thème : le numéro de compte personnel. Pour l'opinion publique, l'homme politique est à tous les coups un chef de gang, un trafiquant de stupéfiants et d'armes qui place son argent à l'étranger, car il sait que sa carrière sera brève, qu'il faudra un jour s'enfuir et qu'il faut donc assurer son avenir.

« Tranchez-lui les oreilles ! » hurle Johnson, furieux que Doe ne veuille pas parler. Mais Doe affirme précisément le contraire ! Les soldats jettent le président par terre, le retenant du pied. L'un d'entre eux lui coupe une oreille avec sa baïonnette. On entend un cri de douleur inhumain.

« L'autre oreille ! » crie Johnson. Il y a un vacarme d'enfer, tous sont excités, se disputent, chacun voudrait couper l'oreille du président. De nouveau un hurlement.

On redresse le président. Doe est assis, le dos retenu par le pied d'un soldat. Sa tête, sans oreilles, inondée de sang, penche d'un côté. Maintenant Johnson ne sait plus vraiment que faire. Lui faire couper le nez ? La main ? Le pied ? Visiblement il est à court d'imagination. Cela commence à l'ennuyer. « Qu'on l'emporte ! » ordonne-t-il aux soldats qui l'emmènent pour poursuivre la séance, toujours filmée. Torturé, Doe a vécu encore quelques heures puis a fini par mourir d'une hémorragie. Quand j'étais à Monrovia, la cassette vidéo du supplice du président était la plus grande attraction sur le marché des médias. Mais comme dans la ville on manquait de magnétoscopes, et que par ailleurs l'électricité était souvent coupée, pour voir les tortures du président — le film dure en tout deux heures —, les gens devaient se faire inviter par des voisins plus riches ou bien aller dans un bar où la cassette passait sans interruption.

Les gens qui écrivent sur l'Europe ont la vie facile. L'écrivain n'a qu'à s'arrêter à Florence, où il situe par exemple l'action de son roman. L'histoire s'occupe du reste. Les églises florentines, les extraordinaires statues, les hôtels particuliers de la Renaissance que les riches citadins ont eu les moyens de se faire construire, lui fournissent des thèmes à foison. On peut décrire tout cela sans même se déplacer, en faisant une petite promenade en ville. « Je me tenais sur la *Piazza del Duomo* », écrit un auteur se trouvant à Florence. Puis on peut lire des pages et des pages décrivant la richesse de cet univers, de ces merveilles de l'art, de ces chefs-d'œuvre qui l'entourent de toutes parts, qu'il voit de tous côtés et dans lesquels il baigne. « Et maintenant je traverse *il Corso i Borgo degli Albizi* en direction du musée Michel-Ange et pour aller contempler la fresque de la *Madonna della Scala* », poursuit notre écrivain. Quelle chance il a ! Il lui suffit de marcher et de regarder. Le monde qui l'entoure glisse tout seul sous sa plume. On peut rédiger tout un chapitre sur cette courte balade. Cette ville offre une telle variété, une telle abondance, une telle infinité de sources ! Prenons Balzac. Prenons Proust. Page après page, ce ne sont que listes, registres, catalogues de choses et d'objets inventés et fabriqués par des milliers d'ébénistes, de ciseleurs, de fouleurs et de tailleurs de pierre, par d'innombrables mains habiles, sensibles et soigneuses qui ont construit en Europe villes et rues, qui ont bâti des maisons, équipé leur intérieur.

Monrovia place le visiteur dans une situation tout à fait différente. Des petites maisons identiques, toutes de guingois et à l'abandon, s'étirent sur des kilomètres. On passe d'une rue à l'autre, d'un quartier à l'autre sans s'en apercevoir si bien que seule la fatigue, qui se fait sentir très vite sous ce climat, nous informe que nous nous trouvons dans une autre partie de la ville. Il en est de même pour l'intérieur des maisons qui sont, à l'exception de quelques villas de notables et de riches, toutes aussi pauvres et monotones les unes que les autres. Une table, des chaises ou des tabourets, le lit conjugal en métal, des nattes en rafia ou en plastique pour les enfants, des clous au mur pour accrocher les vêtements, des images en couleur généralement découpées dans des revues, une grande marmite pour faire cuire le riz, une plus petite pour préparer la sauce, des gobelets pour boire l'eau et le thé, une bassine en plastique pour se laver qui, en cas de départ précipité — chose fréquente, car les combats éclatent de toutes parts —, sert aussi de valise et que les femmes portent sur la tête.

C'est tout ? Oui, à peu près.

Le plus facile, et le moins cher, c'est de se contruire une maison en tôle ondulée. Un rideau en percale en guise de porte, des ouvertures minuscules en guise de fenêtres. Pendant la saison des pluies, longue et pénible ici, on les bouche avec des morceaux de contre-plaqué ou de gros carton. Pendant la journée, cette maison est aussi brûlante qu'un four, ses murs sont presque incandescents, son toit grésille et fond au soleil, si bien que de l'aube au crépuscule personne ne s'y aventure. À la première lueur du jour, dès que l'aube pointe à l'horizon, les habitants encore endormis s'éjectent dans la cour ou dans la rue, qu'ils ne quitteront plus jusqu'au soir. Ils sortent trempés de sueur, en se grattant les cloques laissées par les piqûres de moustiques ou d'araignées et en jetant un œil à la marmite pour voir s'il y reste du riz de la veille.

Ils regardent la rue, les maisons des voisins, sans curiosité, sans rien attendre.

Il faudrait peut-être faire quelque chose.

Mais quoi ?

Ce matin j'ai descendu Carrey Street, la rue où se trouve mon hôtel. C'est le centre de la ville, le quartier des commerçants. On ne peut pas aller bien loin. Partout des groupes de bayayes, des garçons désœuvrés, affamés, n'espérant rien, n'attendant rien de la vie, sont assis, adossés aux murs des maisons. Ils s'accrochent à moi pour me demander d'où je viens, me proposer d'être mon guide, me supplier de leur procurer une bourse en Amérique. Ils ne veulent même pas un dollar, pour acheter du pain. Non, ils visent plus haut : l'Amérique, carrément !

Plus loin, je suis encerclé par des gamins aux visages bouffis et aux yeux troubles, certains sans bras ou sans jambes. Ce sont des anciens soldats des *Small Boys Units* de Charles Taylor, les détachements les plus terribles. Taylor recrute des gosses et leur donne des armes. Il leur donne aussi de la drogue et, une fois qu'ils sont sous son emprise, il les pousse au combat. Complètement abrutis, ces enfants se comportent comme des kamikazes, ils se jettent dans le feu de la bataille, foncent sur les balles, sautent sur des mines. Quand ils deviennent trop dépendants et ne sont plus rentables, Taylor les expulse. Certains arrivent à gagner Monrovia et terminent leur brève existence dans des fossés ou dans des décharges, achevés par le paludisme, le choléra ou les chacals.

On ignore pourquoi Doe s'est rendu au port, provoquant ainsi sa propre mort. Peut-être avait-il oublié qu'il était président ? Il l'est d'ailleurs devenu tout à fait par hasard. Dix ans plus tôt, avec un groupe de seize camarades, des sous-officiers de l'armée de métier comme lui, il s'est rendu à la résidence du président Tolbert pour réclamer son arriéré de solde. Ils n'ont rencontré aucun membre de la garde présidentielle. Quant à Tolbert, il dormait. Profitant de l'occasion, ils l'ont transpercé de leurs baïonnettes. Doe, l'aîné du groupe, a occupé sa place. En général, à Monrovia, personne ne respecte les sous-officiers, mais là tout le monde s'est mis à lui faire des courbettes, à l'applaudir, à jouer des coudes pour lui serrer la main. Cela lui a plu. Il a vite appris quelques petits trucs : si la foule bat des mains, il faut la saluer en levant les bras triomphalement. Pour les cérémonies, il faut troquer l'uniforme de campagne contre un costume croisé sombre. Quand un adversaire se présente, il faut l'attraper et le tuer.

Mais il n'a pas eu le temps de tout apprendre. Il n'a pas su, notamment, réagir quand ses anciens camarades, Taylor et Johnson, ont occupé le pays, puis la capitale et se sont mis à assiéger sa résidence. Taylor et Johnson avaient leurs propres bandes armées et convoitaient tous deux le pouvoir, toujours aux mains de Doe. Il n'était évidemment pas question pour eux d'avoir un programme, ni de promouvoir la démocratie ou la souveraineté. La seule chose qui les intéressait, c'était de tenir la caisse. Doe l'avait tenue pendant dix ans. Il étaient en droit de considérer que cela suffisait. Ils le disaient d'ailleurs ouvertement : « Tout ce que nous voulons, c'est éliminer Samuel Doe, répétaient-ils dans des dizaines d'interviews. Après, la paix régnera. »

Doe n'a pas été pas capable de réagir, il s'est tout simplement laissé aller. Au lieu de répliquer par les armes ou par la négociation, il n'a rien fait. Enfermé dans sa résidence, il ne savait pas très bien ce qui se passait autour, bien que depuis trois mois des combats acharnés aient fait rage en ville. Puis on lui fait un rapport sur l'arrivée au port de troupes nigérianes. En tant que président, il avait le droit de demander officiellement d'où venaient ces troupes étrangères accostant sur le territoire de son pays. Il pouvait exiger que le chef de ces troupes viennent présenter des explicatons dans sa résidence. Or Doe n'a rien fait de tel. L'éclaireur subalterne, la sentinelle a parlé en lui : « Je vais aller voir moi-même ce qui couine dans les herbes ! » Il s'est installé dans une voiture et s'est rendu au port. Ne savait-il pas que cette partie de la ville était occupée par Johnson, qui rêvait de le mettre en pièces ? Que ce n'est pas au président de se déplacer pour se faire annoncer au chef d'une armée étrangère ?

Peut-être l'ignorait-il vraiment. Ou bien il le savait, mais, manquant de jugement, il n'a pas réfléchi, il a agi spontanément. L'histoire est souvent le produit de l'étourderie, le fruit de la bêtise humaine, de l'obscurantisme, de l'idiotie et de la folie. Elle est souvent faite par des hommes qui ne savent pas ce qu'ils font, qui ne comprennent pas le sens de leurs actes, ou pire, qui ne veulent pas savoir, rejettent toute analyse avec dégoût et hargne. Nous les voyons se diriger vers leur propre destruction, se prendre dans leurs propres filets, ils serrent eux-mêmes les liens qui les étranglent, vérifiant avec soin et à plusieurs reprises leur solidité et leur efficacité.

Les dernières heures de Doe marquent le moment précis où l'histoire bascule dans la désintégration totale. La digne et altière déesse se transforme alors en sa caricature sanglante et pitoyable. Les sbires de Johnson blessent le président aux jambes afin qu'il ne puisse pas s'enfuir, ils l'attrapent, lui tordent les bras et le ligotent. Puis ils le torturent pendant des heures. Cela se passe dans une petite ville où se trouve pourtant un gouvernement légal. Où sont pendant ce temps-là les ministres ? Que font les autres fonctionnaires ? Où est la police ? Le président est torturé à côté d'un bâtiment occupé par des soldats nigérians venus à Monrovia afin de protéger le pouvoir légal. Ne se sentent-ils pas concernés ? Le bouquet, c'est qu'à quelques kilomètres du port est stationnée la garde d'élite du président, quelques centaines d'hommes, dont le seul but, l'unique tâche consiste à protéger le chef de l'État. Or celui-ci est parti ce matin faire une brève visite au port, les heures ont passé et ils sont sans nouvelles de lui. Ne se demandent-ils pas ce qui a pu lui arriver, où il a bien pu passer ?

Revenons à la scène de l'interrogatoire. Johnson veut connaître le numéro de compte bancaire de Doe. Doe gémit, ses blessures le font souffrir. Une heure auparavant, il a reçu une bonne dizaine de balles. Il bredouille quelques mots incompréhensibles. Est-ce son numéro de compte ? A-t-il vraiment un compte ? Furieux, Johnson ordonne de lui couper aussi sec les oreilles. Pourquoi ? Est-ce sensé ? Johnson ne comprend-il pas que le sang va envahir les conduits auditifs du président et que la communication avec lui n'en sera que plus difficile ?

On voit ainsi à quel point ces gens sont incapables de faire face aux événements, qu'ils sont dépassés par la situation et ne produisent que du gâchis. Puis, fous de rage, ils essaient de se rattraper. Mais peut-on se rattraper en hurlant ? En maltraitant ? En frappant ?

Après la mort de Doe, la guerre continue. Taylor se bat contre Johnson, tous deux contre ce qui reste de l'armée libérienne et contre les troupes d'intervention de plusieurs pays d'Afrique qui, sous le nom d'ECOMOG, sont censées rétablir l'ordre au Liberia. Après d'interminables combats, l'ECOMOG occupe Monrovia et ses environs, le reste du pays étant aux mains de Taylor et de bandes du même acabit. On peut se déplacer dans la capitale, mais au-delà de vingt à trente kilomètres on est arrêté sur la route par un poste de soldats du Ghana, de Guinée ou de Sierra Leone. Ils arrêtent tout le monde, il est interdit d'aller plus loin.

Au-delà, c'est l'enfer. Même ces soldats armés jusqu'aux dents ne s'y risqueraient pour rien au monde. Car ces zones sont livrées à des chefs de bandes libériens. Sur le continent africain, ces hommes portent le nom de seigneurs de la guerre, de *warlords*.

Le *warlord* est un ancien officier, un ex-ministre, un militant ou une personne avide de pouvoir et d'argent, un individu dénué de scrupules, brutal et fort, qui, profitant de la désintégration de l'État à laquelle il a d'ailleurs lui-même contribué et continue de contribuer, veut se tailler son État miniature informel et y exercer un pouvoir dictatorial. Le plus souvent le *warlord* utilise à cet effet la tribu ou le clan auquel il appartient. Les *warlords* sèment la haine tribale et raciale en Afrique sans jamais le reconnaître. Ils proclament toujours qu'ils dirigent un mouvement ou un parti à caractère national. Généralement il s'agit d'un « Mouvement de Libération » ou d'un « Mouvement pour la Défense de la Démocratie » ou « de l'Indépendance ». Leurs idéaux ne sont jamais moins nobles.

Ayant trouvé une appellation, le *warlord* commence par recruter son armée. Cela ne pose aucun problème. Dans chaque pays, dans chaque ville, il y a des milliers d'enfants affamés et sans travail qui rêvent d'être incorporés dans la troupe d'un *warlord*. En même temps qu'une arme, le chef leur donnera le sentiment d'appartenir à une communauté, ce qui n'est pas négligeable. Généralement, le *caudillo* ne les paiera pas. Il leur dira seulement : « Vous avez une arme, nourrissez-vous tout seuls. » Ce contrat leur suffit : ils sauront comment s'y prendre.

Pour ce qui est des armes, il n'y a pas de problème non plus. Elles sont bon marché et en abondance partout. De plus les seigneurs de la guerre ont de l'argent. Ou bien ils l'ont volé dans les caisses de l'État, en tant que ministres ou généraux, ou bien ils tirent leurs revenus en occupant une région riche, là où se trouvent les mines, les usines, les forêts d'abattage, les ports maritimes, les aéroports. Ainsi, par exemple, Taylor au Liberia et Savimbi en Angola occupent respectivement les territoires de leur pays où sont situés les gisements de diamants. Beaucoup de guerres en Afrique pourraient d'ailleurs s'appeler « guerres du diamant ». Une « guerre du diamant » s'est ainsi déroulée dans la province du Kasai au Congo, une autre se poursuit depuis des années en Sierra Leone. Mais il n'y a pas que les mines qui rapportent de l'argent. Les routes et les fleuves sont aussi des sources de revenus intéressantes : il suffit de placer des barrages et de taxer chaque passage.

Autre source inépuisable pour les *warlords* : l'aide internationale destinée à la population pauvre et affamée. Les seigneurs de la guerre prélèvent sur chaque convoi les sacs de céréales et les litres d'huile dont ils ont besoin. Ici règne la loi du plus fort : celui qui est armé est servi le premier. Les affamés ne reçoivent de cette aide que les restes. Les organisations internationales sont confrontées à un dilemme : si elles ne donnent pas aux brigands, ils ne laisseront pas passer les convois d'aide alimentaire et les gens mourront de faim. Elles donnent donc aux chefs de bande ce qu'ils veulent avec l'espoir qu'il en restera un petit peu pour les affamés.

Les *warlords* sont à la fois la cause et le produit de la crise où sont plongés de nombreux pays africains dans leur période postcoloniale. Dès qu'un État africain commence à chanceler, on peut être sûr qu'aussitôt apparaîtront les seigneurs de la guerre. En Angola, au Soudan, en Somalie, au Tchad, ils sont partout, ils règnent partout. Que fait le *warlord* ? Théoriquement il se bat contre d'autres *warlords*. Mais ce n'est pas toujours le cas. Le plus souvent le seigneur de la guerre s'emploie à piller la population sans armes de son propre pays. Le *warlord* est le contraire de Robin des Bois. Robin des Bois prenait aux riches pour donner aux pauvres. Le *warlord* prend aux pauvres pour s'enrichir et nourrir sa bande. Nous gravitons dans un univers où la misère condamne les uns à mort, transforme les autres en monstres. Les premiers sont les victimes, les seconds les bourreaux. Il n'y a pas d'intermédiaire.

Le *warlord* a ses victimes à portée de main. Il n'a pas besoin d'aller les chercher bien loin : ce sont les habitants des petites villes et des villages environnants. Ses bandes de mercenaires à moitié nus, chaussés d'Adidas déchirées, rôdent sur les terres de leur maître en quête de pâture et de butin. Pour ces miséreux enragés, affamés et souvent drogués, tout est bon à prendre. Une poignée de riz, une vieille chemise, un morceau de couverture, un pot en argile. Tout est objet de leur convoitise. Tout a pour eux de la valeur. Tout les met en transe, illumine leur regard. Mais la population a maintenant une certaine expérience. À peine informée que la bande d'un *warlord* s'approche, toute la contrée plie bagages et prend la fuite. Ces files de plusieurs kilomètres de long que les habitants d'Europe et d'Amérique regardent à la télévision, ce sont justement eux.

Regardons attentivement ces gens qui marchent. Pour la plupart, ce sont des femmes et des enfants. Les guerres des *warlords* sont en effet dirigées contre les plus faibles.

Contre ceux qui ne peuvent pas se défendre, qui en sont incapables, qui n'en ont pas les moyens. Prêtons également attention à ce que ces femmes portent. Elles ont sur la tête un balluchon ou une bassine dans lesquels il y a le strict minimum : un petit sac de riz ou de millet, une petite cuillère, un couteau, un morceau de savon. C'est tout. Ce balluchon, cette bassine sont leur seul trésor, leur unique patrimoine et unique richesse pour affronter le XXIᵉ siècle.

Le nombre de *warlords* ne cesse d'augmenter. C'est une nouvelle puissance, ce sont les nouveaux maîtres. Ils accaparent les morceaux les meilleurs, des parties les plus riches du pays. Quant aux États, même s'ils tiennent le coup, ils se retrouvent affaiblis, pauvres et impuissants. Ils essaient bien de se défendre, de créer des unions et des associations afin de lutter pour résister, pour survivre. C'est la raison pour laquelle, en Afrique, les États se font rarement la guerre entre eux : ils sont unis dans la même infortune, la même galère, la même inquiétude. En revanche les guerres civiles sont nombreuses, guerres au cours desquelles les *warlords* se partagent le pays, pillent sa population, dilapident ses matières premières et sa terre.

Il arrive toutefois que les *warlords* s'aperçoivent qu'il n'y a plus rien à piller, que les sources de revenus sont épuisées. Ils entament alors ce qui s'appelle un processus de paix. Ils convoquent une conférence des parties en guerre, intitulée *Warring Factions Conference*, signent un accord et fixent des dates d'élection. En échange de quoi la Banque mondiale leur accorde tous les prêts et les crédits qu'ils désirent. Désormais les *warlords* sont encore plus riches qu'avant, car on peut soutirer de la Banque mondiale bien plus que de ses frères affamés.

John et Zado sont venus à l'hôtel. Ils vont m'emmener en ville. Mais d'abord nous allons boire, car dès le matin nous sommes écrasés par la chaleur. À cette heure de la journée, le bar est déjà bondé, les gens ne sortent pas. Ici ils se sentent en sécurité. Africains, Européens, Indiens. Je reconnais l'un d'entre eux : James P., un employé colonial à la retraite. Que fait-il ici ? Il ne répond pas, sourit, fait un vague geste de la main. Des prostituées sont assises à des petites tables collantes et bancales, désœuvrées. Noires, somnolentes, splendides. Le propriétaire libanais se penche vers moi au-dessus du comptoir et me dit à l'oreille : « Ce sont tous des voleurs. Ils veulent se faire de l'argent et partir en Amérique. Tous font du trafic de diamants. Ils les achètent pour trois sous à des *warlords*, puis les exportent au Proche-Orient dans des avions russes. — Des avions russes ? » demandé-je incrédule. — Oui, dit-il, va à l'aéroport. Tu verras des avions russes qui emportent ces diamants au Proche-Orient. Au Liban, au Yémen, à Dubaï surtout. »

Le bar se vide soudain. On se sent plus à l'aise, plus libre. « Que s'est-il passé ? » demandé-je au Libanais. — Ils ont vu que tu avais un appareil photo. Ils ont préféré partir, ils ne veulent pas tomber sous un objectif. »

Nous sortons à notre tour. Aussitôt un air humide, brûlant et collant nous enveloppe. Nous ne savons où nous mettre. À l'intérieur de la maison, il fait chaud, à l'extérieur aussi. Impossible de marcher, de rouler, impossible de rester assis ou couché. La température est tellement élevée qu'elle annihile toute énergie, toute sensibilité, toute curiosité. À quoi pense-t-on dans pareille situation ? À tenir jusqu'à la fin de la journée : « Ouf ! la matinée est déjà passée !... Enfin, midi est derrière nous !... Le crépuscule approche enfin. » Mais quand il arrive, ce n'est guère plus facile. Il reste aussi étouffant, collant, visqueux. Quant au soir, il baigne dans une brume brûlante, suffocante. Et la nuit ? Elle nous colle un drap humide et chaud sur la peau.

Heureusement que nous pouvons régler un certain nombre d'affaires à côté de l'hôtel. La première consiste à changer de l'argent. La seule valeur nominale en cours, c'est un billet de cinq dollars libériens, à peu près l'équivalent de cinq *cents* américains. Des paquets de billets de cinq dollars sont entassés sur des petites tables dressées dans les rues, prêts à être échangés. Pour le moindre achat, il faut se munir d'un sac bourré de billets. Nos opérations sont simples : à une petite table, nous changeons l'argent, à la table suivante nous achetons du carburant. L'essence est vendue dans des bouteilles de un litre : les stations sont fermées, il n'existe que le marché noir. J'observe ce que les gens achètent : un ou deux litres. Ils n'ont pas d'argent. John, lui, est riche, il en prend dix.

Nous partons. Je me laisse guider par John et Zado. Ils veulent absolument me montrer des choses impressionnantes, autrement dit les bâtiments américains. Dans les environs de Monrovia, à quelques kilomètres de la capitale, se dresse une immense forêt de métal. Des mâts à perte de vue. Massifs, hauts, hérissés d'embranchements, de ramifications, de réseaux d'antennes, de tiges et de fils. Ces structures s'étendent sur des kilomètres et des kilomètres. Plus nous avançons, plus nous avons l'impression d'être plongés dans un univers de science-fiction, fermé, incompréhensible, extraplanétaire. C'est l'ancienne station de retransmission de *Voice of America* en Europe, en Afrique et au Proche-Orient. Elle a été construite avant l'ère des satellites, pendant la Seconde Guerre mondiale. Aujourd'hui elle est à l'arrêt, abandonnée, rongée par la rouille.

Nous nous rendons ensuite à l'autre bout de la ville, à un endroit où s'ouvre devant nous une immense plaine, des prés sans fin, partagés par une piste de décollage en béton. C'est l'aéroport de Robertsfield, le plus grand aéroport d'Afrique, l'un des plus grands du monde. Maintenant il est vide, détruit, fermé, seul le petit aéroport situé en ville fonctionne, celui où je suis arrivé. L'aérogare a été bombardée, la piste d'envol est criblée de trous d'obus et de cratères de bombes.

Et pour conclure la visite guidée, le summum : un État dans l'État, la plantation de caoutchouc de Firestone. Nous avons toutefois toutes les peines du monde à l'atteindre, car nous sommes sans cesse arrêtés par des postes militaires. Il faut stopper devant la barrière et attendre. Un soldat finit par sortir d'une guérite ou de derrière un sac de sable. Puis il pose des questions : qui ? quoi ? La lenteur de ses mouvements, ses paroles parcimonieuses, syllabiques, son regard terne et mystérieux, son air concentré et rêveur sont là pour donner du sérieux et de l'autorité à sa personne et à sa fonction. « Peut-on continuer ? » Avant d'accorder une réponse, il s'essuie le visage, arrange son arme, examine la voiture de tous les côtés, avant que... Finalement John décide de faire demi-tour. En effet, nous ne pourrons atteindre notre objectif avant le soir, et à la tombée de la nuit toutes les routes sont fermées, nous serons alors dans l'impasse.

Nous voilà de retour en ville. Ils m'emmènent dans un square où gisent les morceaux d'un monument au président Tubman, envahis par la végétation. C'est Doe qui a ordonné de le faire sauter afin de montrer que le règne des esclaves affranchis d'Amérique avait pris fin et que le peuple libérien opprimé avait pris le pouvoir. Ici, quand un édifice fait l'objet d'un déboulonnage, d'une démolition ou d'une destruction, on ne déblaie pas les débris. Sur la route, on peut voir la carcasse rouillée d'un véhicule fichée dans une souche : il y a des années, une voiture est venue s'écraser contre cet arbre et ce qu'il en reste y est toujours planté. Si un arbre tombe sur la voie, il n'est pas déblayé ; on le contourne, on se fraie un autre chemin. Une maison inachevée reste inachevée, une maison en ruines reste en ruines. Il en est de même pour ce monument : personne ne songe à le restaurer ni à en dégager les restes. L'acte de destruction classe l'affaire. S'il reste une trace matérielle, elle n'a plus de sens, de poids, de valeur.

Un peu plus loin, près du port et de la mer, nous nous arrêtons dans un terrain vague, devant une montagne d'ordures nauséabondes grouillantes de rats et survolée par les vautours. John bondit de la voiture et disparaît parmi des cabanes branlantes. Puis il réapparaît en compagnie d'un vieil homme. Nous le suivons. Je suis pris de frissons, car les rats nous courent tranquillement entre les jambes. Je me bouche le nez, je suffoque. Finalement, le vieux s'arrête et montre un talus couvert de pourriture. Il dit quelque chose. « C'est là que le cadavre de Doe a été jeté. Quelque part par là, à cet endroit », me traduit Zado.

Pour changer d'air, nous allons sur les bords du fleuve Saint Paul. Ce fleuve marque la frontière entre Monrovia et le royaume des *warlords*. Un pont l'enjambe. Du côté de Monrovia, à perte de vue, s'étendent des bidonvilles et les baraquements d'un camp de réfugiés. Il y a aussi un grand marché, un univers bigarré où s'affairent des marchandes pleines de flamme et de fougue. Les gens habitant l'autre côté du fleuve, dans l'enfer des seigneurs de la guerre, dans le monde de la terreur, de la famine et de la mort, peuvent venir de notre côté pour faire leurs achats, à condition toutefois de laisser leurs armes chez eux avant de passer le pont. Je les observe une fois qu'ils ont traversé ce pont : ils s'arrêtent, méfiants et indécis, étonnés qu'il existe un monde normal. Ils tendent les mains, comme s'ils voulaient le toucher, le palper.

De l'autre côté, j'ai vu un homme nu, avec une Kalachnikov en bandoulière. Les gens s'écartaient pour le laisser passer, ils l'évitaient. Sans doute un fou. Un fou avec une Kalachnikov.

La rivière indolente

Je suis attendu à Yaoundé par un jeune missionnaire dominicain, Stanisław Gurgul, qui se propose de m'emmener dans les forêts du Cameroun. « Mais d'abord, me dit-il, on va aller à Bertoua. » Bertoua ? J'ignore où se trouve cette ville, je n'y suis jamais allé, je ne savais même pas qu'elle existait ! Notre planète compte des dizaines de milliers d'endroits dont le nom, l'orthographe et la prononciation varient d'une langue à l'autre, ce qui en augmente encore le nombre. Ces lieux sont si nombreux que le voyageur ne peut en mémoriser qu'un infime pourcentage. Leurs noms finissent par saturer notre mémoire au point que nous ne sommes plus capables de les associer à une image, un tableau, un paysage, un événement ou un visage. De plus nous les confondons, les mélangeons, les oublions. Nous situons l'oasis de Sodori en Libye au lieu de la situer au Soudan, la bourgade de Tefe au Laos au lieu du Brésil, le petit port de pêche de Galle au Portugal et non là où il se trouve réellement, au Sri Lanka. L'impossible unité du monde se concrétise dans nos cerveaux, dans les strates de notre mémoire confuse et égarée.

De Yaoundé à Bertoua il y a trois cent cinquante kilomètres. La route, qui va vers l'est en direction de la République centrafricaine et du Tchad, traverse de douces collines vertes, des plantations de café, de cacao, de bananiers et d'ananas. Comme c'est fréquent en Afrique, elle est jalonnée de postes de police. Stanisław arrête sa voiture, sort la tête par la fenêtre et s'écrie en français : « Évêché de Bertoua ! » Ces mots produisent un effet immédiat et magique. En Afrique, tout ce qui est lié à la religion, au surnaturel, au rite et à l'esprit, tout ce qui est invisible ou impalpable mais néanmoins plus réel que la matière, suscite spontanément une réaction de considération, de gravité, de respect et même de peur. On sait ce que c'est que de jouer avec des forces supérieures et mystérieuses, cela se termine généralement mal. En fait, l'état d'esprit des Africains est différent. C'est une attitude face à l'origine et l'essence de la vie. Leur pensée, du moins la pensée de ceux que j'ai côtoyés pendant des années, est profondément religieuse. « Croyez-vous en Dieu, monsieur ? » Je m'attends toujours à cette question, je sais qu'elle va tomber, on me l'a posée tant de fois. Et je sais que celui qui me la pose guette ma réponse en me fixant, en suivant le moindre frémissement sur mon visage. Je mesure l'importance de cet instant, le sens dont il est chargé. Je pressens que la manière dont je vais répondre décidera de nos relations réciproques, et à coup sûr de son attitude à mon égard. Et quand je dis : « Oui, je suis croyant », je lis sur son visage que ma réponse l'a soulagé, qu'elle a dissipé toutes tension et angoisse, qu'elle nous rapproche, rompt les barrières de la couleur de peau, du statut et de l'âge. Les Africains aiment lier des contacts à un niveau supérieur, spirituel. Cette dimension est souvent inexprimable, indéfinissable, mais elle fait partie intégrante de leur mode de pensée.

En général il ne s'agit pas d'un Dieu concret, d'un Dieu que l'on pourrait nommer et dont on pourrait décrire l'apparence ou les traits. Il s'agit plutôt d'une foi inébranlable dans l'existence d'un Être supérieur qui crée et domine, imprègne l'homme d'une substance spirituelle l'élevant au-dessus de l'univers des animaux sans conscience et des objets sans vie. Cette ferveur pleine d'humilité est transférée sur les émissaires et les représentants terrestres de ce Dieu, qui à leur tour font l'objet d'un respect particulier et d'un assentiment plein de considération. Ce privilège concerne les multiples confessions, religions, Églises et congrégations parmi lesquelles les missions catholiques ne constituent qu'une minorité. En effet cohabitent en Afrique des foules de mollahs et marabouts islamiques, des centaines de prêtres de différentes sectes et associations chrétiennes, des milliers de chamans de cultes et de dieux africains. Malgré une certaine concurrence, la tolérance dans cet univers est étonnante, le respect mutuel général.

Bref, lorsque le missionnaire Stanisław arrête sa voiture et dit aux policiers : « Évêché de Bertoua ! », ces derniers ne contrôlent pas ses papiers, ne fouillent pas son véhicule, ne demandent pas de rançon. Ils sourient en faisant un geste qui veut dire : « Vous pouvez continuer. »

Après une nuit passée à l'évêché de Bertoua, nous partons ensemble dans un village qui s'appelle Ngura et qui se trouve à cent vingt-cinq kilomètres. Ici, mesurer les distances en kilomètres ne veut pas dire grand-chose et peut même induire en erreur. Si on tombe sur un bitume de bonne qualité, le trajet peut être parcouru en une heure. Si on a affaire à une route abandonnée et impraticable, il faudra un jour de voyage, voire deux ou même trois pendant la saison des pluies. C'est pourquoi en Afrique, on ne dit pas : « C'est à combien de kilomètres ? » mais plutôt : « Il faut combien de temps ? » en regardant machinalement le ciel : si le soleil brille, il suffira de trois ou quatre heures, mais si des nuages menacent et qu'on est surpris par l'averse, nul ne sait quand on arrivera.

Ngura est la paroisse de Stanisław Stanisławek, le missionnaire dont nous suivons maintenant la voiture. Sans lui nous n'arriverions jamais. En Afrique, si on s'écarte des quelques grandes pistes existantes, on est perdu. Il n'y a pas le moindre poteau indicateur, la moindre inscription. Les cartes détaillées n'existent pas. De plus, l'état des routes varie en fonction de la saison, du temps, de la hauteur des eaux, de l'ampleur des incendies qui sont ici permanents.

Le seul salut, c'est l'indigène. Car lui connaît la région et sait déchiffrer le paysage qui n'est pour nous qu'une suite de symboles et de signes aussi incompréhensibles et mystérieux que des idéogrammes chinois. « Que te dit cet arbre ? — Rien ! — Rien ? Pourtant il dit que maintenant il te faut tourner à gauche, sinon tu t'égareras. — Et cette pierre ? — Cette pierre ? Elle ne me dit rien non plus ! — Elle ne te dit rien ? Pourtant, elle est là pour t'indiquer que tu dois prendre tout de suite à droite un virage en épingle à cheveux, car plus loin il n'y a plus de route, plus d'hommes. Plus loin, c'est la mort. »

C'est ainsi que l'indigène, le va-nu-pieds insignifiant qui, lui, connaît l'écriture du paysage et sait lire couramment ses énigmatiques hiéroglyphes devient notre guide et sauveur. Dans sa mémoire est gravée une microtopographie, une configuration personnelle de son environnement. Dépositaire d'un savoir et d'un art précieux, il saura retrouver le chemin de la maison, il survivra, échappera à la mort quand la tempête fait rage et que les ténèbres sont profondes.

En poste ici depuis des années, le Père Stanisławek nous guide sans problème à travers les labyrinthes entortillés de cette contrée. Nous finissons par arriver au presbytère. C'est une misérable baraque de bric et de broc dans laquelle se trouve l'école du village, fermée faute d'instituteur. Une classe sert de logement au prêtre : un lit, une chaise, un réchaud, une lampe à pétrole. Dans la classe suivante se trouve la chapelle. À côté de la baraque gisent les ruines d'une église. La tâche du missionnaire, son occupation principale, consiste à faire reconstruire l'église. Un travail de longue haleine et plein de tourments : il n'y a pas d'argent, pas d'ouvriers, pas de matériaux, pas de moyens de transport. Le seul espoir, c'est la vieille voiture du missionnaire. Pourvu qu'elle ne tombe pas en panne, qu'elle ne parte pas en pièces, qu'elle ne s'arrête pas ! Car alors tout sera suspendu : la construction de la maison de Dieu, l'enseignement de l'Évangile, le salut des âmes.

Nous prenons une route sur la crête des collines. À nos pieds s'étend une plaine tendue d'une toile verte, forêt épaisse, compacte, immense, sans limites, comme une mer, comme l'Atlantique. Nous gagnons le bourg des chercheurs d'or qui fouillent le fond de l'indolente et sinueuse rivière Ngabada, en quête d'un trésor. Comme la journée est bien avancée et qu'ici il n'y a pas de crépuscule, qu'il peut faire noir en une minute, nous nous rendons directement sur le chantier.

La rivière s'écoule au fond d'une vallée encaissée. Son fond est plat, couvert de sable et de gravier. Chaque centimètre est labouré, criblé de trous, de cavités, de creux, de brèches. Sur ce champ de bataille grouille une foule de Noirs à moitié nus, dégoulinant de sueur et d'eau, enfiévrés, en transe. Il y règne un climat, une atmosphère d'excitation, de convoitise, d'avidité, de jeu, de casino obscur, comme si une roulette invisible tournait quelque part, comme si son bras capricieux tourbillonnait. On entend surtout les coups sourds des binettes creusant le gravier, le bruissement du sable secoué dans les tamis, la musique monotone des cris ou des chants des chercheurs d'or au fond de la vallée. On ne les voit jamais faire une découverte, mettre quelque chose de côté. On les voit seulement bercer des auges, y verser de l'eau, la filtrer, scruter le sable à la lumière, puis rejeter le tout à la rivière.

Ils doivent pourtant bien finir par trouver quelque chose. Quand on lève les yeux, on voit sur les pentes des collines surplombant la vallée, à l'ombre des manguiers, sous les parasols transparents des acacias et des palmiers déchiquetés, des Arabes qui bivouaquent. Ce sont des marchands d'or venus du Sahara, du Niger, de N'Djamena et de Nubie. Vêtus de djellabas blanches, coiffés de turbans couleur de neige joliment enroulés, ils sont assis à l'entrée de leurs tentes. Désœuvrés, ils boivent du thé, fument des narguilés décorés. De temps en temps, un Noir éreinté, tout en muscles, s'extirpe du fond du ravin grouillant de monde. Il s'accroupit devant un Arabe, sort une boule de papier, la déplie. Sur son fond froissé gisent quelques pépites de sable doré. L'Arabe les observe avec indifférence, les pèse, les compte. Il dit un prix. Le Noir, le Camerounais tout barbouillé, maître de cette terre et de cette rivière, car c'est tout de même son pays, son or, n'a pas à discuter, à surenchérir. L'Arabe suivant lui proposerait la même somme dérisoire, et ainsi de suite. C'est un monopole.

La nuit tombe, le ravin se vide, se tait. On ne voit plus rien. Ce n'est plus qu'une gueule noire et muette. Nous rentrons à Colomine. C'est un petit bourg construit à la hâte, une ville de camelote, faite de matériaux provisoires, un lieu que l'on quitte sans regrets quand l'or de la rivière est épuisé. Des rangées de cabanes, de baraques collées les unes aux autres forment les ruelles de ce bidonville qui débouchent toutes sur la rue principale. C'est là que se trouvent les bars et les magasins, là que tout se passe, le soir et la nuit. Il n'y a pas d'électricité. Partout des lampes, des lampions, des flammes, des bougies sont allumés, et au sol des bûches et des copeaux se consument. Leur lueur fait surgir des ténèbres des formes vacillantes et fugitives. Ici passe une silhouette, là apparaît un visage, ici luit un œil, là se détache un bras. Ce morceau de tôle, c'est un toit, ce reflet, un couteau, quant à cette planche coupée, on ne sait d'où elle sort ni à quoi elle sert. Rien n'est uni, ne fait partie d'un ensemble, d'une composition. Nous savons seulement que les ténèbres autour de nous bougent, ont leurs propres formes et leurs propres voix. Nous savons simplement que la lumière peut dévoiler cet univers mystérieux, mais dès qu'elle s'éteint, il nous échappe et disparaît. J'ai vu à Colomine des centaines de visages, j'ai entendu des dizaines de conversations, je suis passé à côté de quantités de gens qui allaient, venaient, ou qui restaient assis. Mais comme les images clignotaient dans le vacillement des flammes, comme elles étaient fragmentées et qu'elles changeaient sans cesse, je suis incapable d'associer le moindre visage ou la moindre voix à une personne concrète.

Le matin, nous sommes allés dans le Sud, dans la Grande Forêt. Premier obstacle : la rivière Kadéï qui coule à travers la jungle. C'est un affluent de la rivière Sangha qui, à hauteur de Yumba et de Bolobo, se jette dans le fleuve Congo. Ne dérogeant pas à la règle en vigueur ici et selon laquelle tout ce qui est en panne n'est jamais réparé, notre bac semble bon pour la casse. Trois gamins se démènent néanmoins pour le mettre en mouvement. C'est une énorme boîte métallique, plate. Au-dessus de ce monstre, en travers de la rivière, est tendu un câble en acier. Faisant tourner une manivelle grinçante tout en jouant sur les tensions et les détentes du câble, les garçons font glisser le bac d'une rive à l'autre, tout doucement, lentement, avec nous et la voiture à bord. L'opération ne peut évidemment réussir que si le courant est calme. Au moindre frémissement, au moindre sursaut, nous risquons d'être emportés par les flots des rivières Kadéï, Sangha et Congo au cœur de l'Atlantique.

Puis nous plongeons dans la Grande Forêt, nous nous y enfonçons, nous nous laissons glisser au fond de ses labyrinthes, de ses tunnels et de ses souterrains. Nous baignons dans un autre monde, vert, sombre, impénétrable. La Grande Forêt ne peut être comparée à aucune forêt d'Europe, à aucune jungle équatoriale. Les forêts d'Europe sont belles et riches, mais elles ont des proportions moyennes, leurs arbres une hauteur modérée. On peut toujours imaginer qu'on va grimper au sommet du frêne ou du chêne le plus élevé. La jungle elle, est un écheveau, un enchevêtrement gigantesque de branches, de racines et de lianes, un univers biologique qui prolifère dans une chaleur étouffante, une pression constante, un monde tout vert.

Quant à la Grande Forêt, elle est différente. Elle est monumentale. Ses arbres ont trente, cinquante mètres de hauteur, si ce n'est plus. Ils sont gigantesques, idéalement droits. Ils sont isolés, se tiennent à une distance respectable les uns des autres. Ils poussent sans couverture au-dessus d'eux. Et tandis que je pénètre dans la Grande Forêt, parmi les séquoias, les mahonias, les sapellis et les irokos qui s'élèvent jusqu'au ciel, j'ai l'impression de franchir le seuil d'une immense cathédrale, de me frayer un passage à l'intérieur d'une pyramide égyptienne ou de me tenir parmi les gratte-ciel de la Cinquième Avenue.

Les routes qui traversent cette forêt sont cauchemardesques. Sur certains tronçons, il y a tant de trous, d'ornières, qu'il est impossible d'avancer, la voiture est bringuebalée comme une barque ballottée par la tempête. Chaque mètre est une torture. Les seuls véhicules à venir à bout de ces pistes sont les énormes camions équipés de moteurs semblables au ventre d'une locomotive, dont les Français, les Italiens, les Grecs et les Hollandais se servent pour transporter le bois vers l'Europe. Car la Grande Forêt est abattue jour et nuit, sa surface ne cesse de diminuer, ses arbres de disparaître. On ne compte plus les immenses clairières vides, hérissées de monstrueuses souches fraîchement coupées. Le grincement des scies résonne sur des kilomètres à la ronde, repris par un écho sifflant et aigu.

Dans cette forêt où nous paraissons tout minuscules, vivent des hommes encore plus petits que nous. Il est rare de les apercevoir. Nous passons devant leurs huttes en paille sans jamais voir personne autour. Ils sont au fin fond de la forêt. Ils chassent les oiseaux, cueillent des baies, poursuivent les lézards, cherchent du miel. Devant chaque maison, accrochés à un bâton ou tendus sur un fil, des plumes de chouette, des griffes de tamanoir, une queue de scorpion ou une dent de serpent. La manière dont ces menus objets sont disposés contient sans doute un code secret permettant de savoir où se trouve le maître de céans.

Dans la nuit, nous apercevons une église de campagne toute simple. À côté, une maison misérable, le presbytère. Nous sommes arrivés à destination. Dans l'une des chambres brûle une lampe à pétrole dont la lueur fragile et vacillante éclaire le balcon. Nous entrons. Ils fait sombre, il règne un silence de mort. Un homme grand et mince, en habit clair, vient enfin à notre rencontre. C'est l'abbé Jan, originaire du sud de la Pologne. Il a un visage émacié, tout en sueur, de grands yeux ardents. Atteint du paludisme, il est manifestement fiévreux. Son corps est parcouru de frissons et de spasmes. Abattu, exténué et apathique, il parle à voix basse. Il voudrait nous recevoir, nous offrir à manger, mais d'après ses gestes embarrassés, son agitation fébrile, nous comprenons qu'il n'en a pas les moyens et qu'il ne sait pas comment faire. Du village arrive une vieille femme qui nous réchauffe du riz. Nous buvons de l'eau, puis un garçon nous apporte une bouteille de bière de banane. « Monsieur l'abbé, pourquoi restez-vous ici ? demandé-je. Pourquoi ne partez-vous pas ? » On dirait qu'une flamme s'est éteinte en lui, qu'il a à jamais perdu une partie de lui-même. « Je ne peux pas, répond-il. Il faut quelqu'un pour surveiller l'église. » Et il montre du doigt une masse noire derrière la fenêtre.

Je vais me coucher dans la chambre d'à côté. Je n'arrive pas à m'endormir. Soudain les paroles d'une vieille prière me reviennent à l'esprit. « *Pater noster, qui es in caelis... Fiat voluntas tua... sed libera nos a malo...* »

Le lendemain matin, le garçon que j'ai vu la veille donne des coups de marteau sur une jante voilée accrochée à un fil de fer. Cette jante sert de cloche. Stanisław et Jan célèbrent la messe matinale dans l'église. Une messe à laquelle assistent deux personnes : le garçon et moi.

Madame Diouf rentre à la maison

À l'aube, la gare de Dakar est déserte. Un seul train est à quai. Il doit partir pour Bamako avant midi. Ici le trafic ferroviaire est faible. Dans tout le Sénégal, il n'y a qu'une ligne internationale, entre Dakar et Bamako, la capitale du Mali, et qu'une petite ligne intérieure, de Dakar à Saint-Louis. Le train de Bamako circule deux fois par semaine, celui de Saint-Louis une fois par jour. La plupart du temps, il n'y a personne à la gare. Même le caissier, qui est probablement aussi chef de gare, est difficile à trouver.

Lorsque le soleil surplombe la ville, les premiers passagers font leur apparition. Ils s'installent sans hâte. Les wagons sont plus petits qu'en Europe, les voies plus étroites, les compartiments plus exigus. Mais au début, on est à l'aise. Sur le quai, je rencontre un couple de jeunes Écossais de Glasgow qui visitent l'Afrique occidentale, de Casablanca à Niamey. « Pourquoi de Casablanca à Niamey ? » Ils ne savent pas. Ils en ont tout simplement décidé ainsi. Le fait d'être ensemble a l'air de leur suffire. Qu'ont-ils vu à Casablanca ? Rien. Et à Dakar ? Rien non plus. Les visites ne les intéressent pas. Ce qu'ils veulent, c'est voyager, toujours et encore. Pour eux, ce qui importe, c'est cette route inhabituelle, cette expérience vécue à deux. Ils se ressemblent beaucoup : le même teint clair, qui sous les latitudes africaines semble diaphane, des cheveux châtain clair, de grosses taches de rousseur. Ils parlent l'anglais avec un fort accent écossais et j'ai du mal à les comprendre. Nous sommes trois dans le compartiment, mais juste avant le départ une femme obèse, énergique, vêtue d'un ample boubou bouffant aux couleurs criardes, se joint à nous. « Madame Diouf ! » se présente-t-elle en se mettant à l'aise sur le banc.

Le train s'ébranle. Il longe tout d'abord l'ancienne ville coloniale : splendide station balnéaire aux tons pastel, pittoresque, située sur un cap, entourée de plages et de terrasses, rappelant tantôt Naples, tantôt Marseille et ses quartiers résidentiels, tantôt Barcelone et ses banlieues chic. Des palmiers, des jardins, des cyprès, des bougainvilliers, des rues en escaliers, des haies vives, des pelouses, des fontaines. Des boutiques parisiennes, des hôtels italiens, des restaurants grecs. Prenant de la vitesse, le train passe devant cette ville-vitrine, cette ville-enclave, cette ville de rêve, quand soudain le compartement est plongé dans l'obscurité. À l'extérieur retentissent des craquements, des cris, un tintamarre infernal. Je me précipite à la fenêtre qu'Edgar, l'un des deux Écossais, essaie en vain de fermer pour empêcher les nuages de poussière, de sable et de saletés d'envahir le compartiment.

Que s'est-il passé ? Je constate que les jardins luxuriants et fleuris ont disparu. Ils se sont abîmés sous terre et ont été remplacés par un désert. Mais c'est un désert peuplé, encombré de baraques et de masures, une étendue de sable sur laquelle se répandent les quartiers de la misère, la fourmilière chaotique des sinistres bidonvilles entourant la plupart des villes africaines. Comme on y est à l'étroit, que les baraques sont entassées les unes sur les autres au point de se chevaucher, le seul endroit pour le marché, c'est le remblai et la voie ferrée. Aussi, dès l'aube, l'animation est grande, les femmes étalent leurs marchandises par terre, dans des plats, sur des plateaux, sur des tabourets : bananes, tomates, savons, bougies. En rang d'oignons, coude à coude, comme le veut la coutume africaine. Sur ces entrefaites arrive le train. À toute allure, déchaîné, dans un bruit de ferraille et de sifflements. Alors c'est le sauve-qui-peut général. Tout le monde s'empare de ce qui lui tombe sous la main, ce qu'il a le temps de prendre, dans les cris, l'affolement, la panique, et s'enfuit. On ne peut pas se retirer plus tôt, car on ne connaît pas l'horaire exact du train. De plus, on ne le voit pas arriver, car il surgit de derrière un virage. La seule chose à faire, c'est se sauver à la dernière minute, quand le monstre de fer déboule comme une roquette meurtrière.

J'aperçois une foule en fuite, des visages effrayés, des bras machinalement tendus dans un geste de défense, des gens renversés qui roulent sur le remblai, se protègent la tête. Toute la scène se déroule dans des nuages de sable, de sacs en plastique, de lambeaux de papier, de chiffons et de cartons.

La traversée du marché est longue. Nous finissons par laisser derrière nous un champ de bataille piétiné et noyé dans la poussière, des gens qui essaient d'y remettre un peu d'ordre. Nous pénétrons maintenant dans une savane vaste, tranquille, déserte, plantée d'acacias et de buissons d'aubépine. Madame Diouf raconte que le passage dévastateur du train est une aubaine pour les voleurs. Cachés dans les tourbillons de sable soulevés par les roues des wagons et profitant de la confusion, ils se ruent sur la marchandise étalée par terre et pillent tout ce qu'ils peuvent.

— Ils sont malins, les voleurs[1] ! s'exclame-t-elle un brin admirative.

J'explique aux jeunes Écossais, qui se trouvent pour la première fois sur ce continent, que, au cours des deux ou trois dernières décennies, les villes africaines se sont métamorphosées. Ce que nous venons de voir, la superbe Dakar méditerranéenne et la terrible Dakar désertique, illustre bien cette évolution. Naguère les villes africaines étaient des centres administratifs, commerciaux et industriels. Elles avaient une fonction, accomplissaient des tâches productives, créaient. En raison de leurs dimensions réduites, elles n'étaient habitées que par ceux qui y travaillaient. Ces centres, ou ce qu'il en reste, ne sont aujourd'hui qu'un petit fragment des villes nouvelles qui, même dans les petits pays faiblement peuplés, ont pris des proportions monstrueuses, sont devenus des géants. Dans le monde entier, les villes se développent à un rythme accéléré, l'homme associant la vie urbaine à un espoir de soulagement et d'amélioration. Mais dans le cas

---

1. En français dans le texte. *(N.d.T.)*

de l'Afrique, des facteurs supplémentaires viennent renforcer ce processus d'hyperurbanisation. Le premier est le fléau de la sécheresse qui s'est abattu sur le continent dans les années soixante-dix, puis dans les années quatre-vingt. Les champs sont brûlés, le bétail dépérit. Des millions de gens meurent de faim, des millions d'autres vont chercher leur salut dans les villes où est distribuée l'aide internationale. Le transport en Afrique étant trop difficile et coûteux, les convois humanitaires ne peuvent atteindre les campagnes. Les villageois sont donc contraints de venir en ville pour pouvoir en bénéficier. Mais une fois que le clan a abandonné ses champs et perdu ses troupeaux, il ne peut plus les récupérer. Condamné à vivre de l'aide internationale, il survit tant qu'elle est maintenue.

La ville attire aussi parce qu'elle est un mirage de paix, un espoir de sécurité, surtout dans les pays hantés par les guerres civiles et la terreur des seigneurs de la guerre. Les gens faibles, vulnérables fuient dans les villes en espérant y survivre. Je me souviens de petites villes du Kenya oriental, comme Mandera ou Garissa, pendant la guerre en Somalie. Quand le soir approchait, les Somalis quittaient les pâturages avec leurs troupeaux et se regroupaient autour de ces bourgades. La nuit, elles étaient entourées d'un halo de lumière scintillante : les bergers allumaient des lampes, des bougies, des torches. Près de la ville, ils se sentaient plus tranquilles. À l'aube, l'anneau de lumière s'éteignait, les Somalis se dispersaient. Avec leurs troupeaux ils regagnaient leurs lointains pâturages.

C'est ainsi que la sécheresse et la guerre ont dépeuplé les villages et chassé leurs habitants dans les villes. Ce processus a duré des années. Il a touché des millions, des dizaines de millions de personnes. En Angola et au Soudan, en Somalie et au Tchad. Partout, absolument partout. Gagner la ville : pour eux c'est un espoir de salut et en même temps un réflexe de désespoir. Car personne ne les y attend, personne ne les invite. Ils partent, chassés par la peur, à bout de forces. Se cacher, sauver leur peau, c'est tout ce qu'ils demandent.

Je pense au bidonville que nous avons longé en sortant de Dakar, au sort de ses habitants. Le caractère provisoire de leur existence, sa finalité, son sens, personne n'en parle, personne ne s'en soucie. Si le camion ne livre pas les vivres, ils mourront de faim. Si la citerne ne livre pas l'eau, ils mourront de soif. Ils n'ont aucune raison d'aller en ville, ils n'ont pas où aller au village. Ils ne cultivent rien, ne vendent rien, ne produisent rien. Ils n'ont pas d'école où ils pourraient s'instruire. Ils n'ont ni adresse, ni argent, ni papiers. Tous ont perdu leur foyer, beaucoup ont perdu leur famille. Ils n'ont personne à qui se plaindre, personne de qui attendre quoi que ce soit.

Le problème mondial le plus grave n'est pas de trouver de la nourriture, car les vivres existent en abondance et ne nécessitent parfois qu'une bonne gestion ou de bonnes conditions de transport. Le véritable problème, ce sont les hommes. Que faire de tous ces millions de gens vivant sur terre ? de leur énergie inemployée ? de la force qu'ils représentent et qui paraît inutile ? Quelle est la place de ces hommes dans la famille humaine ? Sont-ils des membres de plein droit ? Des parents pauvres ? Des intrus ?

Le train ralentit, nous arrivons à une station. Une foule fonce désespérément vers les wagons, comme des suicidaires prêts à se jeter sous les roues du train. Ce sont des femmes et des enfants qui vendent des bananes, des oranges, du poulet rôti, des dattes. Ils sont agglutinés aux vitres, mais comme leur marchandise est présentée sur des plateaux qu'ils portent sur la tête, on ne voit ni les vendeurs ni leur visage, on voit seulement des régimes de bananes bousculant des grappes de dattes, des pyramides de pastèques balayant des rangées d'oranges qui s'éparpillent en roulant.

Madame Diouf occupe de toute sa corpulence l'espace de la fenêtre. Elle fait son choix parmi les tas de fruits et de légumes qui ondulent sur le quai. Elle marchande, se querelle. Régulièrement elle se détourne de la fenêtre et nous montre une gerbe de bananes vertes, une papaye mûre. Elle pèse son butin au creux de sa main potelée, puis s'écrie triomphalement : « À Bamako ? Cinq fois plus cher ! À Dakar ? Dix fois plus cher ! Voilà[1] ! » Elle pose ensuite ses emplettes à même le sol ou sur les filets à bagages. Les clients sont toutefois peu nombreux. Le marché aux fruits tangue sous nos yeux sans que presque personne n'y touche. Je me demande bien de quoi vivent nos assiégeants. Le train suivant ne passera pas par là avant quelques jours. Il n'y a pas un village dans les environs. À qui donc vendent-ils leur marchandise ? Qui la leur achète ?

Le train s'ébranle d'un bond. Madame Diouf se rassied, satisfaite. Mais une fois assise, elle semble prendre encore plus de place. Elle se met bien à son aise, d'un air souverain, comme si elle avait décidé de libérer, de dégager la masse de son corps des corsets invisibles qui la garottaient jusqu'à présent. Essoufflée, tout en sueur, Madame remplit le compartiment tout entier, ses bras, ses hanches nous écrasent et nous refoulent, Edgar et son amie Clare, dans un coin, moi dans l'autre. J'étouffe, je suffoque littéralement.

Je veux sortir du compartiment pour me détendre les jambes, mais c'est impossible. C'est l'heure de la prière et les couloirs sont encombrés de passagers qui, agenouillés sur leurs tapis, s'inclinent en cadence. Le couloir est le seul lieu où ils peuvent prier. Le voyage en train leur pose néanmoins un problème liturgique : l'Islam ordonne en effet à ses fidèles de prier orientés vers la Mecque. Or notre train tournicote et change sans cesse de direction, plaçant les pieux voyageurs dans des positions périlleuses et les contraignant à se prosterner le dos tourné aux lieux saints.

Bien que le train ne cesse de tortiller et de louvoyer, le paysage est toujours le même. C'est le Sahel : une plaine sèche, sablonneuse, brun clair, parfois marron, brûlée par le soleil. Çà et là, des touffes d'herbe sèche et coupante, jaune comme la paille, émergeant du sable et des pierres, des berbéris roses, des tamaris bleuâtres et chétifs, les ombres rares et pâles des acacias épineux et rabougris

1. En français dans le texte. *(N.d.T.)*

répandues sur les arbustes, les herbes et la terre. Le silence. Le désert. L'air blanc et palpitant d'une journée torride.

À la grande gare de Tambakounda, la locomotive tombe en panne. Les soupapes ont éclaté. Un filet d'huile s'écoule sur le remblai. Des gamins des environs en remplissent à la hâte des bouteilles et des boîtes. Ici rien n'est perdu. Si le grain est répandu, il est récupéré avec soin. Si un pot d'eau est brisé, chaque gorgée est sauvée et bue.

Il est à prévoir que nous resterons là pendant longtemps. Très vite des curieux venus du village s'attroupent. Je propose aux Écossais de sortir pour visiter les lieux et faire un brin de causette. Ils refusent catégoriquement. Ils ne veulent rencontrer personne ni discuter avec qui que ce soit. Ils ne veulent lier aucune connaissance ni rendre aucune visite. Si quelqu'un s'approche d'eux, ils tournent le dos et s'en vont. Ils prendraient même leurs jambes à leur cou s'ils le pouvaient. Cette réaction s'explique par leur brève mais malheureuse expérience. Ils sont convaincus que dès qu'ils engageront la conversation, leur interlocuteur leur demandera quelque chose. Cela peut aller d'une bourse d'étudiant à un job, en passant par une somme d'argent. Cet interlocuteur a toujours des parents malades, des enfants en bas âge à nourrir, lui-même n'a pas mangé depuis des jours. Ces doléances et plaintes se sont tellement répétées que, désemparés, découragés et déçus, ils ont décidé de ne plus lier un seul contact, de ne plus entamer une seule conversation. Et depuis ils se tiennent à cette attitude.

J'explique aux Écossais que les Africains sont souvent persuadés que le Blanc est un nanti, ou en tout cas qu'il est riche, beaucoup plus que le Noir. Si sur leur route surgit un Blanc, c'est comme si une poule leur avait pondu un œuf en or. Ils doivent saisir l'occasion, ils ne peuvent pas la laisser échapper. D'autant que la plupart d'entre eux effectivement n'ont rien, ont besoin de tout, veulent tout.

Mais l'attitude des Africains s'explique aussi par une mentalité, des attentes fondamentalement différentes.

La culture africaine est une culture de l'échange. Si on

me donne quelque chose, je dois le rendre. C'est un devoir, engageant ma fierté, mon honneur, ma qualité d'homme. C'est dans l'échange que les relations humaines prennent leur forme la plus noble. L'union de deux jeunes gens qui, à travers leur descendance, prolongent la présence de l'homme sur la terre et assurent sa pérennité, se fait précisément par le biais d'un d'échange entre deux clans : les femmes sont échangées contre des biens matériels indispensables à son clan. Dans cette culture, tout prend la forme d'un cadeau, d'un présent exigeant une compensation. Un cadeau non rendu porte préjudice à celui qui ne s'est pas acquitté de son obligation, ternit sa conscience, peut même entraîner un malheur, une maladie, la mort. C'est pourquoi le cadeau est un signal, un appel à un geste de retour, à un rétablissement rapide de l'équilibre. J'ai reçu quelque chose ? Je rends !

Il y a souvent malentendu quand l'une des parties ne comprend pas que la valeur des dons peut appartenir à des catégories différentes, par exemple lorsqu'une valeur symbolique est échangée contre une valeur matérielle ou *vice versa*. Par exemple, un Africain s'approche des Écossais et les comble de présents : il leur offre sa propre personne, sa sollicitude, leur communique des informations, les met en garde contre des voleurs, assure leur sécurité, etc. Il va de soi que cet homme généreux attend un retour, un dédommagement, une satisfaction. Or il constate avec étonnement que les Écossais font grise mine, qu'ils lui tournent même le dos et qu'ils s'en vont !

Le soir nous reprenons la route. Le temps s'est un peu rafraîchi, on peut respirer. Nous nous enfonçons vers l'est, dans le Sahel, au cœur de l'Afrique. La voie ferrée passe par Gaudira, Diboli, et Kayes, une grande ville, au Mali cette fois. À chaque arrêt, Madame Diouf fait des emplettes. Le compartiment regorge d'oranges, de pastèques, de papayes et même de raisin. Elle vient d'acheter des tabourets sculptés, des chandeliers en laiton, des serviettes chinoises, des savons de toilette français. À chaque acquisition, elle pousse des cris de triomphe : « Voilà, m'sieurs dames ! Combien cela coûte à Bamako ? Cinq fois plus cher ! Et à Dakar ? Dix fois ! Bon Dieu ! Quel achat[1] ! » Elle est maintenant étendue sur toute la longueur du banc. Je ne sais plus où m'asseoir. Quant aux deux Écossais, ils sont recroquevillés sur le bord du siège dans un compartiment bourré jusqu'au plafond de fruits, de lessives, de corsages, de bouquets d'herbes séchées, de sacs de graines, de millet et de riz.

J'ai l'impression — est-ce le sommeil ou la fièvre qui me gagne ? — que Madame ne cesse de grossir, qu'elle est de plus en plus énorme. Les courants d'air venant de la fenêtre s'engouffrent sous son ample boubou qui gonfle, se boursoufle comme la voile d'un navire, ondule et gronde. Elle rentre chez elle, à Bamako, fière des bonnes affaires de la journée. Contente, triomphante, elle remplit de sa personne le compartiment tout entier.

En regardant Madame Diouf, son omniprésence, sa souveraineté dynamique, son monopole et son impitoyable pouvoir absolu, je me rends compte à quel point l'Afrique est en train de changer. Je me rappelle le même trajet que j'ai effectué des années plus tôt. J'étais à l'époque seul dans le compartiment. Jamais un Africain n'aurait osé troubler la quiétude d'un Européen ni limiter son confort. Or maintenant la propriétaire d'un étalage à Bamako, maîtresse de cette terre, chasse sans sourciller trois Européens d'un compartiment, en leur faisant comprendre qu'il n'y a plus de place pour eux.

À quatre heures du matin, nous arrivons à Bamako. La gare est bondée, le quai grouille d'une foule dense. Notre compartiment est assailli par une bande de gamins excités. C'est l'équipe de porteurs de Madame Diouf. Je sors du wagon. J'entends des hurlements. Me frayant un passage dans leur direction, j'aperçois un Français dont la chemise est déchirée, assis sur le quai, gémissant et jurant. En descendant du wagon, il a été dépouillé en un clin d'œil. Il ne lui reste plus que la poignée de sa valise. Brandissant un lambeau de Skaï, il maudit la planète tout entière.

1. En français dans le texte. *(N.d.T.)*

Le sel et l'or

À Bamako, je loge dans un *Centre d'Accueil*[1], tenu par des religieuses espagnoles. Pour quelques sous, on peut y louer une petite chambre garnie d'un lit avec une moustiquaire. Cette moustiquaire est capitale. Sans elle, on se ferait complètement dévorer par les moustiques. Quand on pense à l'Afrique, on s'imagine avec effroi des lions, des éléphants ou des serpents, alors que les véritables ennemis ici sont à peine visibles. L'inconvénient de ce *Centre d'Accueil*, c'est que pour dix chambres il n'y a qu'une seule douche. Celle-ci est par-dessus le marché constamment occupée par un jeune Norvégien ayant débarqué ici sans savoir qu'à Bamako il régnait une chaleur terrible. Le cœur de l'Afrique est en permanence chauffé à blanc. C'est un plateau éternellement exposé à un soleil qui tombe d'aplomb sur la terre. Si l'on commet l'imprudence de sortir de l'ombre, on s'enflamme comme une torche. Pour les gens qui viennent d'Europe, un facteur psychologique vient s'ajouter à ce phénomène climatique : ils ont l'impression d'être au fond de l'enfer, loin de la mer, loin de terres plus tempérées. Ce sentiment d'éloignement, d'enfermement, d'emprisonnement rend leur sort encore plus pénible. Bref, à moitié étouffé et bouilli, le Norvégien a décidé au bout de quelques jours de tout abandonner et de rentrer chez lui. Mais il doit attendre son avion. La seule solution qu'il a trouvée pour patienter jusqu'au départ est de ne plus sortir de la douche.

Pendant la période sèche, il règne ici une chaleur acca-

1. En français dans le texte. *(N.d.T.)*

blante. La rue où je loge est morte dès le matin. Au pied des murs, dans les passages, en travers des portes, des gens sont assis, immobiles. Assis à l'ombre des eucalyptus, des mimosas, sous un immense manguier branchu ou sous un bougainvillier rouge flamboyant, assis sur un long banc devant le bar d'un Mauritanien, ou bien sur des cageots vides traînant devant une boutique au coin de la rue. J'ai beau les observer, je ne réussis pas à comprendre ce qu'ils font. En fait ils ne font rien. Ils ne discutent même pas. Ils me rappellent les patients qui attendent des heures entières dans la salle d'attente d'un médecin. Mais la comparaison est mauvaise, car le médecin finit toujours par arriver. Alors qu'ici personne ne vient. Personne ne vient, personne ne part. L'air palpite, ondule, s'agite avec effervescence au-dessus d'une marmite d'eau en ébullition.

Un jour, les sœurs accueillent un compatriote, Jorge Esteban. Propriétaire d'une agence de voyages à Valence, il recueille de la documentation touristique en parcourant l'Afrique occidentale. Jorge est un homme serein, joyeux, énergique. Un meneur-né. Il se sent à l'aise partout, est bien avec tout le monde. Il ne reste avec nous qu'un jour. L'ardeur du soleil ne le gêne pas, la chaleur crépitante lui donne des forces. Il défait son sac bourré d'appareils photographiques, d'objectifs, de filtres, de pellicules, puis descend dans la rue, discute avec les gens assis, plaisante, fait des promesses. Ayant placé son appareil Canon sur son trépied, il sort un sifflet de football et se met à siffler. Debout à la fenêtre, je n'en crois pas mes yeux. La rue se remplit instantanément de monde. En une seconde, la foule forme un grand cercle et se met à danser. Je me demande d'où viennent les enfants. Ils tapent sur des bidons vides. Tout le monde d'ailleurs bat le rythme, en frappant des mains, en traînant des pieds. Les gens se réveillent, leur sang se met à couler dans leurs veines, ils prennent de la vigueur. Manifestement cette danse les amuse, ils y prennent du plaisir et se sentent revivre. Il s'est passé quelque chose dans leur rue, dans leur environnement, en eux-mêmes. Les murs des maisons se sont mis à bouger, les ombres se sont animées. La ronde des danseurs ne cesse de s'agrandir, de gonfler, d'accélerer son rythme. La foule de badauds danse aussi, tout le monde danse, faisant onduler les boubous colorés, les djellabas blanches, les turbans bleus. Comme les rues ici ne sont ni goudronnées ni pavées, des nuages de poussière s'élèvent aussitôt au-dessus des têtes, des nuages sombres, compacts, brûlants, étouffants qui, comme la fumée d'un incendie, attirent les gens du voisinage. Soudain le quartier tout entier se met à sautiller, à frétiller, à s'amuser en plein midi, l'heure de la journée la plus mauvaise, la plus torride, la plus meurtrière.

S'amuser ? Pas vraiment, c'est plus fort que cela, plus important. Il suffit d'observer les visages des danseurs. Ils sont graves, concentrés sur les rythmes sonores que les enfants produisent sur les bidons en tôle, appliqués à adapter le glissement de leurs pieds, le balancement de leurs hanches, le mouvement de leurs bras et les hochements de leur tête aux battements de la musique. En même temps, ils semblent déterminés, fermes, comme s'ils appréciaient cet instant où ils peuvent s'exprimer, donner une preuve de leur existence et de leur participation. Oisifs et inutiles pendant des journées entières, ils deviennent soudain visibles, utiles et importants. Ils existent. Ils créent.

Jorge mitraille. Il a besoin de photos montrant une rue africaine qui s'amuse et danse, une ville accueillante et hospitalière. Il finit par se lasser et d'un geste de la main remercie les danseurs. Debout, ils rajustent leurs vêtements, s'essuient la sueur du front. Ils discutent, échangent des remarques, rient. Puis ils se dispersent, cherchent de l'ombre, disparaissent dans les maisons. La rue sombre de nouveau dans un vide immobile et incandescent.

Je suis venu à Bamako dans l'espoir de suivre la guerre menée contre les Touaregs. Les Touaregs sont des vagabonds éternels. Peut-on du reste les qualifier de vagabonds ? Un vagabond est une personne qui erre en quête d'une place, d'une maison, d'une patrie. Le Touareg, lui, a sa maison et sa patrie, dans laquelle il vit depuis mille ans : le cœur du Sahara. Mais sa maison est différente de la nôtre. Elle n'a ni murs, ni toit, ni porte, ni fenêtres. Elle n'est entourée par aucune haie, par aucun mur, par aucune clôture, par aucune limite. Le Touareg méprise tout ce qui délimite, il s'efforce de détruire tout obstacle, il brise toute barrière. Sa patrie est sans bornes. Elle s'étend sur des milliers et des milliers de kilomètres de sable brûlant et de rochers. C'est une terre immense, perfide, stérile que tout le monde redoute et évite. Ses frontières se trouvent là où se terminent le Sahara et le Sahel, là où commencent les champs verts, les villages et les maisons des peuples sédentaires, ennemis des Touaregs.

Depuis des siècles, les uns sont en guerre contre les autres. Car souvent la sécheresse au Sahara est telle que tous les puits disparaissent. Alors les Touaregs sont contraints de quitter le désert avec leurs chameaux pour gagner les espaces verdoyants du fleuve Niger et du lac Tchad afin d'abreuver et nourrir leurs troupeaux, et par la même occasion se ravitailler eux-mêmes.

Les Bantous, un peuple de paysans sédentaires, considèrent ces visites comme une invasion, une agression, un cataclysme. La haine que les uns entretiennent à l'égard des autres est terrible, car les Touaregs non seulement brûlent les villages et s'emparent des troupeaux, mais ils réduisent les villageois à l'esclavage. Pour les Touaregs, qui sont des Berbères à la peau claire, les Africains noirs sont une race inférieure et méprisable. De leur côté, les Bantous considèrent les Touaregs comme des bandits, des parasites et des terroristes que le Sahara devrait anéantir à jamais. Dans cette partie de l'Afrique, les Bantous ont toujours lutté contre deux colonialismes : le colonialisme français imposé de l'extérieur, de l'Europe, de Paris, et un colonialisme intérieur, celui des Touaregs, qu'ils subissent depuis des siècles.

Ces deux peuples, les Bantous, agriculteurs sédentaires, et les Touaregs, nomades vifs et alertes, ont de tout temps eu une conception du monde fondamentalement différente. Les premiers puisent leur force, leur vie dans la terre, le siège de leurs ancêtres. Les Bantous enterrent leurs morts dans leurs champs, souvent à proximité de leurs maisons, et même sous le plancher de la hutte où ils habitent. Les morts continuent symboliquement de participer à l'existence des vivants, ils veillent sur eux, les conseillent, interviennent, bénissent ou châtient. La terre tribale, familiale n'est pas seulement un moyen d'existence, c'est aussi une valeur sacrée, le lieu d'où l'homme est venu et où il retournera.

Le Touareg, le nomade, l'homme des espaces ouverts et des confins, le uhlan et le cosaque du Sahara, a un tout autre rapport aux ancêtres. Les défunts disparaissent de la mémoire des vivants. Les Touaregs enterrent leurs morts dans le désert, dans un lieu arbitraire, en se gardant de ne jamais y revenir.

Dans cette partie de l'Afrique, les hommes du Sahara ont de tout temps fait du commerce avec les tribus sédentaires du Sahel et de la verdoyante savane. Ces échanges commerciaux portaient le nom de « commerce muet ». Les hommes du Sahara troquaient du sel contre de l'or. Ce sel, une denrée précieuse et recherchée, surtout sous les tropiques, était transporté sur la tête par les esclaves noirs des Touaregs et des Arabes, probablement du Sahara aux rives du fleuve Niger. C'est là que se déroulaient les transactions. Alvise da Ca'da Mosto, un marchand vénitien du xve siècle, raconte : « Quand les Nègres arrivent au bord de l'eau, voilà ce qu'ils font : chacun verse le petit tas de sel qu'il a transporté, le marque. Puis, abandonnant la rangée de monticules, ils repartent dans la direction d'où ils sont venus, en marchant une demi-journée. Sur de grandes barques arrivent alors des hommes d'une autre tribu nègre. Ces gens ne se montrent jamais à personne, ne parlent avec personne : venant probablement d'îles situées sur le fleuve, ils débarquent sur la rive et, après avoir examiné le sel, posent à côté de chaque petit tas une quantité d'or. Puis ils se retirent à leur tour en laissant et le sel, et l'or. Une fois qu'ils sont repartis, ceux qui ont apporté le sel reviennent ; si la quantité d'or leur paraît suffisante, ils la prennent en laissant le sel ; sinon, ils ne prennent ni l'or ni le sel et repartent. Puis les autres reviennent encore ; ils emportent les petits tas de sel à côté desquels il n'y a plus d'or, rajoutent de l'or aux autres tas s'ils considèrent que c'est nécessaire, ou bien laissent le sel. C'est de cette manière qu'ils commercent entre eux, sans se voir ni s'adresser la parole. Cela dure depuis très longtemps. Bien que cette histoire semble invraisemblable, je vous garantis qu'elle est véridique. »

Je lis ce récit dans l'autocar qui me mène de Bamako à Mopti. « Va à Mopti ! » m'ont conseillé des amis. Peut-être que, de là, j'irai à Tombouctou, sur la terre des Touaregs, aux portes du Sahara.

Les Touaregs sont en train de disparaître, leur vie arrive à son terme. Des sécheresses terribles et permanentes les chassent du Sahara. Jadis, une partie d'entre eux vivait du pillage des caravanes. Aujourd'hui ces caravanes sont rares et bien armées. Ils sont donc contraints de voyager sur des terres plus propices, là où il y a de l'eau. Or ces terres sont partout occupées. Les Touaregs vivent au Mali, en Algérie, en Libye, au Niger, au Tchad et au Nigeria, mais ils font des incursions dans d'autres pays du Sahara. Ils ne se considèrent citoyens d'aucun État, ne veulent se soumettre à aucun gouvernement, à aucun pouvoir.

Ils sont environ un demi-million, peut-être un million d'hommes.

Personne n'a jamais compté ce peuple mobile, mystérieux, qui fuit les contacts, vit à part, enfermé non seulement physiquement, mais aussi mentalement dans son déser ingrat. Le monde extérieur n'intéresse pas les Touaregs. Il ne leur vient pas à l'esprit de chercher à connaître les mers comme les Vikings, de faire du tourisme, de visiter l'Europe ou l'Amérique. Quand un voyageur européen qu'ils ont capturé leur dit qu'il veut atteindre le Niger, ils ne le croient pas : « Pour quoi as-tu besoin du Niger ? Il n'y a pas de fleuves dans ton pays ? » Bien que les Français aient occupé le Sahara pendant plus d'un demi-siècle, les Touaregs ont toujours refusé d'apprendre le français, ils ne se sont jamais intéressés à Descartes, Rousseau, Balzac ou Proust.

Diawara, mon voisin d'autocar, un commerçant de Mopti, n'aime pas les Touaregs. Il les craint même. Il est content qu'à Mopti l'armée leur ait réglé leur compte. Autrement dit, une partie d'entre eux a été exterminée, une autre chassée dans le désert où ils ne vont pas tarder à mourir de soif. Lorsque nous arriverons à destination (le trajet en autocar dure une journée entière), Diawara demandera à son cousin, Mohamed Koné, de me montrer les traces laissées par les Touaregs. Mopti est un grand port sur le Niger. Quant au Niger, c'est l'un des plus grands fleuves d'Afrique, après le Nil et le Congo. Pendant deux mille ans, des spécialistes se sont querellés en Europe pour déterminer le cours du Niger ainsi que le lac, le fleuve ou la mer où il se jetait. La raison de ces controverses est le tracé extravagant du Niger qui prend sa source non loin des côtes occidentales de l'Afrique, sur le territoire guinéen, coule au milieu du continent, vers le centre du Sahara, puis, comme s'il se heurtait à la barrière infranchissable du grand désert, fait brusquement un tête-à-queue vers le sud et se jette dans le golfe de Guinée, sur le territoire de l'actuel Nigeria, près du Cameroun.

Vu de sa berge haute sur laquelle est située Mopti, le Niger est une fleuve large, brun, qui coule lentement. La vue est extraordinaire, quand on sait que tout autour s'étend un désert brûlé. Une telle masse d'eau, soudain, dans un lit de pierre ! De plus, contrairement aux autres fleuves sahariens, le Niger n'est jamais à sec et l'image de ce flot qui coule éternellement au milieu de sables infinis inspire aux hommes un tel respect, une telle dévotion qu'ils tiennent les eaux du fleuve pour miraculeuses et sacrées.

Mohamed Koné est un jeune garçon, sans occupation précise, le bayaye typique qui vit de ce qui lui tombe sous la main. Son camarade, Thiema Djenepo, propriétaire d'une barque — il m'a donné sa carte de visite : « Thiema Djenepo — piroguier — BP 76 — Mopti — Mali — », nous a emmenés, en ramant avec peine car nous voguions à contre courant, sur l'une des petites îles où se dressent les ruines de cases récemment détruites : ce sont les traces d'une incursion de Touaregs contre un village de pêcheurs maliens. « *Regardez, mon frère*[1], me dit sur un ton

1. En français dans le texte. (*N.d.T.*)

de confidence Mohamed, puis il poursuit d'une voix pathétique : *Ce sont les activités criminelles des Touaregs*[1] ! » Je lui demande où on peut les voir. Mohamed se met à rire avec compassion. « Autant demander un mode d'emploi pour se suicider ! » explique-t-il.

Le plus difficile est d'aller de Mopti à Tombouctou. La route du désert est fermée par l'armée à cause des combats qui font rage là-bas. On peut s'y rendre, mais cela demande des semaines. Il y a bien un petit avion d'Air Mali qui y va de temps en temps, une fois par semaine ou une fois par mois. Dans cette partie du monde, le temps ne se mesure pas, il n'a point de référence, de forme, de rythme. Il se dilue, se répand. Il est difficile à saisir, à modeler. En soudoyant le directeur de l'aéroport à Mopti, j'obtiens une place dans l'avion. Il survole le Sahara, lunaire, irréel, criblé de lignes et de signes mystérieux. Le désert nous parle, nous communique un message, mais comment l'interpréter ? Que signifient ces deux lignes droites soudain apparues sur le sable et aussitôt volatilisées ? Et ces cercles, une chaîne d'anneaux disposés symétriquement ? Et ces zigzags, ces triangles, ces losanges brisés, ces lignes ovales et tordues ? S'agit-il de vestiges de caravanes disparues, de villages, de campements ? Comment peut-on vivre sur ce plateau crépitant ? Comment s'y rendre ? Comment le quitter ?

Nous atterrissons à Tombouctou directement sur les canons antiaériens qui protègent la piste d'atterrissage. Tombouctou est aujourd'hui une ville avec des petites maisons en argile construites sur le sable. Comme l'argile et le sable ont la même couleur, la ville s'intègre parfaitement au paysage du désert : un fragment de Sahara proéminent, formé de blocs rectangulaires. La chaleur est telle qu'on ne peut pas bouger. Le soleil fige le sang, paralyse, abasourdit. Dans les ruelles et les cul-de-sac étroits, sablonneux, il n'y a pas âme qui vive. Mais j'ai trouvé une maison avec une petite plaque informant qu'ici, de septembre 1853 à mai 1854, a vécu Heinrich Barth. Barth

---

1. En français dans le texte. (*N.d.T.*)

est l'un des plus grands voyageurs du monde. Pendant cinq ans, il a sillonné en solitaire le Sahara, décrivant dans son journal de bord le désert. Malade, poursuivi par des pillards, il a fait ses adieux à la vie plus d'une fois. Mourant de soif, il s'est coupé les veines et a bu son propre sang. Revenu en Europe, personne n'a su apprécier l'exploit qu'il venait d'accomplir. Amer mais aussi épuisé par ce pénible voyage, il est mort à l'âge de quarante-quatre ans, en 1865, sans avoir compris que l'imagination humaine était incapable d'atteindre la frontière que lui avait franchie au Sahara.

Voici que Iahvé chevauche une nuée rapide

J'entre dans un temple bondé. Une foule de croyants est agenouillée, immobile, le dos tourné au chœur, le buste appuyé contre des bancs droits sans dossier ni lutrin. Ils ont la tête baissée, les yeux fermés. Il règne un silence absolu.

« Ils confessent en silence leurs péchés et se prosternent devant Dieu afin d'adoucir sa colère », me murmure celui qui m'a procuré une autorisation d'entrée et m'accompagne.

Nous sommes à Port Harcourt, une ville située dans les bouches chaudes et humides du Niger. Le temple appartient à l'Église apostolique, l'une des centaines de sectes chrétiennes existant au sud du Nigeria. La messe de dimanche doit commencer d'un instant à l'autre.

Il n'est pas facile pour une personne extérieure d'être admise à cette cérémonie. J'ai en vain tenté ma chance dans d'autres villes et dans d'autres communautés — j'utilise indifféremment les termes « secte », « communauté », « congrégation », « Église », comme on le fait en Afrique. Les sectes mènent une politique paradoxale : d'un côté elles essaient de recruter le plus possible d'adeptes, d'un autre elles font subir à leurs candidats une procédure d'admission longue et méticuleuse, les sélectionnant avec vigilance et prudence. Cette politique s'explique d'une part par la rigueur doctrinale dont elles se réclament, d'autre part par des considérations matérielles. Ces sectes ont en effet, pour la plupart, leur siège aux États-Unis, aux Antilles, aux Caraïbes ou en Grande-Bretagne. Ces pays financent leurs filiales et leurs missions africaines, ils leur envoient une aide médicale et pédagogique. Vu la pauvreté de l'Afrique, les candidats sont fort nombreux. Aussi le siège veille-t-il à ce que leurs adeptes aient une situation sociale et matérielle stable. On comprend pourquoi les pauvres et les crève-la-faim ne sont pas admis. Devenir membre d'une secte est en quelque sorte un ennoblissement. En Afrique, ces communautés se comptent par milliers, leurs membres par millions.

J'observe l'intérieur du temple. C'est une halle spacieuse, semblable à un immense hangar. Les murs sont munis de larges claires-voies. Les courants d'air sont d'autant plus agréables que le toit en tôle ondulé chauffé par le soleil rayonne d'une chaleur intense et accablante. Nulle part je ne remarque d'autel. Il n'y a pas non plus de statues ni d'images. Juché sur une estrade élevée, le chœur abrite un orchestre de plusieurs dizaines de personnes avec deux grandes sections de trompettes et de tambours. Derrière l'orchestre, sur une plate-forme élevée, se tient un chœur mixte vêtu de noir. Le milieu de l'avant-scène est occupé par une chaire massive en bois d'ébène.

Le prêtre, qui vient d'y monter, est un Nigérian grisonnant, obèse, âgé d'une bonne cinquantaine d'années. Les mains appuyées sur la balustrade, il observe les fidèles agenouillés. Ceux-ci se sont maintenant assis et le regardent attentivement.

Pour commencer, le chœur entonne un extrait de la prophétie d'Isaïe dans laquelle Iahvé annonce qu'il va châtier les Égyptiens en leur envoyant une grande sécheresse :

> Voici que Iahvé chevauche une nuée rapide et va en Égypte.
> Les idoles d'Égypte vacilleront devant lui [...]
> Les eaux tariront dans la mer,
> le fleuve sera asséché et à sec.
> Les fleuves seront infects,
> les canaux d'Égypte s'amenuiseront et seront asséchés,
> le roseau et le jonc se tacheront de noir.
> La jonchaie, le long du Nil et à l'embouchure du Nil,
> et toute la plantation du Nil seront desséchées,
> elles seront dispersées et il n'en restera rien.

Les pêcheurs gémiront,
tous ceux qui jettent l'hameçon dans le Nil seront endeuillés ;
ceux qui étendent le filet
sur la surface de l'eau seront languissants.

Si le texte a pour but de mettre les fidèles dans une ambiance de peur, d'épouvante, d'Apocalypse, il ne pouvait être mieux choisi. Les fidèles sont en effet originaires d'une région où le Niger se divise en dizaines de rivières, de bras et de canaux sinueux, créant le plus grand delta de l'Afrique. Depuis des générations, ce réseau aquatique les nourrit et la vision biblique de rivières s'asséchant et disparaissant suscite chez eux les pressentiments et les craintes les plus terribles.

Le prêtre ouvre maintenant une grande bible reliée en cuir rouge, marque une longue pause, puis se met à lire :

La parole de Iahvé me fut adressée pour dire : « Que vois-tu, Jérémie ? » Je dis : « Je vois une branche d'amandier ! »

Il regarde l'assemblée et poursuit :

La parole de Iahvé me fut adressée une seconde fois pour dire : « Que vois-tu encore ? » Je dis : « Je vois un chaudron bouillant. »

Et Iavhé dit : « Tu ceindras tes reins, tu te lèveras et tu leur diras tout ce que, moi, je t'ordonnerai : ne sois pas effrayé devant eux. »

Il repose la bible et, le doigt tendu vers l'assemblée, s'écrie : « Et je ne suis pas effrayé devant vous ! Je ne suis pas venu ici pour vous craindre, mais pour vous dire la vérité et vous purifier ! »
Les paroles et les phrases de son sermon sont d'emblée empreintes d'emphase, de reproche, de colère, d'ironie et de rage. Il enchaîne : « Le chrétien doit avant tout être pur. Pur intérieurement. Et vous, êtes-vous purs ? Toi, là, es-tu pur ? » Il pointe la main vers le fond de la salle, mais comme il ne montre personne précisément, tout le groupe

se trouvant à cet endroit se recroqueville humblement, comme s'il était pris en flagrant délit.

« Peut-être crois-tu que tu es pur ? » Il tend le doigt vers un autre coin de la salle et, à leur tour, les gens qui s'y trouvent se recroquevillent et, de honte, se cachent le visage. « Non, tu n'es pas pur ! Tu es loin d'être pur ! Personne parmi vous n'est pur », dit-il catégoriquement, avec une pointe de triomphe. À ce moment, les trompettes, les trombones, les cornets et les cornes retentissent, accompagnés d'un sourd battement de tambours et des gémissements chaotiques du chœur.

« Vous vous considérez sans doute comme des chrétiens ? dit-il après l'intermède musical, cette fois d'une voix sarcastique. Je suis prêt à jurer que vous le croyez, que vous en êtes sûrs. Chacun d'entre vous va le torse bombé et déclare : "Je suis chrétien ! Regardez-moi, regardez-moi et admirez-moi : voilà un chrétien ! Un vrai, si vrai qu'il n'y en a pas de plus vrai sur terre !" Voilà ce que vous pensez. Je vous connais bien. Chrétien ! Ha, ha, ha ! » Il éclate d'un rire sonore, nerveux, caustique, tellement suggestif que, à mon tour gagné par l'état d'esprit de la salle, j'en ai des frissons dans le dos.

Les gens sont troublés, déconcertés, stigmatisés. Qui sont-ils, s'ils ne peuvent être considérés comme chrétiens ? Que doivent-ils faire ? Où doivent-ils se cacher ? Chaque phrase les abat davantage, les anéantit. Debout dans cette foule recueillie, transie et pétrifiée, je ne peux me permettre d'observer les gens avec trop d'insistance. Le seul fait d'être blanc attire déjà l'attention. Mais du coin de l'œil, je vois à côté de moi des femmes dont les tempes dégoulinent de sueur et dont les mains croisées sur la poitrine tremblent. Sans doute la menace d'être montrées personnellement du doigt par le prêtre, d'être marquées du sceau de l'infamie, d'être privées du titre de chrétiennes les terrorise-t-elle. Du haut de sa chaire, le prêtre exerce sur elles un pouvoir hypnotique immense et prononce les verdicts les plus sévères et les plus réprobateurs.

« Savez-vous ce que veut dire "être chrétien" ? » demande-t-il. Jusqu'à présent humble et abattue, l'assis· ·

tance s'anime dans l'attente d'une réponse, d'un conseil, d'une recette ou d'une définition. « Savez-vous ce que cela signifie ? » répète-t-il tandis que parmi les fidèles la tension augmente. Mais avant que la réponse ne se fasse entendre, l'orchestre retentit de nouveau. Les tubas, les bassons, les saxophones résonnent, soutenus par un roulement de tambours. Le prêtre va s'asseoir dans un fauteuil à côté de la chaire. La tête entre les mains, ils se repose. L'orchestre se tait, puis le prêtre remonte sur la chaire en bois d'ébène.

« Être chrétien, dit-il, c'est entendre en soi la voix du Seigneur. Entendre le Seigneur demander : "Que vois-tu, Jérémie ?" »

Après le mot « Seigneur », les fidèles entonnent un chant :

> *Ô Seigneur,*
> *Tu es mon Seigneur,*
> *Oui, oui, oui,*
> *Oh oui,*
> *Tu es mon Seigneur.*

La foule se balance et ondule en rythme. Du sol s'élèvent des nuages de poussière de brique. Puis tous entonnent le psaume « Louez le Seigneur avec les cymbales retentissantes... ».

La tension diminue, l'atmosphère s'adoucit et les gens se détendent, reprennent leur souffle, mais leur répit est bref, car le prêtre reprend aussitôt :

« Vous ne pouvez entendre la voix du Seigneur, car vos oreilles sont bouchées, vos yeux ne voient pas car, le péché est en vous. Et le péché vous rend sourds et aveugles. »

Il règne un silence de mort. Dans cette salle bondée et figée, les seules personnes que l'on voit remuer sont des jeunes gens imposants, bien bâtis. Encore se déplacent-ils avec prudence, sur la pointe des pieds presque. Ils portent tous le même costume sombre, une chemise blanche et une cravate noire. Je les ai comptés, ils sont vingt. À l'entrée du temple, ils contrôlaient les entrées. Puis, juste avant la messe, ils se sont dispersés et se sont placés de manière à pouvoir observer chacun un secteur de la salle. Observer, intervenir, accompagner. Leurs mouvements, leur comportement se caractérisent par une discrétion et une détermination parfaites. Rien à voir avec la pagaille et le laisser-aller africains. Leurs gestes sont au contraire empreints de souplesse, de vigilance et d'adresse. Ils maîtrisent la situation, ils sont manifestement là pour ça.

Le prêtre vient de dire que le chemin vers l'idéal chrétien était bloqué par le péché que chacun porte en soi et commet par le seul fait d'exister. Le silence pesant qui s'ensuit est profondément justifié. En effet, les gens présents dans la salle sont originaires du peuple ibo. Or les Ibos ignorent la notion de péché comme la plupart des peuples africains. La conception de la faute est fondamentalement différente dans la théologie chrétienne et la tradition africaine. Pour cette dernière, le mal métaphysique, abstrait, le mal en tant que tel, n'existe pas. L'acte n'est mauvais que s'il est dévoilé et si la société ou une tierce personne le considère mauvais. Leur morale est pratique, concrète : le mal est ce qui porte préjudice aux autres. Les mauvaises intentions — pensées, désirs — n'existent pas, car le mal n'a lieu que s'il se matérialise, s'il prend une forme effective. Il n'existe que de mauvaises actions.

Si je souhaite à mon ennemi de tomber malade, je ne fais rien de mal, je ne commets aucun péché. Ce n'est que lorsque mon ennemi tombera effectivement malade que je pourrai être accusé d'avoir commis une mauvaise action : celle de lui avoir inoculé une maladie, car ici les gens croient que les causes des maladies ne sont pas biologiques, mais qu'elles proviennent de sortilèges jetés par des ennemis.

Bref, le mal non dévoilé n'est pas le mal, et par conséquent il ne peut susciter de sentiment de culpabilité. Je peux tromper quelqu'un, la conscience tranquille, tant que ma victime ignore qu'elle est trompée par moi et ne me montre pas du doigt. La tradition chrétienne, elle, intériorise la faute : notre âme est meurtrie, notre conscience nous fait souffrir, nous sommes rongés par le remords. Nous sentons le poids du péché, son côté accablant, sa présence brûlante. Il en est autrement dans les sociétés où l'individu existe non pas pour lui-même, mais comme élément d'un ensemble. La communauté nous délivre de la responsabilité privée, il n'y a pas de faute individuelle, ni donc de sentiment de péché. Le sentiment de culpabilité s'inscrit dans le temps : j'ai fait quelque chose de mal, je sens que j'ai commis un péché, cela me tourmente et maintenant je cherche un moyen de me purifier, d'expier ma faute, de l'effacer, de me confesser. Tout cela est un processus qui nécessite du temps. Or dans la conception africaine, ce temps n'existe pas. Dans le temps africain, il n'y a pas de place pour le péché. Car soit je ne fais rien de mal puisque personne n'en sait rien, soit le mal est châtié et anéanti aussitôt qu'il est découvert. La faute et le châtiment vont de pair, ils sont indissociables, ils ne sont séparés par aucun champ, par aucun espace libre. Les hésitations et le drame de Raskolnikov n'ont guère leur place dans la tradition africaine.

« Le péché vous rend sourds et aveugles », répète avec insistance le prêtre. Sa voix se met à trembloter. « Mais savez-vous ce qui attend ceux qui n'écoutent pas et ne voient pas ? Ceux qui pensent vivre loin du Seigneur ? »

Il reprend sa bible et, levant très haut la main comme si elle était une antenne captant du ciel la parole du Seigneur, il s'exclame :

Alors Yahvé me dit :
« Chasse-les de devant moi
et qu'ils s'en aillent !
Et quand ils te diront : Où irons-nous ?
Tu leur diras :
Celui qui est pour la mort, à la mort !
Celui qui est pour le glaive, au glaive !
Celui qui est pour la famine, à la famine !
Celui qui est pour la captivité, à la captivité !
Et je leur imposerai quatre espèces de maux —
le glaive pour tuer,
les chiens pour lacérer,
les oiseaux des cieux

et les bêtes de la terre
pour dévorer et détruire ! »

Un roulement sourd de tambours conclut la citation.
Mais le chœur et l'orchestre restent muets. Puis le silence
revient. Tous sont debout, le visage levé. Du coin de l'œil,
je vois qu'ils dégoulinent de sueur. Leurs traits sont
crispés, leur cou tendu, leurs mains levées dans un geste
dramatique. Implorent-ils le salut ? Se protègent-ils instinctivement d'un énorme rocher prêt à les écraser ?

Je crois que les gens présents à cet office vivent un
conflit intérieur, peut-être même un drame. Je me
demande même à quel point ils en sont conscients. Ce
sont pour la plupart des jeunes vivant dans une ville
industrielle africaine, la nouvelle classe moyenne du Nigeria. Cette classe imite les élites européennes et américaines
dont la culture est fondamentalement chrétienne. Jouant
le jeu, ils ont voulu connaître cette culture, cette fois, ils
ont voulu la pénétrer, s'identifier à elle. Aussi sont-ils
entrés dans une communauté chrétienne qui les a accueillis en leur imposant ses exigences doctrinales et éthiques,
auxquelles leur propre culture est étrangère. L'une d'entre
elles est la notion de péché, une transgression, un fardeau
qu'ils ignorent. En tant qu'adeptes de cette nouvelle religion, ils doivent pourtant en reconnaître l'existence, avaler cette pilule amère et répugnante. Mais en même temps
ils doivent chercher à s'en débarrasser de manière radicale, c'est-à-dire devenir de vrais chrétiens, des chrétiens
purs. Le prêtre essaie de leur faire prendre conscience du
prix élevé et douloureux à payer. Son sermon repose
entièrement sur la menace, l'humiliation. Ils ont accepté
avec zèle leur situation de pécheurs accablés des plus
grandes fautes, effrayés par le spectre du châtiment mena-
çant et honteux, prêts à chaque instant à revêtir la robe de
pénitent.

S'ils accueillent avec tant d'abnégation les reproches, les
plaintes et les accusations du prêtre, c'est aussi parce que
le sentiment d'appartenir à une communauté, d'avoir une
place dans une Église n'a pas de prix. Car l'Ibo refuse la
solitude, il la redoute comme la peste, il la considère

comme une malédiction, une condamnation. Cela va même plus loin : les communautés africaines avaient souvent des sociétés secrètes, une sorte de franc-maçonnerie éthique, de communauté secrète, néanmoins influente. Actuellement, en Afrique, les sectes essaient d'imiter ces institutions traditionnelles en recréant l'atmosphère de mystère et d'exclusivité qui les caractérisait, en créant un alphabet particulier de signes et de mots de passe, une liturgie spécifique.

Pendant la cérémonie, je n'ai pas pu regarder autour de moi. Beaucoup de choses cependant m'ont été transmises non par l'observation mais par la sensation. Je n'avais dans mon champ de vision que les gens debout à mes côtés. Les autres, je ne les voyais pas, mais je percevais malgré tout leur présence. Cette assemblée créait une atmosphère si tendue, si pleine d'émotion vivante et extatique, si omniprésente et bouleversante qu'elle pénétrait et bouleversait obligatoirement chacun d'entre nous. Il y avait dans cette foule une telle spontanéité, tant d'impétuosité, d'émotion, de ferveur, de tension, et de liberté dans l'expression de ses sentiments qu'on pouvait comprendre et voir tout ce qui se passait dans notre dos, loin de nous.

Après la messe, je suis sorti de l'église en me frayant un passage à travers la foule de nouveau agenouillée, le visage caché, immobile, le dos tourné au chœur. Il régnait un silence absolu. La chorale ne chantait pas, l'orchestre ne jouait pas. Le prêtre était debout dans sa chaire, épuisé, il avait les yeux fermés et se taisait.

Le gouffre d'Onitsha

Onitsha ! J'ai toujours rêvé de voir Onitsha. Il y a des noms évocateurs, des noms qui créent des associations colorées et séduisantes : Tombouctou, Lalibela, Casablanca. Onitsha appartient à cette famille. Onitsha est une petite ville du Nigeria de l'Est qui abrite le plus grand marché de l'Afrique et peut-être même du monde.

En Afrique, on distingue nettement le marché, la foire, de ce que nous nous appelons centre commercial ou halles. Un centre commercial est une structure permanente, se caractérisant par une forme architectonique et un aménagement appropriés, des vendeurs permanents et une clientèle plus ou moins stable. Il a des repères précis : des enseignes, des plaquettes avec les noms des sociétés et des commerçants, des publicités colorées, des vitrines décorées. Le marché est un univers complètement différent. C'est un événement naturel, spontané, une improvisation, un festin populaire, un concert en plein air. Le marché en Afrique, qui est surtout le royaume de la femme, obsède celle-ci. Dès qu'elle est chez elle, au village ou à la ville, elle se dit qu'elle va aller au marché. Pour acheter ou vendre quelque chose, ou les deux à la fois. Généralement le marché est loin. Aller au marché, c'est une expédition qui dure au moins un jour. La route, que ce soit à l'aller ou au retour, permet de discuter — car on s'y rend en groupe —, d'échanger des idées et de faire des commérages.

Le marché est un lieu de négoce, mais aussi de rencontres, une façon de fuir la monotonie de la vie quotidienne, un instant de repos, une expérience sociale. En allant au marché, les femmes se parent de leurs plus

beaux atours après s'être laborieusement coiffées entre
elles. Car outre l'occasion de faire des emplettes, le
marché est pour elles une revue de mode permanente. Si
on regarde bien ce qu'elles vendent ou achètent, on s'aperçoit que la marchandise n'est qu'un prétexte permettant
de nouer ou d'entretenir des relations. Une femme vend
par exemple trois tomates. Ou quelques épis de maïs. Ou
un petit pot de riz. Quel bénéfice peut-elle en tirer ? Que
peut-elle acheter avec le fruit de sa vente ? Pourtant elle
passera au marché une journée entière. Observons-la
attentivement. Elle est assise et discute sans relâche avec
ses voisines, se querelle avec elles, regarde les gens passer,
donne son avis, fait des commentaires. Puis, affamées,
elles finissent toutes par se partager les produits qu'elles
avaient l'intention de vendre et mangent tout sur place.
Un jour, j'ai observé un marché aux poissons au Mali, à
Mopti. Sur une petite place sablonneuse, par une chaleur
torride, environ deux cents femmes étaient assises. Chacune avait quelques petits poissons à vendre. Je n'ai pas
vu un client leur acheter le moindre poisson. Je n'ai vu
personne regarder leur marchandise, en demander le prix.
Pourtant ces femmes avaient l'air contentes, elles devi-
saient, discutaient avec éclat, absorbées par leurs problèmes, absentes pour les autres. Je crois que si un client
s'était présenté, il aurait été reçu comme un chien dans un
jeu de quilles, car il aurait gâché leur distraction.

Un grand marché, c'est la foule, la cohue. Les gens sont
serrés les uns contre les autres, se poussent, s'écrasent,
s'étouffent. À perte de vue, une mer de têtes noires,
comme sculptées d'un seul bloc dans le basalte, un océan
de tuniques et de vêtements colorés.

Et dans cette masse pénètrent encore des camions. Il
faut bien qu'ils livrent la marchandise. Pour n'écraser ni
tuer personne, le camion se déplace en suivant des règles
fixées par un code traditionnel. Il commence par s'intro-
duire dans la foule sur une profondeur de un mètre. Il
avance tout doucement, centimètre après centimètre. Les
femmes qui, debout ou assises, se trouvent sur sa trajectoire rassemblent leurs marchandises dans des paniers,
des plats ou des balluchons et, poussant leurs voisines

assises ou debout derrière elles, reculent docilement, sans dire un mot, devant le pare-choc qui continue de progresser. Puis, une seconde après le passage du camion, elles reviennent à leur place comme les vagues fendues par la proue d'un navire.

Le marché africain, c'est un immense entrepôt de pacotille, de bric et de broc. Une mine de bricoles et de camelote. Des montagnes de toc et de kitsch. Rien n'a de valeur, rien n'attire le chaland, rien ne suscite son admiration, rien ne le tente. À un bout du marché s'empilent des tas de seaux et de plats en plastique identiques, jaunes et rouges, dans un autre coin sont entassés des milliers de tricots de peau et de godasses semblables, ailleurs encore s'élèvent des pyramides de percale multicolore et scintillent des rangées de robes et de vestes en Nylon. On se rend compte ici à quel point le monde est inondé de marchandises de mauvaise qualité, à quel point il croule sous un océan de bluff, de vulgarité et de médiocrité.

J'ai donc enfin l'occasion de me rendre à Onitsha. Installé dans le véhicule, j'essaie de m'imaginer à quoi peut bien ressembler ce lieu qui, s'étant transformé en un monstre démesuré, est devenu le plus grand marché du monde. Mon chauffeur s'appelle Omenka et appartient à cette catégorie de gens malins et rusés qui ont grandi dans le riche bassin pétrolier du pays, qui connaissent la valeur de l'argent et savent comment en soutirer à leurs passagers. Le jour de notre première rencontre, je ne lui ai rien donné en le quittant. Il est parti sans même me saluer. J'étais désolé, car je n'aime pas les relations froides, formelles. La fois suivante, je lui ai donné 50 nairas (la monnaie locale). Il m'a dit au revoir et m'a souri. Encouragé, je lui ai donné ensuite 100 nairas. Il m'a dit au revoir, m'a souri et m'a tendu la main. La fois suivante, je lui ai donné 150 nairas. Il m'a dit au revoir, m'a souri, m'a salué en me donnant cordialement une double poignée de mains. Puis j'ai augmenté la mise de 50 nairas. Il m'a dit au revoir, m'a souri, m'a serré dans ses bras, m'a prié de saluer ma famille, s'est enquis de ma santé avec sollicitude. Je ne voudrais pas rallonger sans fin cette histoire mais, au bout du compte, je l'ai tellement inondé de nairas que nous sommes devenus inséparables. Quand il est avec moi, Omenka a toujours un trémolo dans la voix et les larmes aux yeux, il me jure un dévouement et une fidélité éternels. Quant à moi, j'ai eu ce que je voulais, et j'y gagne en plus l'affection, la chaleur et la bonté.

Omenka et moi roulons vers le nord, en direction d'Onitsha, avec comme point de repère la baie du Bénin. Nous traversons les petites villes d'Aba, Oweri et Ihiala. Le pays baigne dans la verdure, il est humide, infesté par le paludisme, fortement peuplé. Une partie de la population travaille dans l'extraction de pétrole, une autre cultive des petits champs de manioc, une autre cueille et vend des noix de coco, une autre encore distille des bananes et du millet. Tout le monde fait du commerce. En Afrique, les divisions entre fermiers et bergers, soldats et fonctionnaires, tailleurs et mécaniciens existent, certes, mais elles ne sont pas essentielles. Ce qui importe, c'est ce qui est commun aux hommes, ce qui les lie : le trafic.

La différence entre les sociétés africaine et européenne, entre autres, c'est que dans cette dernière prévaut la division du travail, la spécialisation, la qualification, la professionnalisation. Ce code est moins pertinent en Afrique où, surtout aujourd'hui, l'homme exerce des dizaines d'activités à la fois, fait une quantité de choses, la plupart du temps pour une période brève, et parfois sans grand sérieux. Il est difficile de rencontrer un individu qui ne se soit pas frotté à cet élément naturel, la passion de l'Afrique : le commerce.

Le marché d'Onitsha est précisément le point de destination de toutes les routes et de tous les sentiers de l'Afrique marchande, leur point de rencontre et d'intersection.

Onitsha me fascine aussi parce que c'est un marché qui a créé et développé sa propre littérature : l'*Onitsha Market Literature*. À ma connaissance, c'est un cas unique au monde. À Onitsha vivent et créent des dizaines d'écrivains nigérians édités par une quinzaine de maisons d'édition locales qui possèdent sur le marché leurs propres imprimeries et leurs propres librairies. C'est une littérature très variée, qui va du roman au poème, en passant par des sketches joués sur le marché par de nombreuses troupes, la comédie de boulevard, la farce populaire et le vaudeville. Les historiettes didactiques, les guides vous apprenant « comment tomber amoureux » ou bien « comment cesser d'aimer » sont innombrables. Quant aux feuilletons du genre *Mabel, ou le doux miel évaporé* ou bien *Jeux amoureux aux lendemains désenchantés* se comptent par milliers. Tout est fait pour émouvoir, bouleverser, faire pleurer, mais aussi pour éduquer et conseiller de manière désintéressée. « La littérature doit être utile », font remarquer les auteurs d'Onitsha qui trouvent sur le marché un public en quête d'émotions et de sagesse. Celui qui n'a pas d'argent pour s'acheter un chef-d'œuvre broché (ou qui ne sait pas lire) peut en écouter la version orale pour quelques sous. C'est en effet le prix d'une soirée d'auteurs qui généralement se déroule à l'ombre d'un étalage d'oranges, d'ignames ou d'oignons.

À quelques kilomètres de la ville, la route forme un virage harmonieux. Juste dans ce tournant, les voitures font du surplace. Il y a manifestement un bouchon et il va falloir patienter, d'autant que c'est le seul accès à la ville. Nous sommes sur la fameuse Oguta Road qui, là-bas tout au bout, aboutit au célèbre marché. Mais pour le moment nous sommes bloqués derrière quelques camions. Une demi-heure passe, puis une heure. Habitués à ce type de situation, les chauffeurs locaux s'étendent avec insouciance dans le fossé au bord de la route. Quant à moi, je suis pressé, je dois rentrer le jour même à Port Harcourt qui se trouve à trois cents kilomètres d'ici. La chaussée est étroite, à voie unique. Notre voiture est coincée entre d'autres véhicules. Impossible de faire demi-tour. Je descends et m'avance pour essayer de comprendre l'origine du bouchon. Il fait une chaleur étouffante comme toujours en Afrique à cette heure de la journée. Je traîne des pieds, mais finalement j'arrive au but. Je suis déjà dans la ville. Des deux côtés de la rue se dressent des maisons basses couvertes de tôle ondulée toute rouillée et des boutiques à un étage. À l'ombre des larges vérandas, des tailleurs sont assis devant leurs machines à coudre, des femmes font leur lessive et étendent leur linge. Au milieu de la route j'aperçois un attroupement. Les gens semblent excités, nerveux. On entend un bruit de moteur, des cris et des appels. Je me faufile à travers la foule et aperçois au beau milieu de la rue un trou béant, énorme, large de plusieurs mètres. Les bords sont verticaux, abrupts et au fond stagne une petite mare trouble et boueuse. La rue est tellement étroite à cet endroit qu'il est impossible de contourner le trou et tous ceux qui veulent se rendre en ville en voiture se voient contraints de plonger dans le gouffre, dans ses eaux marécageuses, avec l'espoir qu'on les aidera à se tirer de ce mauvais pas.

C'est ce qui semble en effet se passer. Au fond du gouffre, un camion énorme chargé de sacs de cacahuètes barbote dans la mare. Des garçons à moitié nus hissent les sacs sur leur dos et escaladent les bords du trou. Une autre bande essaie de fixer des câbles afin de remonter le camion à la surface. D'autres encore s'affairent dans l'eau en essayant de glisser sous les roues des planches et des poutres. Ceux qui sont à bout de forces sortent du trou pour reprendre leur souffle. Là-haut, en rang d'oignons, des femmes vendent des plats chauds, du riz avec de la sauce épicée, des galettes de manioc, des ignames grillés, de la soupe d'arachide. D'autres proposent de la limonade locale, du rhum, de la bière de banane. Des gamins vendent des cigarettes et du chewing-gum. Une fois que tout est prêt, que les sacs de cacahuètes ont été déchargés, les équipes se mettent à tirer le camion. Encouragées par les cris du public, l'une tire sur les câbles, l'autre pousse le flanc du camion. Le véhicule résiste, recule, se cabre presque. Au bout du compte, tout le monde s'y met et le camion est tiré du gouffre et ramené sur l'asphalte. Les badauds applaudissent, se donnent des tapes sur l'épaule tandis que les enfants dansent et frappent des mains.

Au suivant ! Le deuxième véhicule barbote déjà au fond du gouffre. Je remarque que cette fois l'équipe n'est plus la même. Elle a ses propres câbles, ses propres chaînes, ses propres planches et ses propres pelles. Quant à la brigade précédente, elle a disparu dans la nature. Cette fois, le travail est extrêmement difficile et pénible, car on a affaire à un véhicule lourd, un énorme Bedford. Les jeunes doivent le tirer progressivement, par étapes. À chaque pause s'engage une interminable discussion sur la méthode la plus efficace. Le Bedford glisse, son moteur rugit comme un lion, la carrosserie penche dangereusement à gauche.

Le trou s'approfondit avec chaque voiture qui sombre. Son fond est rempli d'une boue collante dans laquelle les roues tournent dans le vide en éclaboussant et aspergeant tout le monde de jets de gadoue et de gravier. Je fais rapidement un calcul : pour passer dans le trou à notre tour, il nous faudra attendre deux ou trois jours. Je serais curieux de connaître le prix que l'équipe de sauveteurs professionnels nous demanderait. Mais pour le moment, l'essentiel est de sortir de ce traquenard. Tant pis pour le marché d'Onitsha, ses folles couleurs, sa littérature de foire et de bazar ! Je veux partir d'ici, il me faut rentrer. Mais d'abord je vais faire un tour pour voir à quoi ressemble cette route trouée et embouteillée, faire un brin de causette et tendre l'oreille.

Les abords du trou sont devenus, c'est évident, un centre d'attraction qui excite la curiosité, encourage les intiatives. Ce lieu, cette ruelle de banlieue d'habitude somnolente et morte, avec ses chômeurs qui dorment dehors, ses hordes de chiens sauvages atteints de paludisme, se transforme spontanément, grâce à ce malheureux trou, en un quartier dynamique, plein de vie et de bruit. Le trou fournit du travail aux hommes qui forment des équipes de sauveteurs et se font quelques sous en remontant les voitures à la surface. Il offre une clientèle aux gargotières ambulantes. Freinant la circulation et bloquant la rue, il attire dans les boutiques généralement vides des clients involontaires, les passagers et les chauffeurs qui attendent leur tour pour passer. Les marchands de cigarettes et de boissons fraîches trouvent des acquéreurs.

Je remarque aussi, sur certaines maisons, des inscriptions toutes fraîches, barbouillées à la main : « Hôtel », à l'intention de ceux qui devront passer la nuit à attendre leur tour. Les ateliers de mécanique reprennent vie, car les chauffeurs profitent de l'immobilisation de leurs véhicules pour les faire réparer, gonfler leurs pneus, recharger leur batterie. Les tailleurs et les couturiers ont des commandes, les coiffeurs font leur apparition. Rôdant dans les parages, des rebouteux proposent des herbes, des peaux de serpent et des plumes de coq, prêts à guérir les amateurs en un clin d'œil. En Afrique, tous ces métiers sont pratiqués par des personnes mobiles qui, à la recherche d'un client, affluent en masse à la première occasion. Le trou d'Onitsha en est une. La vie sociale prend des couleurs, les abords du gouffre deviennent un lieu de rencontre, de conversation, de discussion et, pour les enfants, une aire de jeu.

La malédiction des chauffeurs se rendant à Onitsha s'est transformée en salut pour les riverains de Oguta Road. Ainsi le malheur des uns fait le bonheur des autres, puisque le trou nourrit les habitants de ce quartier dont j'ignore le nom, devient pour eux une aubaine et même une raison de vivre.

Pendant longtemps, ce trou n'a pas été comblé. Je le sais pour la bonne raison que des années plus tard, à Lagos, tandis que je racontais avec émotion mon aventure, je m'entendis dire avec indifférence : « Onitsha ? À Onitsha rien n'a changé. »

Scènes érythréennes

Asmara, cinq heures du matin. Il fait sombre et froid. Soudain au-dessus de la ville s'élèvent deux sons : le tintement puissant et grave de la cloche de la cathédrale située Via Independencia, et l'appel langoureux et mélodieux du muezzin en provenance de la mosquée toute proche. Pendant quelques minutes, ces deux sons emplissent l'espace, s'unissent et se renforcent, créant un duo œcuménique harmonieux et triomphal, troublant le calme des ruelles endormies, réveillant ses habitants. L'alternance des sons aigus et graves de la cloche forme un allegro sublime, retentissant, enlevé, qui accompagne à merveille les sourates coraniques ardentes avec lesquelles le muezzin caché dans l'obscurité invite les fidèles à la prière matinale, celle qui inaugure la journée et porte le nom de *salad as-subh*.

Assourdi par cette musique, gelé et affamé, je me rends par les rues désertes à la gare routière, car je voudrais aller à Massaoua. Même sur les grandes cartes d'Afrique, la distance entre Asmara et Massaoua dépasse à peine la largeur d'un ongle. En effet elle n'est pas importante : cent dix kilomètres. Mais l'autocar a besoin de cinq heures pour la parcourir et notamment descendre d'une altitude proche de deux mille cinq cents mètres jusqu'au niveau de la mer Rouge au bord de laquelle se trouve Massaoua.

Asmara et Massaoua sont les deux grandes villes de l'Érythrée, le plus jeune et le plus petit État d'Afrique, peuplé de trois millions d'habitants. L'Érythrée n'a jamais été un État indépendant. D'abord colonie de la Turquie, puis de l'Égypte, elle a été colonisée au xxe siècle successivement par l'Italie, l'Angleterre et l'Éthiopie. En 1962, l'Éthiopie, qui depuis dix ans l'occupe militairement, a proclamé l'Érythrée province de son empire. Les Érythréens ripostent par une guerre de libération, la guerre la plus longue dans l'histoire du continent puisqu'elle a duré trente ans. Quand Hailé Sélassié régnait à Addis-Abeba, les Américains l'aidaient à combattre les Érythréens. Mais dès que l'empereur a été renversé par Mengistu, les Russes ont remplacé les Américains. Les vestiges de cette histoire peuvent être contemplés dans le grand parc d'Asmara où se trouve un musée de la guerre. Son directeur est un jeune poète et guitariste, ancien rebelle, un homme charmant et accueillant, Aforki Arefaine. Aforki me montre d'abord les mortiers et les canons américains, puis une collection de mitrailleuses, de mines, de Katiouchas et de Migs soviétiques. « Ce n'est rien ! dit-il. Si tu voyais Debre Zeit ! »

Il n'a pas été facile d'obtenir une autorisation, mais finalement j'ai vu Debre Zeit. Ce site se trouve à quelques dizaines de kilomètres d'Addis-Abeba. On s'y rend par des chemins de campagne en passant par une série de postes militaires. Les soldats du dernier poste ouvrent un portail donnant sur une petite place au sommet d'un plateau. Le panorama est unique au monde. À perte de vue, jusqu'à l'horizon lointain et brumeux, s'étend une plaine plate et sans arbres. Elle est encombrée de matériel militaire. Sur des kilomètres s'étendent des champs de canons de différents calibres, des allées interminables de chars légers et lourds, des quartiers hérissés de canons antiaériens, de mortiers, des centaines d'engins blindés, de stations radio mobiles et de chars amphibies. De l'autre côté du plateau s'étendent d'immenses hangars et entrepôts abritant des fuselages de Migs en cours d'assemblage, des magasins bourrés de caisses de munitions et de mines.

Ce qui stupéfie et étourdit le plus, ce sont les quantités monstrueuses des armements, l'accumulation, l'amoncellement invraisemblable de centaines de milliers de tonnes de mitrailleuses, de mortiers de montagne, d'hélicoptères de combat. Tout ce matériel, offert par Brejnev à Mengistu, a été transporté par bateau, pendant des années, d'Union soviétique en Éthiopie, alors que les Éthiopiens étaient incapables d'en utiliser ne serait-ce que dix pour cent ! Avec tous ces tanks on pourrait conquérir l'Afrique entière, avec le feu de ces canons et de ces Katiouchas, on pourrait réduire en cendres le continent tout entier ! Errant dans les rues mortes de cette ville en acier pétrifié sous le regard muet des canons sombres et oxydés, sous la menace des dents massives des chenilles, j'ai pensé à l'homme qui a imaginé conquérir l'Afrique, qui a voulu organiser sur le continent une *Blitzkrieg* modèle, qui a édifié cette nécropole militaire, Debre Zeit. Qui cela pouvait-il être ? L'ambassadeur de Moscou à Addis-Abeba ? Le maréchal Ustinov ? Brejnev en personne ?

« Tu as vu Tira Avolo ? » me demande un jour Aforki.
Oui, j'ai vu Tira Avolo. C'est une merveille. Asmara est une ville splendide, à l'architecture méditerranéenne, italienne et au climat extraordinaire, éternellement printannier, doux et ensoleillé. Le quartier résidentiel d'Asmara s'appelle Tira Avolo. Des villas magnifiques enfouies sous des jardins fleuris. Des palmiers royaux, des haies élevées, des piscines, des pelouses exubérantes et des plates-bandes décoratives, une parade permanente de plantes, de couleurs et de parfums, le paradis sur terre. Pendant la guerre, quand les Italiens ont quitté Asmara, le quartier de Tira Avolo a été occupé par les généraux éthiopiens et soviétiques. Ni Sotchi ni Soukhoumi ni Gagra ne pouvaient rivaliser avec Tira Avolo tant sur le plan du climat que du confort. On comprend pourquoi la moitié de l'état-major général de l'Armée rouge, dont l'accès à la Côte d'Azur et à Capri était interdit, passait ses vacances à Asmara tout en prêtant main-forte à l'armée de Mengistu dans sa lutte contre la résistance érythréenne.
Les forces éthiopiennes ont systématiquement employé le napalm. Pour se protéger, les Érythréens creusaient des abris, des couloirs et des cachettes. Au bout de quelques années, ils ont construit littéralement un second pays souterrain, inaccessible aux étrangers, secret, une Érythrée cachée que l'on pouvait parcourir d'un bout à l'autre sans être vu de l'ennemi. La guerre érythréenne n'a pas été une *bush-war*[1], une tourmente destructrice et exterminatrice

1. Guerre de brousse. *(N.d.T.)*

comme celle que les seigneurs de la guerre pratiquent ailleurs en Afrique. Les Érythréens le soulignent d'ailleurs avec fierté. Dans leur État souterrain, ils avaient des écoles, des hôpitaux, des tribunaux, des orphelinats, des ateliers et des armureries. Dans ce pays analphabète, chaque combattant devait savoir lire et écrire.

Leur œuvre, leur fierté est aujourd'hui leur problème et leur drame. Car la guerre s'est terminée en 1991, et deux ans plus tard l'Érythrée est devenue indépendante.

Ce pays minuscule, l'un des plus pauvres du monde, a une armée de cent mille hommes, des jeunes relativement instruits dont il ne sait que faire. Le pays n'a aucune industrie, l'agriculture est en plein déclin, les bourgades sont en ruines, les routes détruites. Cent mille soldats se réveillent tous les matins désœuvrés et surtout affamés. Mais le sort de leurs amis et frères civils n'est guère plus enviable. Quand on parcourt les rues d'Asmara à l'heure du déjeuner, on voit bien quelques rares fonctionnaires se précipiter dans les petits restaurants et bars de la ville. Mais ce que l'on voit surtout, ce sont des foules de jeunes ne sachant où aller, ne travaillant nulle part, sans un sou. Ils errent, regardent les vitrines, se tiennent aux coins des rues, sont assis sur des bancs, oisifs, le ventre creux.

Les cloches de la cathédrale se sont tues, la voix du muezzin s'est éteinte. Au-delà des monts du Yémen surgit un soleil ardent et aveuglant. Notre autocar, un antique Fiat à la couleur indéfinissable tant la carrosserie a été martelée, tant elle est trouée par la rouille, descend à corps perdu une route en pente abrupte et escarpée, sur une dénivellation de deux mille cinq cents mètres. Je ne vais pas entreprendre la description de cette route. Le chauffeur m'a installé, moi l'unique Européen, à côté de lui. Il est jeune, vif et attentif. Il sait ce que cela signifie de rouler sur cette route, il en connaît tous les pièges. Sur cent kilomètres, il y a plusieurs centaines de virages. Le trajet n'est en fait constitué que de tournants. De plus, la chaussée est étroite, elle est recouverte d'un macadam friable, elle longe constamment un précipice sans barrière ni garde-fou.

Si on n'a pas le vertige et qu'on n'a pas peur de regarder en bas, on aperçoit au fond du précipice des épaves d'autocars, de camions, de véhicules blindés, des carcasses de chameaux, de mules ou d'ânes. Certaines sont très vieilles, mais d'autres — et celles-ci sont les plus terrifiantes — sont toutes fraîches. Le chauffeur et les passagers forment une équipe bien rodée, œuvrant à l'unisson : quand nous amorçons un virage, le chauffeur pousse un « Yyyaaahhh ! » prolongé. À ce cri, les passagers se penchent du côté opposé au tournant, faisant ainsi contrepoids et évitant à l'autocar de plonger inexorablement dans l'abîme.

Dans certains virages est dressé un autel copte aux couleurs criardes, décoré de rubans, de fleurs artificielles et pompeuses, d'icônes peintes dans le style des réalistes naïfs. Autour de l'autel s'affairent quelques moines émaciés et desséchés. Quand l'autocar ralentit, ils tendent vers les fenêtres des soucoupes en argile afin que les passagers y déposent quelques sous en offrande. Les moines prieront pour que le voyage se déroule bien, du moins jusqu'au virage suivant.

Chaque kilomètre dévoile un point de vue nouveau. Derrière chaque montagne surgit un autre paysage. Au fur et à mesure que nous avançons, les panoramas se renouvellent, se recomposent, la nature se pare de ses plus riches atours, elle veut nous étourdir de sa beauté. Car cette route est aussi terrible que belle. Ici en contrebas, une bourgade noyée sous une forêt d'arbustes, là un monastère dont les murs clairs scintillent sur le fond noir des montagnes comme une flamme blanche. Plus loin une gigantesque roche de cent tonnes, éclatée en deux par la foudre et fichée dans un pâturage verdoyant. Ailleurs des champs de pierres éparpillées, en désordre, espacées ; à un endroit, elles sont regroupées, rapprochées et bien rangées : cela signifie qu'un cimetière musulman s'y trouve. Au loin, comme un paysage classique, un ruisseau impétueux étincelle de ses reflets argentés. À l'horizon, des roches entassées forment une voûte céleste, des labyrinthes entortillés, des colonnes pathétiques.

Plus nous glissons sur le toboggan endiablé des virages,

en équilibre constant entre la vie et la mort, plus la chaleur devient étouffante. En fin de parcours, nous avons l'impression d'être enfournés sur une grande pelle dans un haut fourneau. Bref, nous sommes arrivés à Massaoua.

Juste avant, à quelques kilomètres de la ville, les montagnes ont disparu et la route suit une ligne droite et plate. Lorsque nous atteignons ce tronçon de route, le chauffeur se métamorphose, sa silhouette fine se détend, les muscles de son visage se rassérènent et s'adoucissent. Il sourit. Tendant la main vers un tas de cassettes posées à côté de lui, il en place une dans le magnétophone. La bande usée, ensablée, retentit de la voix éraillée d'un chanteur local. C'est une mélodie orientale, pleine de sons aigus, mélancoliques, sentimentaux. « Il dit qu'elle a des yeux comme deux lunes, m'explique le chauffeur absorbé par le chant. Et qu'il aime ces yeux semblables à la lune. »

Nous entrons dans une ville en ruines. Des deux côtés de la route, des montagnes de douilles d'artillerie. Des murs calcinés, des souches d'arbres renversés et hérissés d'éclats. Une femme marche dans la rue déserte, deux garçons jouent dans la cabine d'un camion détruit. Nous avançons sur une petite place sablonneuse, rectangulaire, au centre de la ville. Autour, des maisons pauvres sans étages, peintes en vert, en rose et en jaune. Les murs sont fissurés, la peinture s'écaille et tombe. Dans un coin, à l'ombre, somnolent trois vieillards. Ils sont assis à même le sol, ils ont des turbans enfoncés sur les yeux.

L'Érythrée, c'est l'union de deux altitudes, de deux climats, de deux religions. Sur les hauteurs, là où se trouve Asmara et où il fait plus frais, vit le peuple tigrigna. La majorité de la population du pays appartient à ce peuple. Les Tigrignas sont chrétiens, coptes. L'autre partie de l'Érythrée, ce sont des plaines torrides, à moitié désertes, les bords de la mer Rouge, entre le Soudan et Djibouti. Elles sont habitées par des peuples de bergers, de confession islamique — le christianisme supporte mal les tropiques, l'islam s'y sent mieux. Massaoua, le port comme la ville, appartient à ce monde. Les bords de la mer Rouge, où se trouvent Massaoua et Assab, et le golfe d'Aden où sont situés Djibouti, Aden et Berbera, sont la zone la plus

chaude de la planète, l'enfer de la terre. Quand je suis
sorti de l'autocar, j'ai été agressé par une chaleur si intense
que je n'ai pas pu reprendre mon souffle. J'ai senti une
flamme m'entourer et m'étouffer. J'ai compris qu'il fallait
que je m'abrite quelque part si je ne voulais pas m'écrou-
ler. Je me suis mis à scruter la ville morte, à chercher un
signe, une trace de vie. Ne remarquant aucune enseigne,
désespéré, je me suis lancé droit devant moi. Je savais que
je n'étais pas en état d'aller bien loin, mais j'ai malgré
tout avancé, à grand-peine, soulevant tour à tour la jambe
gauche, puis la jambe droite. Finalement j'ai aperçu un
bar dans lequel on pénétrait par une ouverture tendue
d'un voile en percale. J'ai écarté le rideau, je suis entré et
me suis effondré sur le banc le plus proche. J'avais les
oreilles qui bourdonnaient, car la chaleur semblait s'inten-
sifier, redoubler constamment.

Dans l'obscurité, au fond du bar désert, j'ai vu un
comptoir tout collant de crasse, tout déglingué et, au-dessus, deux visages. De loin, on aurait dit deux têtes coupées
que quelqu'un aurait posées là avant de repartir. En effet,
les têtes ne bougeaient pas, semblaient mortes. J'étais toutefois incapable de réfléchir à l'auteur du forfait ou à ses
mobiles, mon attention étant absorbée par la vue d'une
caisse de bouteilles d'eau posée à côté du comptoir. Avec
le peu de forces qui me restaient, je me suis traîné jusqu'à
elles et les ai bues l'une après l'autre. Alors l'une des têtes
a ouvert un œil qui s'est mis à regarder ce que je faisais.
Les deux serveuses n'ont pas bronché pour autant, pétri-
fiées par la chaleur comme des lézards.

Ayant étanché ma soif et trouvé un lieu ombragé, j'ai
attendu tranquillement que la fournaise de midi s'apaise.
Puis je suis parti à la recherche d'un hôtel. Apparemment
les quartiers riches de Massaoua étaient naguère un charmant mélange d'architectures tropicale, arabe et italienne.
Aujourd'hui, quelques années après la guerre, la plupart
des maisons sont toujours en ruines, les trottoirs sont
encore encombrés de briques, de détritus et de verre. À
un grand carrefour se dresse un énorme char russe T-72
calciné. Visiblement la ville n'a pas les moyens de le retirer. L'Érythrée n'a pas de grue pour l'emporter, de plate-

forme pour le transporter, ni de four pour le fondre. Il est possible de faire venir un énorme char d'assaut dans un pays comme l'Érythrée, de le faire fonctionner, mais quand ce char tombe en panne ou qu'il est incendié, on ne sait que faire de son épave.

À l'ombre d'un arbre, en Afrique

C'est la fin du voyage, du moins du fragment que j'ai décrit. Sur le chemin du retour, je fais encore une halte à l'ombre d'un arbre. Il pousse dans un village qui s'appelle Adofo, non loin du Nil Bleu, dans la province éthiopienne de Wollega. C'est un énorme manguier au feuillage épais et éternellement vert. Quand on voyage sur les plateaux de l'Afrique, sur les immenses étendues du Sahel ou de la savane, on est frappé par une image récurrente : sur les terres immenses, sablonneuses, brûlées par le soleil, sur les plaines recouvertes d'une herbe jaunie et parsemées de rares arbustes épineux et secs, surgit régulièrement un arbre branchu, solitaire, isolé. Sa frondaison est luxuriante et fraîche, tellement épaisse que de loin elle crée une tache visible, nette, intense. Bien qu'il n'y ait pas le moindre souffle de vent, ses feuilles s'agitent et scintillent. D'où peut bien venir cet arbre dans ce paysage mort, lunaire ? Pourquoi se trouve-t-il justement à cet endroit ? Pourquoi est-il seul ? D'où puise-t-il sa sève ? Il faut parfois parcourir des kilomètres et des kilomètres avant de tomber sur son frère jumeau.

Peut-être que jadis poussait ici une forêt, mais qu'elle a été abattue puis brûlée. Seul un manguier aurait été préservé. Consciente de sa valeur, la population des environs a tout fait pour le conserver. Autour de ces arbres solitaires se trouve en effet un village. En apercevant au loin un grand manguier, on peut hardiment se diriger dans sa direction, en sachant qu'au bout du chemin il y aura des hommes, un filet d'eau et peut-être même quelque chose à manger. Les hommes ont sauvé l'arbre, car sans lui ils ne pourraient pas survivre : dans ces régions torrides, l'homme a besoin d'ombre pour exister. L'arbre en est le dépositaire et le pourvoyeur.

Si dans le village il y a un instituteur, l'arbre tient lieu d'école. Le matin, il entraîne sous ses ramures les enfants du village tout entier. Il n'y a ni classes ni limite d'âge. Qui veut venir vient. Le maître ou la maîtresse accroche au tronc un alphabet imprimé sur une feuille de papier. Il montre les lettres avec une baguette, et les enfants regardent et répètent. Ils doivent apprendre par cœur, car ils n'ont ni crayon ni papier.

Quand arrive midi et que le ciel blanchit, tous ceux qui le peuvent se réfugient sous l'arbre : les enfants, les adultes et même, si le village en possède, le bétail — vaches, brebis et chèvres. La chaleur de midi est plus supportable sous un arbre que dans une case. Dans une case, on est à l'étroit et on étouffe, mais sous un arbre, il y a de l'espace et un peu plus d'air.

C'est l'après-midi que les choses sérieuses se passent : les adultes se retrouvent sous l'arbre pour tenir conseil. Le manguier est le seul endroit où ils peuvent se réunir et discuter, car dans le village il n'y a pas de local suffisamment spacieux. Les gens se rendent à cette réunion avec ponctualité et de bon gré. Les Africains ont une nature collectiviste, ils éprouvent un besoin intense de participer à tout ce qui fait partie de la vie du groupe. Toutes les décisions sont prises de concert. C'est en commun que l'on tranche les disputes et les conflits, que l'on décide qui recevra telle terre à cultiver. La tradition veut que toute décision soit prise à l'unanimité. Si quelqu'un n'est pas d'accord, la majorité essaie de le convaincre jusqu'à ce qu'il change d'opinion. Cela dure parfois indéfiniment, car ce qui caractérise ces discussions, ce sont les interminables palabres. Si deux villageois se disputent, le tribunal réuni sous l'arbre ne démêle pas le vrai du faux ni ne décide qui a raison, il s'efforce simplement de supprimer le conflit, d'amener les deux parties à la réconciliation en reconnaissant le bien-fondé de chacune d'entre elles.

Quand la journée tire à sa fin et que l'obscurité tombe, l'assemblée interrompt sa réunion et rentre à la maison. Dans les ténèbres on ne peut pas se quereller. Quand on discute, on doit voir le visage de celui qui prend la parole, on doit être sûr que ses paroles et ses yeux parlent le même langage.

C'est maintenant au tour des femmes, des personnes âgées et des enfants, curieux de tout, de se rassembler sous l'arbre. S'ils ont du bois, ils allument un feu. S'ils ont de l'eau et de la menthe, ils infusent une tisane épaisse et corsée. Commence alors l'heure la plus agréable, l'heure que je préfère, celle où on raconte les événements de la journée, les histoires où se mêlent la réalité et la fiction, des éléments drôles et d'autres effroyables. Qu'était donc cette forme sombre et furieuse qui, ce matin, a fait un boucan infernal dans les buissons ? Un oiseau bizarre s'est envolé dans les airs et a disparu ! Les enfants ont chassé une taupe dans son trou, ont fouillé ses galeries, mais la taupe n'y était plus. Où s'est-elle fourrée ? Au fil des récits, les gens se rappellent que jadis, il y a de cela bien longtemps, les vieux racontaient qu'un oiseau étrange était passé et avait disparu. Quelqu'un se souvient que son arrière-grand-père lui a dit que depuis longtemps une forme sombre faisait du bruit dans les buissons. Cela fait lontemps ? Oh, oui, cela remonte à la nuit des temps. Car la frontière de la mémoire est celle de l'histoire. Auparavant il n'y avait rien. L'auparavant n'existe pas. L'histoire est ce qu'on se rappelle.

Hormis le Nord islamique et l'Éthiopie, l'Afrique n'a jamais connu l'écriture. L'histoire a toujours été transmise oralement, les légendes ont toujours été communiquées de bouche à oreille, les mythes ont toujours été créés collectivement, inconsciemment, au pied d'un manguier, dans les ténèbres profondes du soir quand seules résonnaient les voix tremblantes des vieillards. Car les femmes et les enfants se taisent, ils écoutent. L'heure du soir est importante aussi parce que c'est le moment où la communauté s'interroge sur son essence et ses origines, prend conscience de sa particularité et de sa différence, définit sont identité. C'est l'heure où l'on converse avec les ancêtres qui, même s'ils sont partis, sont toujours là, nous accompagnent dans notre vie, nous protègent contre le mal.

Le soir, le silence sous l'arbre n'est qu'apparent. Il est en fait saturé de voix, de sons, de murmures multiples et variés, qui viennent de partout, des branches élevées, de la brousse, des profondeurs de la terre, du ciel. À ce moment-là, mieux vaut être près les uns des autres, sentir la présence d'autrui, car cela réconforte et donne du courage. L'Africain se sent en permanence menacé. Sur ce continent, la nature prend des formes tellement monstrueuses et agressives, elle se couvre de masques tellement vengeurs et angoissants, elle tend à l'homme des pièges et des embuscades si perfides que l'Africain vit en permanence dans l'incertitude du lendemain, dans la peur et l'anxiété. Ici tout se manifeste sous une forme amplifiée, déchaînée, exagérée, hystérique. S'il y a un orage, la foudre brûle tout, les éclairs déchirent le ciel en lambeaux. S'il pleut, le ciel déverse des trombes d'eau qui en un instant vous noient et vous enfoncent sous terre. S'il y a une sécheresse, elle est si cruelle qu'elle ne laisse pas la moindre goutte d'eau et décime tout le monde. Entre la nature et l'homme, il n'y a pas d'intermédiaire pour adoucir les choses, pas de compromis, pas de gradation. C'est une lutte, une bataille, un combat permanents, acharnés, impitoyables. L'Africain est un homme qui, de la naissance à la mort, se trouve confronté à une nature particulièrement malveillante, et le seul fait d'exister, de rester en vie, est sa plus grande victoire.

C'est le soir, nous sommes assis sous un grand arbre, une jeune fille me sert un petit verre de thé. J'entends les voix des hommes dont le visage puissant et luisant semble sculpté dans l'ébène, fondu dans les ténèbres immobiles. Je ne comprends pas grand-chose à ce qu'ils disent, mais leurs voix sont sérieuses et émues. Leurs paroles sont empreintes d'un sentiment de responsabilité envers leur peuple. Ils se sentent tenus de préserver, de développer son histoire. Personne ne peut dire : « Lisez notre histoire dans des livres », car ces livres n'ont été écrits par personne. Leur histoire n'existe pas en dehors de celle qu'ils racontent. Leur histoire au sens européen du terme, autrement dit l'histoire scientifique et objective, n'existera jamais, car elle ignore les documents et les enregistrements. Et chaque génération, en écoutant la version qui lui est transmise, la modifie, la transforme, l'enjolive et la colore. Délestée du poids des archives, de la rigueur des données et des dates, elle atteint sa forme la plus pure, la plus cristalline, la forme du mythe.

Dans ces mythes, à la place des dates et des repères temporels mécaniques comme les jours, les mois, les années, fonctionnent d'autres marques : « il y a longtemps », « il y a très longtemps », « il y a tellement longtemps que personne ne s'en souvient ». Ces expressions permettent de brouiller la hiérarchie du temps. Le temps ne se développe ni ne s'ordonne de façon linéaire, il prend une forme dynamique, rotative, uniformément circulaire, comme la terre. Dans la conception des Africains, la notion de développement n'existe pas, elle est remplacée par la notion de durée. L'Afrique, c'est la durée éternelle.

Il se fait tard et tout le monde rentre chez soi. La nuit tombe, or la nuit appartient aux esprits. Où pensez-vous par exemple que se réunissent les sorcières ? C'est bien connu, elles tiennent leurs réunions et leurs conseils dans les branches, enfouies et cachées dans le feuillage. Mieux vaut ne pas les déranger et quitter l'arbre, car elles ne supportent pas qu'on les épie ou qu'on les écoute. Rancunières, elles peuvent persécuter, inoculer des maladies, transmettre la douleur, semer la mort.

C'est ainsi que la place sous le manguier est désertée jusqu'au lever du jour. À l'aube, le soleil et l'ombre de l'arbre surgissent simultanément. Le soleil réveille les hommes qui commencent aussitôt à se défendre contre ses rayons brûlants, à chercher la protection de l'ombre. Aussi curieux que cela paraisse, la vie humaine dépend d'éléments aussi fugaces et fragiles que l'ombre. L'arbre est plus qu'un arbre, il est la vie. Si sa cime est frappée par la foudre et que le manguier brûle, les gens ne pourront plus s'y abriter du soleil ni s'y réunir. Ne pouvant plus se réunir, ils ne seront plus en mesure de prendre de décisions, d'entreprendre des démarches. Mais surtout ils ne pourront plus se raconter leur histoire, qui ne peut être transmise que de bouche à oreille, au cours de ces réunions vespérales, à l'abri du manguier. Alors ils l'oublieront, sa mémoire disparaîtra. Ils deviendront des hommes sans passé, autrement dit personne. Ils perdront ce qui les reliait, ils se disperseront, chacun ira de son côté. Or la solitude est impossible en Afrique. Un homme seul ne peut survivre plus d'un jour. Solitaire, l'homme est condamné à mort. Par conséquent, si l'arbre est foudroyé, les hommes qui vivaient sous son ombrage périront à leur tour. Ne dit-on pas d'ailleurs que « l'homme ne peut survivre à son ombre » ?

À part l'ombre, il existe en Afrique une autre valeur suprême : l'eau.

« L'eau, c'est tout, m'a dit un jour Ogotemmeli, un sage originaire d'un peuple du Mali, les Dogons. La terre vient de l'eau. La lumière vient de l'eau. Le sang aussi. »

« Le désert t'apprendra une chose, m'a dit à Niamey un marchand du Sahara : qu'il existe une chose que l'on peut désirer et aimer plus qu'une femme, l'eau. »

L'ombre et l'eau, deux éléments fluides, incertains, qui apparaissent et disparaissent mystérieusement.

Deux modes de vie, deux situations : quiconque se trouve pour la première fois dans un supermarché américain, dans l'un de ces centres commerciaux gigantesques, interminables, ne peut qu'être frappé par la richesse et la variété des marchandises qui y sont entassées, par la profusion de tous les objets que l'homme a inventés, créés, puis qu'il a rassemblés, rangés et entassés pour éviter au client de réfléchir, de penser et lui offrir toutes ces richesses sur un plateau.

L'univers de l'Africain moyen est différent. C'est un monde pauvre, sommaire, élémentaire, réduit à quelques objets : une chemise, un plat, une poignée de grains, une gorgée d'eau. Sa richesse et sa diversité s'expriment non pas sous une forme matérielle, concrète, palpable, visible, mais dans les valeurs et les significations symboliques qu'il donne aux choses les plus ordinaires, des valeurs et des significations secrètes, imperceptibles car inconsistantes. Cela peut être la plume d'un coq considérée comme un réverbère éclairant la route dans les ténèbres, une goutte d'huile d'olive tenant lieu de bouclier contre des balles malveillantes. L'objet se charge d'un poids symbolique, métaphysique, car l'homme en a décidé ainsi, par sa volonté il l'a sublimé, lui a donné une autre dimension, l'a déplacé dans une sphère d'existence supérieure, l'a transcendé.

Un jour, au Congo, j'ai eu le privilège de visiter un lieu d'instruction initiatique pour garçons. En sortant de cette école, les enfants devenaient des adultes, avaient le droit de s'exprimer aux réunions du clan, pouvaient fonder une famille. Un Européen visitant cette école, fondamentale dans la vie d'un Africain, serait stupéfait, abasourdi. Comment ? Mais il n'y a rien ! Ni bancs, ni tableau ! Quelques buissons épineux, des touffes d'herbe sèche. En guise de plancher, un sable gris cendre. Et cela s'appelle une école ? Pourtant les jeunes gens sont fiers et émus. On leur fait un honneur immense. Car tout repose ici sur un contrat social pris très au sérieux, sur un acte de foi profonde : la tradition veut que ce lieu soit doté d'un statut privilégié, noble, sacré même. La chose la plus futile devient une chose importante, car il en a été décidé ainsi. L'imagination l'a bénie et sublimée.

Autre exemple d'ennoblissement symbolique : le disque de Lenshina. Une femme nommée Alice Lenshina habitait en Zambie. Elle avait une quarantaine d'années. Elle faisait du commerce dans les rues de la petite ville de Serenge. Elle ne se distinguait par aucun signe particulier. On était dans les années soixante et, à cette époque, on trouvait encore des gramophones à manivelle çà et là dans le monde. Lenshina en avait un, ainsi qu'un disque usé jusqu'à la corde. Sur le disque était enregistré le discours de Churchill de 1940 dans lequel il exhortait les Anglais au sacrifice. Ayant installé son gramophone dans sa cour, la femme tournait la manivelle. Le pavillon métallique peinturluré en vert produisait un grondement et un gargouillement aux accents pathétiques, mais le texte était incompréhensible. Aux miséreux de plus en plus nombreux qui se réunissaient là, Lenshina expliquait que c'était la voix d'un dieu dont elle était la messagère et qui exigeait une soumission inconditionnelle. Les foules commencèrent à affluer chez elle. Ses disciples, en général des pauvres sans le sou, construisirent avec les moyens du bord un temple dans la brousse où ils venaient réciter leurs prières. Au début de chaque cérémonie, la basse sonore de Churchill les mettait en extase, en transe. Les autorités eurent toutefois honte de ces manifestations religieuses et le président Kenneth Kaunda envoya contre Lenshina la troupe qui, sur le lieu du culte, massacra quelques centaines d'innocents. Les chars réduisirent en poussière le temple d'argile.

De l'Afrique, l'Européen ne voit que l'enveloppe extérieure, une partie, peut-être la moins intéressante et la moins importante. Son regard glisse en surface comme s'il doutait que toute chose recèle un secret, même en Afrique. La culture européenne ne nous a guère préparés à ces investigations dans les profondeurs d'autres univers, à la source de cultures différentes. Le drame de nos civilisations, et de l'Europe notamment, c'est que jadis les premiers contacts avec l'Afrique ont été le privilège d'individus de la pire engeance : voleurs, soldatesque, aventuriers, criminels, trafiquants d'esclaves, etc. Certes, il y a eu des exceptions : des missionnaires honnêtes, des voyageurs passionnés, des chercheurs, mais en général le ton, la norme, le climat ont pendant des siècles été dictés par des canailles, des brigands internationaux peu soucieux de découvrir d'autres cultures, de communiquer avec elles, de les respecter. C'étaient pour la plupart des mercenaires obscurs, butés, rustres, insensibles, analphabètes. La seule chose qui les intéressait, c'était conquérir, piller et massacrer. Au bout du compte, au lieu de se connaître, se rapprocher et s'interpénétrer, les deux mondes sont devenus mutuellement hostiles, dans le meilleur des cas indifférents. À part les scélérats dont j'ai parlé, les représentants des deux cultures évitaient les contacts, fuyaient, avaient peur. Cette monopolisation des relations interculturelles par une classe d'obscurantistes a institué des rapports exécrables. Les relations humaines ont été fixées d'après le critère le plus primitif : celui de la couleur de peau. Le racisme est devenu une idéologie selon laquelle l'homme définissait sa place dans l'ordre mondial. D'un côté les Blancs, de l'autre les Noirs : dans cette relation, la réticence était souvent réciproque. En 1894 l'Anglais Lugard se rend à la tête d'une petite division au fin fond de l'Afrique occidentale pour s'emparer du royaume du Bornou. Souhaitant rencontrer son roi, il est accueilli par un émissaire qui l'informe que le souverain ne peut le recevoir. Tout en transmettant son message à Lugard, l'émissaire ne cesse de cracher dans un récipient en bambou accroché à son cou : ses crachats le protègent et le purifient contre les séquelles que peuvent entraîner un contact avec un homme blanc.

Le racisme, la haine de l'autre, le mépris et le désir d'extermination trouvent leur racines dans les relations coloniales en Afrique. C'est là-bas que tout a été inventé et mis en pratique, bien des siècles avant que les systèmes totalitaires ne viennent greffer leurs expériences lugubres et honteuses sur l'Europe du XXᵉ siècle.

Autre conséquence de la monopolisation des contacts par cette classe d'obscurantistes : les langues européennes n'ont guère développé un lexique permettant de décrire de manière appropriée un univers autre que l'univers européen. Des pans entiers du monde africain ne peuvent être appréhendés ni même effleurés à cause de l'indigence de la langue. Comment décrire les entrailles sombres, vertes, étouffantes de la jungle ? Ces centaines d'arbres et de buissons, comment s'appellent-ils ? Je ne connais que les noms de « palmier », « baobab », « euphorbe ». Or ces arbres ne poussent pas dans la jungle. Et ces arbres immenses, d'une hauteur de dix étages, sur les rives de l'Oubangui et de l'Itouri, comment s'appellent-ils ? Comment baptiser ces divers insectes que l'on rencontre partout, qui nous assaillent et nous piquent sans cesse ? Il arrive qu'on trouve un nom latin, mais que va-t-il évoquer à un lecteur moyen ? Cela n'intéresse que les biologistes et les zoologistes. Et l'immense domaine de la vie psychique, des croyances, de la mentalité de ces hommes ? Chaque langue européenne est riche, mais sa richesse est au service de la description de sa propre culture, elle est là pour représenter son propre monde. Quand elle veut aborder le terrain d'une autre culture et la décrire, elle dévoile ses limites, son immaturité, son désarroi sémantique.

L'Afrique, ce sont des milliers de situations les plus diverses, les plus variées, les plus contradictoires. Quelqu'un vous dira : « Il y a la guerre là-bas. » Et il aura raison. Un autre dira : « Là-bas c'est calme. » Et il aura raison aussi. Car tout dépend du lieu et du temps.

À l'époque précoloniale — il n'y a donc pas si longtemps —, il existait en Afrique plus de dix mille petits États, royaumes, unions ethniques, fédérations. Dans son livre *The African Experience* (New York, 1991), l'historien londonien Ronald Oliver met le doigt sur un paradoxe : il est d'usage de dire que les colons européens ont réalisé le partage de l'Afrique. Le partage ? s'étonne Oliver. Cela a plutôt été une unification, menée brutalement, par le fer et par le feu ! De deux mille, on est passé à cinquante.

Toutefois il reste encore beaucoup de cette diversité, de cette mosaïque, de ce tableau se métamorphosant à vue d'œil, de ce puzzle constitué de minuscules cailloux, cubes, coquillages, bûchettes, paillettes et feuilles. Plus nous le scrutons, plus nous constatons que ses pièces changent de place, de forme, de couleur pour former un spectacle étourdissant par sa mobilité, sa richesse, ses vibrations colorées.

Il y a quelques années, j'ai passé le réveillon de Noël au Parc national de Mikoumi, au fin fond de la Tanzanie. La soirée était chaude, calme, sans un brin de vent. Sur une clairière en pleine brousse, à la belle étoile, quelques tables étaient dressées avec des plats de poissons frits, de riz, de tomates, des bouteilles de pombe, la bière locale. Des bougies, des lampions, des lampes étaient allumés. Il régnait une atmosphère agréable, détendue. Comme toujours quand c'est la fête en Afrique, les récits, les plaisanteries, les rires fusaient. Il y avait là des ministres du gouvernement tanzanien, des ambassadeurs, des généraux, des chefs de clan. Minuit passa. Soudain j'ai senti derrière les tables éclairées une masse obscure et impénétrable s'approcher, se balancer et résonner. Cela n'a pas duré longtemps. Le vacarme s'est soudain amplifié, et dans notre dos, des profondeurs de la nuit, a émergé un éléphant. J'ignore si mon lecteur s'est jamais trouvé nez à nez avec un éléphant, non pas dans un zoo ou dans un cirque, mais dans la brousse africaine, dans le royaume de cet effroyable seigneur ! À sa vue, l'homme est pris de panique. Quand il est séparé du troupeau, l'éléphant solitaire est souvent un fauve devenu fou furieux, un prédateur déchaîné qui attaque les villages, piétine les cases, tue les hommes et le bétail.

L'éléphant est vraiment un animal énorme, il a un regard pénétrant, perçant et il est silencieux. Nous ne savons pas ce qui se passe dans sa tête puissante, ce qu'il va faire dans la seconde qui va suivre.

Il s'immobilisa un instant, puis se mit à passer entre les tables. Il régnait un silence de mort. Tout le monde restait assis, paralysé, pétrifié. Personne ne bougeait, car cela aurait pu déchaîner sa furie et comme c'est un animal rapide, il aurait été impossible de lui échapper. D'un autre côté, en restant assis sans bouger, nous nous exposions à son attaque, risquions de périr écrasés par les pattes du colosse.

Notre éléphant déambulait, contemplait les tables dressées, les gens à moitié morts de peur. D'après ses mouvements, le balancement de sa tête, on voyait qu'il hésitait, qu'il n'arrivait pas à prendre une décision. Cela n'en finissait plus, semblait durer une éternité. À un moment je saisis son regard. Il nous fixait avec insistance, de ses yeux lugubres, figés.

Enfin, après un dernier tour de piste, l'éléphant nous a laissés, il est parti et s'est fondu dans les ténèbres. Quand le martèlement de ses pas s'est tu et que l'obscurité s'est immobilisée, l'un des Tanzaniens assis à côté de moi m'a demandé : « Tu as vu ? — Oui, ai-je répondu toujours à moitié mort de frayeur. C'était un éléphant. — Non, a-t-il rétorqué. L'esprit de l'Afrique prend toujours la forme de l'éléphant. Car l'éléphant ne peut être vaincu par aucun animal. Ni par le lion, ni par le buffle, ni par le serpent. »

Dans le silence, tout le monde a regagné sa case. Les garçons ont éteint les lumières sur les tables. Il faisait encore nuit, mais le moment le plus éblouissant en Afrique approchait, le point du jour.

Table

DANS LA MÊME COLLECTION

Svetlana Alexievitch, *Ensorcelés par la mort*. Traduit du russe par Sophie Benech.

Vladimir Arsenijević, *A fond de cale*. Traduit du serbo-croate par Mireille Robin.

Kirsten Bakis, *Les Chiens-Monstres*. Traduit de l'anglais (Etats-Unis) par Marc Cholodenko.

Sebastian Barry, *Les Tribulations d'Eneas McNulty*. Traduit de l'anglais (Irlande) par Robert Davreu.

Saul Bellow, *En souvenir de moi*. Traduit de l'anglais (Etats-Unis) par Pierre Grandjouan.

Saul Bellow, *Tout compte fait. Du passé indistinct à l'avenir incertain*. Traduit de l'anglais (Etats-Unis) par Philippe Delamare.

Alessandro Boffa, *Tu es une bête, Viskovitz*. Traduit de l'italien par Nathalie Bauer.

Joan Brady, *L'Enfant loué*. Traduit de l'anglais par Pierre Alien. Prix du Meilleur Livre Etranger 1995.

Joan Brady, *Peter Pan est mort*. Traduit de l'anglais par Marc Cholodenko.

Peter Carey, *Jack Maggs*. Traduit de l'anglais (Australie) par André Zavriew.

Peter Carey, *Oscar et Lucinda*. Traduit de l'anglais (Australie) par Michel Courtois-Fourcy.

Peter Carey, *L'Inspectrice*. Traduit de l'anglais (Australie) par Marc Cholodenko.

Peter Carey, *Un écornifleur* (Illywhacker). Traduit de l'anglais (Australie) par Jean Guiloineau.

Martha Cooley, *L'Archiviste*. Traduit de l'anglais (Etats-Unis) par André Zauriew.

Junot Diaz, *Comment sortir une Latina, une Black, une blonde ou une métisse*. Traduit de l'anglais (Etats-Unis) par Rémy Lambrechts.

Albert Drach, *Voyage non sentimental*. Traduit de l'allemand par Colette Kowalski.

Stanley Elkin, *Le Royaume enchanté*. Traduit de l'anglais (Etats-Unis) par Claire Maniez et Marc Chénetier.

Nathan Englander, *Pour soulager d'irrésistibles appétits*. Traduit de l'anglais (Etats-Unis) par Elisabeth Peellaert.

Jeffrey Eugenides, *Les Vierges suicidées*. Traduit de l'anglais (Etats-Unis) par Marc Cholodenko.

Erik Fosnes-Hansen, *Cantique pour la fin du voyage*. Traduit du norvégien par Alain Gnaedig.

Erik Fosnes-Hansen, *La Tour des Faucons*. Traduit du norvégien par Johannes Kreisler.

William Gaddis, *JR*. Traduit de l'anglais (Etats-Unis) par Marc Cholodenko.

William Gaddis, *Le Dernier Acte*. Traduit de l'anglais (Etats-Unis) par Marc Cholodenko.

Eduardo Galeano, *Mémoire du feu*, tome I, *Les Naissances*. Traduit de l'espagnol par Claude Couffon.

Eduardo Galeano, *Mémoire du feu*, tome II, *Les Visages et les Masques*. Traduit de l'espagnol par Véra Binard.

Eduardo Galeano, *Mémoire du feu*, tome III, *Le Siècle du vent*. Traduit de l'espagnol par Véra Binard.

Natalia Ginzburg, *Nos années d'hier*. Traduit de l'italien par Adrienne Verdière Le Peletier. Nouvelle édition établie par Nathalie Bauer.

Nadine Gordimer, *Le Safari de votre vie*. Nouvelles traduites de l'anglais par Pierre Boyer, Julie Damour, Gabrielle Rolin, Antoinette Roubichou-Stretz et Claude Wauthier.

Nadine Gordimer, *Feu le monde bourgeois*. Traduit de l'anglais par Pierre Boyer.

Nadine Gordimer, *Personne pour m'accompagner*. Traduit de l'anglais par Pierre Boyer.

Nadine Gordimer, *L'Ecriture et l'existence*. Traduit de l'anglais par Claude Wauthier.

Nadine Gordimer, *L'Arme domestique*. Traduit de l'anglais par Claude Wauthier et Fabienne Teisseire.

Arnon Grunberg, *Lundis bleus*. Traduit du néerlandais par Tina Hegeman.

Allan Gurganus, *Bénie soit l'assurance*. Traduit de l'anglais (Etats-Unis) par Simone Manceau.

Allan Gurganus, *Lucy Marsden raconte tout*. Traduit de l'anglais (Etats-Unis) par Elisabeth Peellaert.

Oscar Hijuelos, *Les Mambo Kings*. Traduit de l'anglais (Etats-Unis) par Pierre Alien et Jean Clem.

Nick Hornby, *Haute Fidélité*. Traduit de l'anglais par Gilles Lergen.

Nick Hornby, *Carton jaune*. Traduit de l'anglais par Gabrielle Rolin.

Nick Hornby, *A propos d'un gamin*. Traduit de l'anglais par Christophe Mercier.

Neil Jordan, *Lignes de fond*. Traduit de l'anglais (Irlande) par Gabrielle Rolin.

Nicholas Jose, *Pour l'amour d'une rose noire*. Traduit de l'anglais par Anne Rabinovitch.

Ryszard Kapuściński, *Imperium*. Traduit du polonais par Véronique Patte.

Jerzy Kosinski, *L'Ermite de la 69e Rue*. Traduit de l'anglais (Etats-Unis) par Fortunato Israël.

Barry Lopez, *Les Dunes de Sonora*. Traduit de l'anglais (Etats-Unis) par Suzanne V. Mayoux.

James Lord, *Cinq femmes exceptionnelles*. Traduit de l'anglais (Etats-Unis) par Pierre Leyris et Edmonde Blanc.

Patrick McCabe, *Le Garçon boucher*. Traduit de l'anglais (Irlande) par Edith Soonkindt-Bielok.

Norman Mailer, *Oswald. Un mystère américain*. Traduit de l'anglais (Etats-Unis) par Pierre Grandjouan.

Norman Mailer, *L'Evangile selon le fils*. Traduit de l'anglais (Etats-Unis) par Rémy Lambrechts.

Norman Mailer, *L'Amérique*. Traduit de l'anglais (Etats-Unis) par Anne Rabinovitch.

Salvatore Mannuzzu, *La Procédure*. Traduit de l'italien par André Maugé.

Salvatore Mannuzzu, *La Fille perdue*. Traduit de l'italien par Nathalie Bauer.

Valerie Martin, *Mary Reilly*. Traduit de l'anglais (Etats-Unis) par Annie Saumont.

Paolo Maurensig, *Le Violoniste*. Traduit de l'italien par Nathalie Bauer.

Piero Meldini, *L'Antidote de la mélancolie*. Traduit de l'italien par François Maspero.

Jess Mowry, *Hypercool*. Traduit de l'anglais (Etats-Unis) par Pierre Alien.

Péter Nádas, *La Fin d'un roman de famille*. Traduit du hongrois par Georges Kassai.

Péter Nádas, *Le Livre des mémoires*. Traduit du hongrois par Georges Kassai. Prix du Meilleur Livre Etranger, 1999.

Péter Nádas, *Amour*. Traduit du hongrois par Georges Kassai et Gilles Bellamy.

V.S. Naipaul, *L'Inde. Un million de révoltes*. Traduit de l'anglais par Béatrice Vierne.

V.S. Naipaul, *La Traversée du milieu*. Traduit de l'anglais par Marc Cholodenko.

V.S. Naipaul, *Un chemin dans le monde*. Traduit de l'anglais par Suzanne V. Mayoux.

V.S. Naipaul, *La Perte de l'Eldorado*. Traduit de l'anglais par Philippe Delamare.

V.S. Naipaul, *Jusqu'au bout de la foi. Excursions islamiques chez les peuples convertis*. Traduit de l'anglais par Philippe Delamare.

Tim O'Brien, *A la poursuite de Cacciato*. Traduit de l'anglais (Etats-Unis) par Yvon Bouin.

Tim O'Brien, *A propos de courage*. Traduit de l'anglais (Etats-Unis) par Jean-Yves Prate. Prix du Meilleur Livre Étranger 1993.

Tim O'Brien, *Au lac des Bois*. Traduit de l'anglais (Etats-Unis) par Rémy Lambrechts.

Jayne Anne Phillips, *Camp d'été*. Traduit de l'anglais (Etats-Unis) par André Zavriew.

Salman Rushdie, *La Terre sous ses pieds*. Traduit de l'anglais par Danielle Marais.

Salman Rushdie, *Le Dernier Soupir du Maure*. Traduit de l'anglais par Danielle Marais.

Salman Rushdie, *Est, Ouest*. Traduit de l'anglais par François et Danielle Marais.

Salman Rushdie, *La Honte*. Traduit de l'anglais par Jean Guiloineau.

Salman Rushdie, *Le Sourire du jaguar*. Traduit de l'anglais par Anne Rabinovitch.

Salman Rushdie, *Les Enfants de minuit*. Traduit de l'anglais par Jean Guiloineau.

Salman Rushdie, *Les Versets sataniques*. Traduit de l'anglais par A. Nasier.

Paul Sayer, *Le Confort de la folie*. Traduit de l'anglais par Bernard Hoepffner.

Donna Tartt, *Le Maître des illusions*. Traduit de l'anglais (Etats-Unis) par Pierre Alien.

Pramoedya Ananta Toer, *Le Fugitif*. Traduit de l'indonésien par François-René Daillie.

Dubravka Ugrešić, *L'Offensive du roman-fleuve*. Traduit du serbo-croate par Mireille Robin.

Dubravka Ugrešić, *Dans la gueule de la vie*. Traduit du serbo-croate par Mireille Robin.

Serena Vitale, *Le Bouton de Pouchkine*. Traduit de l'italien par Jacques Michaut-Paternò. Prix du Meilleur Livre Etranger 1998.

Edith Wharton, *Les Boucanières*. Traduit de l'anglais (Etats-Unis) par Gabrielle Rolin.

Edmund White, *Ecorché vif*. Traduit de l'anglais (Etats-Unis) par Elisabeth Peellaert et Marc Cholodenko.

Edmund White, *La Bibliothèque qui brûle*. Traduit de l'anglais (Etats-Unis) par Philippe Delamare.

Edmund White, *La Symphonie des adieux*. Traduit de l'anglais (Etats-Unis) par Marc Cholodenko.

Edmund White, *L'Homme marié*. Traduit de l'anglais (Etats-Unis) par Anne Rabinovitch.

Jeanette Winterson, *Ecrit sur le corps*. Traduit de l'anglais par Suzanne Mayoux.

Jeanette Winterson, *Le Sexe des cerises*. Traduit de l'anglais par Isabelle Delors-Philippe.

Jeanette Winterson, *Art et mensonges*. Traduit de l'anglais par Isabelle Delors-Philippe.

Tobias Wolff, *Un mauvais sujet*. Traduit de l'anglais (Etats-Unis) par Anouk Neuhoff.

Tobias Wolff, *Dans l'armée de Pharaon*. Traduit de l'anglais (Etats-Unis) par Rémy Lambrechts.

Tobias Wolff, *Retour au monde*. Traduit de l'anglais (Etats-Unis) par Rémy Lambrechts.